Nach der Shoa geboren
Jüdische Frauen in Deutschland

Jessica Jacoby, Claudia Schoppmann,
Wendy Zena-Henry (Hrsg.)

Nach der Shoa geboren

Jüdische Frauen in Deutschland

ELEFANTEN PRESS

© ELEFANTEN PRESS Verlag GmbH, Berlin 1994.
Alle Nachdrucke sowie die Verwertung in Film, Funk und
Fernsehen und auf jeder Art von Bild-, Wort- oder Tonträgern
sind honorar- und genehmigungspflichtig.
Alle Rechte vorbehalten.

Umschlaggestaltung: Jürgen Holtfreter
Umschlagcollage: Judith Kessler
Gestaltung: Barbara Globig
Satz: Agentur Siegemund
Belichtung: MSP Satz + Grafik GmbH, Berlin
Druck: Druckhaus am Treptower Park GmbH, Berlin
Bindung: Buchbinderei am Treptower Park GmbH, Berlin

Printed in Germany
EP 529
ISBN 3-88520-529-7

ELEFANTEN PRESS
Postfach 66
12414 Berlin

Die Deutsche Bibliothek – CIP-Einheitsaufnahme

Nach der Shoa geboren : jüdische Frauen in Deutschland /
Jessica Jacoby ... (Hrsg.) – Berlin : Elefanten Press, 1994
   (EP ; 529)
   ISBN 3-88520-529-7
NE: Jacoby, Jessica [Hrsg.]; GT

Inhalt

Jedes Buch über Jüdinnen und Juden, die »im Hause des Henkers« leben, ist ein Buch über einen Widerspruch, der erklärungs- oder gar rechtfertigungsbedürftig erscheint. Sowohl gegenüber anderswo lebenden Juden als auch gegenüber einheimischen Nichtjuden. Denn es dokumentiert eine Kontinuität, die die Nationalsozialisten unmöglich machen wollten. Und die es, wenn es nach den internationalen jüdischen Organisationen gegangen wäre, auch nicht gegeben hätte. Deren offizielle Politik war bis in die fünfziger Jahre auf Auswanderung aller in Deutschland zurückgebliebenen Juden, meist »Displaced Persons«, ausgerichtet. Nach Auschwitz war dies keine unverständliche Position, ging jedoch an den Lebensumständen und Bedürfnissen etlicher Juden vorbei. Aber auch die Mehrheit der Deutschen hätte es nach dem »Dritten Reich« wohl vorgezogen, die Vergangenheit ohne die personifizierte jüdische Erinnerung ungestört zu vergessen. Denn mit der Kapitulation im Mai 1945 war der Antisemitismus in Deutschland keineswegs verschwunden. Zu oft wird Antisemitismus auf Auschwitz oder Neonazis reduziert und der »gewöhnliche«, kulturell tradierte Antisemitismus im eigenen Bewußtsein ausgeblendet und auf jene projiziert, von denen man sich leicht distanzieren kann – die »Anderen«.

Ist nach dem Völkermord der Nazis je wieder eine deutsch-jüdische Normalität möglich? Oder stehen sich die einstigen Täter und Opfer, Verfolger und Verfolgte auch noch in der zweiten Generation und für immer unversöhnlich gegenüber, in einer »negativen Symbiose« (Hannah Arendt)? Was prägt das Leben der Jüdinnen und Juden in Deutschland – dieser sehr kleinen, aber brisanten Minderheit? Beschränkt sich jüdische Identität auf die Erfahrung von Antisemitismus und der Verfolgung der Elterngeneration? Oder auf religiöses Engagement oder die Identifikation mit Israel?

Was jüdische Frauen der Nachkriegsgeneration, die in Deutschland aufgewachsen sind oder jetzt hier leben, bewegt, ist Gegenstand dieses Sammelbandes. Unsere Beschränkung auf Frauen ist ein Versuch, das patriarchale Prinzip in Frage zu stellen, das als repräsentativ (nicht nur) für Juden und das Judentum angesehen wird und das die spezifischen Erfahrungen von Frauen oftmals ausblendet. Mehr als dreißig ganz unterschiedliche Frauen kommen zu Wort. »Ich habe gelernt, damit zu leben, eine nicht selbstverständliche Existenz zu sein«, charakterisiert eine von ihnen ihr Lebensgefühl, in dem sich sicher viele Jüdinnen wiederfinden. Doch sie warnt davor, Identität in einer doppelten Opferrolle als Jüdin und als Frau zu suchen – beeinflußt von einer Umwelt, die nur in Opfer- oder Täter-Kategorien denkt. Eine andere Autorin wünscht sich manchmal, ein »ganz neutraler Mensch, ohne Nationalität und Geburtsort« zu sein, und verwahrt sich dagegen, als Opfer funktionalisiert zu werden.

Als wir im Sommer 1988 die Idee für diese Anthologie entwickelten, gab es nichts derartiges auf dem Buchmarkt. Zwar existierten mehrere Veröffentlichungen über die ältere Generation, aber kaum etwas über deren Töchter. Ihnen blieb zwar die unmittelbare Lebensbedrohung erspart – hier hat die Redewendung von der »Gnade der späten Geburt« ihre Berechtigung –, und doch müssen sie mit den familiären und gesellschaftlichen Folgen der Shoa leben. Das heißt, daß dieses Land seine jüdischen Bewohner und Bewohnerinnen anders prägt als die nichtjüdischen, Frauen wiederum anders als Männer, und daß keine Jüdin und kein Jude um eine Auseinandersetzung mit Deutschland herumkommt. Dies bedeutet auch eine Auseinandersetzung mit der Shoa. Unser Anliegen war es, Fremdheit und Verankerung aufzuzeigen – diesen grundlegenden Gegensatz, der für Jüdinnen und Juden wohl nirgendwo so spürbar ist wie in Deutschland.

Berlin, im Juni 1994
Die Herausgeberinnen

Maria T. Baader
Zweierlei Befreiung

»Fahren Sie diesen Sommer nach Hause?« – »Nein«, antworte ich, ohne eine Erklärung folgen zu lassen. Es entsteht Schweigen. Wie kann ich das Menschen hier erklären? In New York bin ich gerne deutsch. Ich spreche viel Deutsch. Ich genieße es, mich auf einer von vielen Immigranteninseln dieser Stadt zu bewegen. Ich beziehe mich positiv auf meine deutsche Kulturzugehörigkeit und auf meine so widerspruchsvolle Geschichte. Aber »Zuhause« ist wo?

Als ich am Abend des neunten November 1989 das Radio anstellte und die hysterischen Schreie begeisterter Menschenmassen in mein Schlafzimmer fluteten, wurde mir übel vor Angst. Am gleichen Tag vor einunfünfzig Jahren hatte in dieser Stadt das Novemberpogrom stattgefunden, hatten Synagogen in Flammen gestanden, waren jüdische Geschäfte geplündert worden und waren Juden und Jüdinnen verhaftet und in Konzentrationslager verschleppt worden. Zum fünfzigsten Jahrestag, 1988, war aufwendig Gedenken inszeniert worden. Im November 1989 wurde die Mauer geöffnet und die Deutschen feierten ihre Befreiung.

Im allgemeinen Jubel fielen die »deutsche Frage« und die »jüdische Frage« ein weiteres Mal zusammen. Die Mauer war zwar weder die direkte Folge des zweiten von Deutschland angezettelten Weltkrieges, noch die Konsequenz des von Deutschen begangenen Völkermordes an Juden und Jüdinnen, sondern sie war Ergebnis westalliierter Interessenspolitik. Im Bewußtsein der westdeutschen – und vielleicht auch bei Teilen der ostdeutschen – Bevölkerung jedoch war die Mauer Symbol der nationalen Niederlage und des verlorenen Weltkrieges, Strafe und Mahnmal für Untaten, derer die Sieger sie anklagten und die eigentlich niemand begangen hatte, eine Schmach des deutschen Volkes. In dem nationalen Rausch, den die Öffnung der

Mauer auslöste, lebte die unterdrückte »Volksgemeinschaft« wieder auf, und die Erinnerung an die, die der Herrschaft dieser »Volksgemeinschaft« zum Opfer gefallen waren, wurde fortgespült. Ich wußte, daß sich die DDR ohne Mauer ökonomisch nicht halten konnte, und ich war entsetzt.

Die ersten Tage »danach« war ich damit beschäftigt, mit meinen Gefühlen zu Rande zu kommen, herauszufinden, ob und in welchem Maße die Angst und Empörung, die ich empfand, der Situation angemessen war.

Wieder einmal waren Vergangenheit und Gegenwart übereinandergerutscht. Eine Vergangenheit, die ich selbst nicht erlebt habe, aber die doch seit früher Kindheit in mein Leben hineingereicht hat. Der erstarrte Schrecken auf dem Gesicht meines Vaters, jedes Mal, wenn er das Zimmer betrat, ließ nicht zu, daß ich in eine Gegenwart wuchs, die von der Vergangenheit deutlich getrennt gewesen wäre. Viele kleine, alltägliche, »übertriebene« Reaktionen auf Konflikte mit der Umwelt haben mir das Gefühl einer ständigen Bedrohung vermittelt, auch wenn ich in äußerer Sicherheit, in Zeiten des Friedens in Europa und ohne materielle Not großgeworden bin. Bevor ich das kleine Einmaleins konnte, hatte ich gelernt, daß nur eine Generation vor mir Kinder, die wie ich in Sicherheit gelebt hatten, in die Vernichtung geschickt worden waren.

Ist es ein Wunder, daß ich mit achtzehn Jahren nicht wagte, meinen Paß vom Polizeigebäude am Tempelhofer Damm abzuholen, in dem an einem Wochenende im Mai 1977 Gefangenen der »Bewegung 2. Juni« bei einer Gegenüberstellung die Knebelketten angezogen worden waren, bis ihre Handgelenke bluteten. Ich wußte, daß nur wenige Schritte weiter ein sogenanntes wildes Konzentrationslager gewesen war.

So hatte ich in den Tagen, die dem neunten November 1989 folgten und in denen die Menschen um mich herum in einer Stimmung nationalen Aufbruchs schwelgten, Angst. Nach und nach erkannte ich, daß die Massen, die sich die Straße vor meiner Haustür entlangschoben, nicht aggressiv waren, und daß mir keine unmittelbare Gefahr drohte.

In dem Maße, in dem ich wieder klarer denken konnte, bestätigte sich aber meine erste Befürchtung, daß in »Deutschland« die Entsorgung des Nationalsozialismus gesellschaftlich durchgesetzt wurde. Die Nachkriegsgeschichte ging zu Ende; die Befreiung, die im November 1989 stattfand, war die Befreiung der Deutschen von der Scham. Bischof Martin Kruse hatte es im »Wort zum Sonntag« am 10. November 1989 deutlich gesagt. Habe »der 9. November bislang einen dunklen Klang in der Geschichte gehabt«, so sei er »nun, nach dem 9. November '89, ein hell strahlender Tag in der deutschen Geschichte geworden«.[1]

In den Jahrzehnten, die der »Kapitulation« gefolgt waren, hatte die Mehrzahl der Deutschen ihre Täterschaft im Nationalsozialismus verleugnet und verdrängt. Die Nachgeborenen haben die Mythen von Eltern und Gesellschaft übernommen, doch auch ihnen blieb ein gewisses Unbehagen nicht erspart. Es war schwierig, deutsch zu sein. Ständiges Ausweichen ist anstrengend. Den schmerzhaften Weg zur Verantwortung wählten die wenigsten, die meisten beließen es beim »dunklen Klang« bezüglich der doch sonst »schönsten Zeit ihres Lebens« (oder dem Leben ihrer Eltern und Großeltern). In den achtziger Jahren wurde in der BRD versucht, mit Vorstößen wie »Bitburg« und der »Historikerdebatte«, diesen unerquicklichen Zustand zu beheben. Der Nationalsozialismus wurde systematisch relativiert und verharmlost, um ein »positives« Konzept von »deutsch« zu reetablieren. In das Vakuum des Nicht-Befassens schob sich – »den Juden« und anderen »Immer-noch-Moralisierenden« zum Trotz – ein neues Selbstbewußtsein. »Ich bin stolz, ein Deutscher zu sein«, prangte auf den Jacken Halbwüchsiger, und im Berlin des deutschen Winters 1989/90 trug Jung und Alt mit Stolz das T-Shirt mit der Aufschrift »9. November – Ich war dabei«. *Ich war dabei* ist auch der Titel der Autobiographie des Vorsitzenden der »Republikaner«, Franz Schönhuber, in der er seine SS-Vergangenheit beschreibt.

War es im Nachkriegsdeutschland zuweilen problematisch, »dabeigewesen« zu sein, so konnte diese falsche Zurückhaltung nun aufgegeben werden. Der rheinland-pfälzische Ministerpräsident Wagner formulierte es so: »Zu keinem Zeitpunkt seit 1933, vielleicht sogar seit 1914, hat das deutsche Volk mit so großer Zuversicht der Zukunft entgegensehen können wie heute.«[2]

Wie hätte ich angesichts solcher Töne nicht Angst und Zorn empfinden sollen. Ich fühlte mich gedemütigt. Das Absingen der Nationalhymne im Bundestag war ebenso bedrohlich wie die Weigerung Kohls, die polnische Westgrenze anzuerkennen. In den antisemitischen Angriffen auf Gregor Gysi, der wegen seiner jüdischen Herkunft als »Nicht-Deutscher« beschimpft wurde, mischte sich Antikommunismus mit Antisemitismus, und Transparente mit der Aufschrift »Gysi nach Israel« zeigten an, daß das kapitalistische »Großdeutschland« nicht für die bestimmt war, die als »undeutsch« galten. In den Ausfällen gegen Gysi sowie in der Parole der DDR-Demonstrationen, die den Fall der Mauer begleiteten, »Wir sind das Volk«, war die Ausgrenzung von Jüdinnen und Juden, Immigrantinnen und Immigranten und Schwarzen Deutschen, die in den folgenden Jahren zu Gewalt und Mord führen sollte, bereits angelegt.

Ich lebte meinen Alltag, und meine Gedanken bewegten sich in ihren gewohnten Bahnen, bis sie auf das Neue stießen – dann schreckte ich auf. Die Welt, in der ich gelebt und in der ich einen Ort hatte, gab es nicht mehr. Mir war schnell klar, daß die Entwicklung auf »Wiedervereinigung« hinauslief, wenn sich auch damals noch niemand das atemberaubende Tempo vorstellen konnte, in dem sie vollzogen werden sollte. Wir ahnten nicht, daß die DDR sich ohne jede Bedingung unterwerfen würde, daß sie sich mit Haut und Haaren kampflos ausliefern würde. Aber ich wußte, daß ich in dem wiederauferstehenden Deutschland nicht sein wollte.

Die Existenz der DDR als Herausforderung für den Rechtsnachfolger des »Dritten Reiches«, die Anwesenheit der Alliierten und die »exotische« Situation West-Berlins hatten mir das Leben hier möglich gemacht. Es hatte keine Normalität gegeben. Der Krieg war nicht zu Ende gegangen. Die Antagonismen waren sichtbar gewesen, die Unvereinbarkeiten hatten der Realität entsprochen. Vergangenheit und Gegenwart hatten unversöhnlich nebeneinander gestanden. Vergessen und Erinnern waren in ständigem Konflikt miteinander gewesen. Und an diesen Bruchlinien hatte ich mein Zuhause. Ich war deutsch gewesen in dem Sinn, daß ich die Widersprüche dieser Gesellschaft verkörpert hatte.

Als Tochter einer nichtjüdischen Mutter und eines jüdischen Vaters (beide ihrerseits voller Widersprüche) hatte ich mich in den Rissen der Gesellschaft bewegt, und da hatte ich meinen Platz. In einem Deutschland, das die Brüche glättete, das seine Vergangenheit »bewältigte«, indem es die beunruhigenden Teile der Erinnerung überwältigte, das im Rahmen der »Aufräumarbeiten der Nachkriegsgeschichte«[3] (Kohl) die toten Juden und Jüdinnen für rechtskräftig tot erklärte. Da war ich überflüssig und fremd geworden. Das Land, in dem ich gelebt hatte, war untergegangen.

Langsam sickerte eine Erkenntnis an die Oberfläche meines Bewußtseins, die mich vollends lähmte. Die Situation war nicht wirklich bedrohlich für mich, nicht real gefährlich. Aber auch wenn es gefährlich würde, dürfte ich mich nicht trennen. Ich war an die Vergangenheit dieses Landes gekettet, ohne einen Zentimeter Spielraum für eine eigene Entscheidung. Auch wenn es noch viel schlimmer würde, dürfte ich mich von den Ermordeten und von den Tätern und Täterinnen und vom Ort des Geschehens nicht trennen. Es gab kein Leben für mich nach dem großen Tod. Dazu hatte ich kein Recht. Das wäre Verrat. Ich war nicht frei.

Als ich ein junges Mädchen war, hat einmal jemand zu mir gesagt: »Du scheinst dich als einen Gegenstand zu begreifen, den man nicht steuern kann.« Ja, ich war ferngesteuert. Die Umsetzung erhaltener Signale zu verweigern, wäre Verrat gewesen. Und ich hatte Angst, alleine Verantwortung zu tragen. Lieber war ich Opfer in Deutschland.

Zu dieser Zeit las ich *Die Bertinis* von Ralph Giordano. Der Autor beschreibt darin den Prozeß der inneren Zerstörung einer Familie im Nationalsozialismus, die durch den »arischen« Vater der sofortigen Deportation entging und deren jüdische Identität sich vor allem über die erlebte Ausgrenzung und Verfolgung herstellt. Ich erkannte Elemente der Geschichte meines Vaters wieder. Nur – er erzählt nicht. Er gibt Erklärungen ab.

Ich selbst bin aufgewachsen, ohne mich als jüdisch zu verstehen. Ich wußte so gut wie nichts über jüdische Religion und wenig über jüdische Kultur. Und doch hatte ich früh das Gefühl, in einer Tradition zu stehen, Glied einer Kette zu sein, die weit zurückreichte, und Verantwortung zu haben, Wissen weiterzutragen. Mein tatsächliches Wissen bezog sich auf die Geschichte vom Tod und vom Exil meiner Verwandten und unzähliger anderer Menschen. Und es war exklusives Wissen. Die Häuser und Bücherregale der Familien meiner Mitschülerinnen und Mitschüler bargen es nicht. Andere Kinder waren davon unberührt. So schien es eine geheime Botschaft zu sein, eine Last, die aus unerfindlichen Gründen gerade uns zu tragen auferlegt war. Und ich war stolz darauf und auf die Werte meiner Familie.

Dazu gehörte das politische Engagement meines Vaters, und ich lernte, daß Kapitalismus und Faschismus zusammengehören und daß das Böse nichts Mystisches war, sondern Herrschaftsinteressen entsprang. Mein Vater hatte durch politisches Handeln überlebt, und ich wurde wie er Teil der bundesdeutschen Linken. Ich glaubte nicht an »Selbstmorde« in BRD-Gefängnissen und an die »Notwehr« schießender Polizisten. Linker Antifaschismus war Dreh- und Angelpunkt für mich und meinen Vater, wenn wir auch sonst oft geteilter Meinung waren. Heute fällt es mir schwer zu verstehen, wie lange ich an der von ihm übernommenen Identität festhalten konnte, wie für mich »jüdisch« in »links« aufgehen konnte, und wie ich Mal um Mal die Augen zudrückte, um in eindimensionalen Freund-Feind-Schablonen Sicherheit zu finden. Erst nach einer schweren Krise machte ich mich auf den Weg herauszufinden, was Judentum noch ist, wenn nicht Tod und Klassenkampf, und ich entdeckte mir ein Stück Welt, das ich unerkannt in mir herumgetragen hatte.

Vor dieser Krise hatte mein Leben in Berlin etwas Provisorisches gehabt, ohne daß ich gewußt hatte, warum. Ich hatte keine Waschmaschine gewollt, weil das Geld in einem Ticket besser angelegt wäre. Ich hatte keine Sparverträge abgeschlossen, hatte meine Wohnungen nur vorläufig eingerichtet und hatte es vermieden, mich politisch zu organisieren. In zwei Jahren wäre ich weg. Und doch hatte ich nicht loslassen können, auch ohne daß ich gewußt hätte, warum. Nun begann ich die verschiedenen Seiten meiner Person anzunehmen, akzeptierte, daß ich hier lebte, und suchte meine Rolle in dieser Gesellschaft. Bis auf weiteres. Bis ich frei wäre, eigene Entscheidungen zu treffen.

Der Protagonist in den *Bertinis* steht nach der Befreiung durch die Alliierten vor der Frage, ob er auswandern soll aus dem Land, das ihm das Leben zur Hölle gemacht hat, oder dableiben. Er bleibt aus drei Gründen. Er kann die alten, von der Verfolgung schwer geschädigten Eltern nicht verlassen. Er liebt Hamburg, seine Stadt. Er macht es sich um seiner ermordeten Vettern und der anderen willen zur Aufgabe, gegen das Vergessen, das sich schon in den ersten Wochen nach der Befreiung abzeichnet, anzukämpfen und ihr Erbe einzubringen in den Aufbau eines neuen, besseren Deutschlands. Ja, das verstand ich gut, das kannte ich. Noch wenige Tage zuvor wäre mir diese Entscheidung zwar als tragisch, aber als selbstverständlich erschienen. Sicher, das tun wir alle hier. Deshalb sind wir hier. Jetzt grauste mir. Wie um alles in der Welt kann man so ein Leben leben, das ein Verzicht auf ein eigenes Leben ist, das sich ausschließlich aus der Vergangenheit legitimiert. Wollen die Toten, daß wir unser Dasein als lebende Mahnmale fristen? Hat Gott uns dazu verdammt, so wie Sisyphos verdammt war, seine Last gegen die Wucht der Schwerkraft immer wieder die Anhöhe hinaufzuwälzen, ohne Aussicht auf Erlösung?

Angesichts der aktuellen Entwicklung erschienen mir unsere Bemühungen als vollends sinnlos. Anachronistische Rituale einer Minderheit in einem Deutschland, in dem erwogen wurde, den neunten November, der im Nationalsozialismus als »Heldengedenktag« begangen worden war, wieder zum nationalen Feiertag zu erklären. Meine Existenz hier war gescheitert und doch schien mir keine Trennung denkbar. Ich lief durch die Tage wie geschlagen. Von innerer Spannung und Hilflosigkeit niedergedrückt.

Etwa drei Wochen nach dem neunten November nahm ich an einem Treffen einer kleinen, aber konsequent und effektiv arbeitenden linken Gruppe teil. Diese Menschen bildeten eine Insel, die dem Sturm deutscher Begeisterung widerstand. Hier wurde versucht, die Lage einzuschätzen und Handlungsmöglichkeiten zu entwerfen. Am selben Morgen hatte Kanzler Kohl im Bundestag seinen Zehn-Punkte-Plan zur »Wiedervereinigung« vorgelegt, mit dem er an die »Kontinuität der deutschen Geschichte«[4] anknüpfen wollte. SPD und FDP hatten ihm ausdrücklich zugestimmt und ihre Zusammenarbeit zugesichert. In Leipzig hatte an diesem Montag schon die Parole »Wir sind *ein* Volk« dominiert. Zwanzig Tage nach der Maueröffnung, während viele die Ereignisse noch immer »Revolution« nannten, gab es keinen Zweifel mehr am Charakter der Umwälzung. Diejenigen, die den Sieg über den Faschismus als Niederlage begriffen, riefen nach »Befreiung«, nach »Selbstbestimmung des deutschen Volkes« und nach »Wiedervereinigung«.

An diesem Abend wurde das Projekt einer Demonstration gegen die »Wiedervereinigung«, gegen deutschen Nationalismus und gegen den Marsch des Kapitalismus nach Osten besprochen. Ich mischte mich ein, diskutierte mit und beschloß, an den Bündnisverhandlungen teilzunehmen. Auf dem Weg nach Hause war ich erleichtert. Ich war nicht mehr nur Opfer. Ich hatte aus meiner Lähmung herausgefunden und meine Stimme war nicht völlig verstummt. Ich handelte wieder, und ich war sicher, daß ich es für mich tat. Aber mir war bewußt, daß das Spektrum, in dem ich mich bewegte, marginaler war denn je. Unsere Aktivitäten waren nicht mehr als hilfloser Protest. Sicher würde mich meine politische Arbeit wieder ein Stück integrieren. Sicher hätte ich den einen oder anderen kleinen Erfolg. Ich hatte wie Sisyphos den Brocken wieder aufgenommen, um ihn ein weiteres Mal den Hang hinaufzustemmen. Also doch wieder Opfer?

Plötzlich gab etwas in mir nach und ich erkannte: Subjekt meiner Geschichte zu sein, heißt nicht nur, mich *in* Deutschland einzubringen, sondern heißt auch, Deutschland verlassen zu können. Ich bin frei zu gehen, wenn es zu schmerzhaft wird, wenn es besser für mich ist. Marionette zu sein, dient niemandes Würde. »Verrat« ist ein Begriff aus einem Zwangssystem. Nein, wenn ich hier nicht mehr leiden will, kann ich gehen. Die bundesdeutschen Grenzen sind zumindest in diese Richtung offen. Und ich will mich nicht bis an mein Ende hier aufreiben. Ich bin *nicht* dazu verdammt.

Ich war erregt und fast glücklich. Ich war frei. Ich nahm an den Verhandlungen für die Demonstration teil, schrieb ein Flugblatt und diskutierte es. Ich überprüfte meine Ängste an der Realität. Und ich begann konkrete Pläne für die Fortsetzung meines Studiums in den USA zu machen. Ich würde nicht Hals über Kopf hier weglaufen. Ich würde nicht ab sofort wieder auf dem Koffer leben. Ich würde mich weiter einmischen, mich weder gekränkt zurückziehen noch mich still und heimlich verdrücken. Ich würde keine radikalen Brüche vollziehen. Ich würde meine Vergangenheit nicht verleugnen oder alles, was ich hier getan habe, in Frage stellen. Ich würde meinen eigenen Weg gehen. Es gibt ein Leben für mich nach dem großen Tod. Wenn auch kein Leben ganz ohne die Schatten, die er wirft.

Eine erste Fassung dieses Textes habe ich im Frühjahr 1990 nach Aufzeichnungen verfaßt, die ich in den Wochen nach der Maueröffnung gemacht hatte. Inzwischen sind mehr als vier weitere Jahre vergangen. Ich habe meinen Plan, Deutschland zu verlassen, konsequent verfolgt, und es ist mir gelungen, ein mehrjähriges Stipendium an einer US-amerikanischen Universität zu erhalten. Heute lebe ich in New York. Das Leben hier ist in vieler Hinsicht anstrengender als in Berlin, aber für mich ist es auch leichter und froher, viel weniger schmerzhaft. Deutschsein und Jüdischsein stehen hier nicht im Widerspruch zueinander. Im Gegenteil, diese Identitäten gehören für viele Menschen zusammen. Ich kann beides sein, soviel und sowenig ich will. Deutsche Kultur hat hier andere Inhalte. Jüdischsein ist kein Stigma, kein Opferstatus, sondern Normalität und halb so wichtig.

Ich werde oft gefragt, ob ich nach dem Studium zurückgehen werde. Nach Europa? Vielleicht. Nach Deutschland? Eher nicht. Nach Berlin? Wer weiß. Ich kann es mir nur schwer vorstellen, mich dem deutschen Kontext wieder langfristig auszusetzen. Aber das Wichtige war, gehen zu können, und schließlich ist es meine Entscheidung.

Ich danke Anne Springer, die mich auf dem Weg in meine Freiheit begleitet hat, und ich danke Wendy Henry.

1 Berliner Allgemeine Jüdische Wochenzeitung, 24.11.1989.
2 tageszeitung, 22.12.1989.
3 Tagesspiegel, 18.7.1990.
4 tageszeitung, 29.11.1989.

Karen Margolis
Vielleicht ist Assimilation einer der größten Mythen des zwanzigsten Jahrhunderts

Wenn ich mich heute frage, was mich als Jüdin prägt, sind da zunächst die Schuldgefühle meiner Familie, weil sie in Südafrika waren und recht gut gelebt haben. Schuldgefühle, nicht zum Opfer geworden zu sein. Wir hatten niemanden in der nahen Verwandtschaft durch die Nazis verloren, aber alle kannten KZ-Überlebende, die nach Südafrika gekommen waren. Ich erinnere mich daran, wie freitagabends immer viele Leute zu uns kamen, darunter auch ausgewanderte Juden aus Deutschland und Österreich. Ich war nie ganz sicher, woher sie kamen; sie sprachen Englisch mit einem deutschen Akzent oder Jiddisch. Sie waren oft sehr traurig, manche haben geweint. Ich war ein sehr neugieriges Kind und habe gefragt, warum sie so kaputt seien. »Wegen der Verlorenen«, sagten sie. Sie wollten nicht viel erzählen, wollten nicht ständig an die Schrecken der Vergangenheit erinnert werden. Für meine Eltern und die Erwachsenen, die ich kannte, hatte eine neue Ära begonnen, die Nachkriegsära. Heute staune ich darüber, daß ich nur sieben Jahre nach Ende des Zweiten Weltkriegs geboren bin, aber das Gefühl hatte, er lag sehr weit weg von mir. Deshalb war es für mich schwierig, als ich nach Deutschland kam und die Nazivergangenheit ständig zur Sprache kam.

Von allgemeiner Judenverfolgung war bei uns nicht so oft die Rede, aber an Purim wurde zum Beispiel in der Synagoge über Haman gesprochen. Dann kam der Vergleich mit Hitler und wir lernten, daß da dieser böse Mann gewesen war, der alle Juden umbringen wollte. Ich habe sehr viele Alpträume gehabt. Dieser Hitler und diese KZs haben meine Kindheit geprägt und waren für mich »das Böse«, ohne daß ich Genaues wußte. Das machte es noch viel bedrohlicher. Was eigentlich in Deutschland geschehen war, diese konsequente Verfolgung von Juden, davon habe ich damals kaum einen Begriff gehabt.

Mein jüdisches Bewußtsein bestand nicht in erster Linie darin, daß ich selbst Opfer geworden war, sondern daß ich in einer jüdischen Gemeinschaft lebte; es hatte mehr mit der Abgrenzung von Nichtjuden zu tun. Natürlich war da ein Zusammenhang. Mein Vater sagte manchmal: »Alle, die keine Juden sind, bringen dich ins KZ.« Das war ein Mißtrauen gegenüber allen Nichtjuden. Wenn die Erwachsenen nicht von den KZs gesprochen hätten, hätte ich vielleicht nie diese Opferassoziation gehabt. Die KZs waren jedoch etwas, das mich – in meiner Vorstellung – in der Zukunft auch zu einem Opfer machen konnte, wenn ich nicht aufpassen würde. Man konnte Opfer werden, wenn man nicht aufpaßte. Die Deutschen haben es nicht geschafft, die Juden ganz und gar zu vernichten, aber sie haben sie – und das habe ich in meiner Kindheit aufgenommen – zu Opfern abgestempelt. Das definiert die Juden heute in einer Weise, wie es vorher nicht der Fall war, selbst wenn sie ständig Pogromen ausgesetzt waren.

Ich bin in Südafrika aufgewachsen, aber meine Familie stammt eigentlich aus dem Baltikum. Mein Vater ist in Litauen geboren. 1933, als er sechs Jahre alt war, ging seine Familie nach Südafrika, nach Kapstadt. Die Familie meiner Mutter kam Ende des letzten Jahrhunderts aus Riga nach Südafrika. Auch sie flohen vor Pogromen, die es in Osteuropa immer wieder gegeben hatte.

Meine Großeltern aus Litauen waren sehr fromm. Für sie war die Einwanderung nach Südafrika schwierig. Meines Vaters Vater war im Stetl Talmudlehrer gewesen, also etwas wirklich Wichtiges. Er kam nach Südafrika, und dort war er ein Nichts. Er war gezwungen, einen kleinen Laden aufzumachen; das war natürlich nicht das, was sich meine Großeltern vorgestellt hatten. Es war für sie auch sehr schwer zu akzeptieren, daß ihre Kinder keine religiösen Berufe wählten. Meine Großeltern hingen sehr an der Religion und Tradition, und ich glaube nicht, daß das nur Konservatismus ihrerseits war. Sie ahnten, daß es ein Schutz vor einer möglicherweise feindlichen Gesellschaft sein kann, an den alten Riten festzuhalten und sie zu befolgen. Das alles bricht jetzt zusammen, weil der religiöse Aspekt, der die Leute verbunden hat, nicht mehr da ist und viele ihre Identität verlieren. Ob sie überhaupt noch eine Identität haben, außer der, als Juden geboren zu sein, ist für mich eine Frage. Deshalb ist es vielleicht auch unzulässig, in der zweiten Hälfte des zwanzigsten Jahrhunderts von »den Juden« zu sprechen.

Der Apartheid standen meine Eltern kritisch gegenüber, aber nichtsdestotrotz gehörten sie der Herrschaftsklasse an. Sie, beziehungsweise ihre Familien, waren der eigenen Verfolgung entkommen und wollten bei der Verfolgung anderer nicht mitmachen. Sie wußten, daß es so nicht weitergehen konnte, und sie befürchteten einen gewaltsamen Zusammenbruch in Südafrika; sie hatten ein schlechtes Gewissen und bedauerten es, daß die Schwarzen ausgebeutet und unterdrückt wurden. Doch sie haben nicht versucht, selbst etwas dagegen zu tun. Meine Eltern waren politisch nie besonders aktiv, aber sie unterstützten andere dabei. Das Massaker von Sharpeville und der Aufstand 1961 gaben dann für sie den Ausschlag, Südafrika zu verlassen. Meine Eltern waren damals etwa dreißig und standen am Anfang ihrer Karriere. Nach England gingen sie, weil sie das Recht auf einen britischen Paß hatten und weil sie zurück nach Europa wollten, denn unsere Kultur war eine ausgeprägt europäisch-jüdische. Sehr viele weiße Südafrikaner haben sich mit England identifiziert, und Südafrika gehörte ja auch zum Commonwealth.

Nach England zu kommen, war für die ganze Familie hart. Auf einmal diese fremde Welt! Wir hatten nicht so viel Geld; wir hatten keine jüdischen Freunde und keine Gemeinde mehr, in der wir uns wohlfühlten. Wir lebten zwar in einem schönen Londoner Viertel, in Hampstead, aber ein solch geborgenes Leben wie in Südafrika konnten meine Eltern nie wieder führen. Die Geschwister meiner Mutter, die in der Nähe lebten, mußten quasi die Gemeinde und die Gesellschaft ersetzen, die wir verloren hatten. Meine Eltern fühlten sich als Ausländer, sie blieben Südafrikaner, hatten einen südafrikanischen Akzent. Sie haben sich sehr viel Mühe gegeben, uns richtiges Englisch beizubringen. Das hat zwar funktioniert, trotzdem war England für mich und meine Schwestern ein Riesenbruch. Mein Bruder, der 1964 in England geboren worden ist, fühlt sich dagegen englisch und hatte diese Probleme nicht.

Was Jüdischsein für mich geprägt hat, sind diese Brüche. Ich kenne nicht sehr viele Juden, die mit ihrer ganzen Familie dort geblieben sind, wo sie geboren wurden. Immer wieder gibt es Einwanderung und Auswanderung. Bei uns war das extrem, denn wir wechselten die Kontinente. Ich glaube, daß die Menschen das nicht so leicht verkraften können. Es macht sie vielleicht interessant, weil sie so viele Hürden überwinden mußten, aber es bringt auch viele Schwierigkeiten mit sich. Wenn ich daran denke, was meine Eltern tun mußten, um sich neu zu akklimatisieren! Sie hatten Glück, sie sprachen wenigstens dieselbe Sprache. Aber in Südafrika war mein Vater Tiefbauingenieur gewesen und hatte Brücken und Straßen gebaut; in England mußte er Personal-Management machen. Meine Mutter war Architektin und hatte Riesenflächen Land bebaut. Das gab es in London nicht. Sie war eine Anfängerin in einem neuen Land und mußte sich mit Renovierungsarbeiten durchschlagen. Aber sie haben es geschafft, sie haben ein neues Leben aufgebaut.

Ob ich mich in England je heimisch gefühlt habe? Ein bißchen habe ich dieses Fremdheitsgefühl immer behalten. Zum einen, weil die Engländer immer gemerkt haben, daß wir aus Südafrika kamen, und zweitens, weil es schwierig war, mit den Gewohnheiten eines neuen Landes zurechtzukommen. Der Druck, nicht einfach dasein zu können, sondern alles gut machen und sich beweisen zu müssen, war auch ziemlich stark. Ich glaube, daß wir Schwestern Glück hatten, weil wir in eine Mädchenschule gingen, wo ein Drittel der Schülerinnen Jüdinnen waren. Wir hatten morgens jüdische Gebetsstunden, wir haben dadurch Identität gewonnen, und die meisten Freundinnen waren auch Jüdinnen. Ich habe nicht vergessen können, daß ich Jüdin bin.

Zu Osteuropa, zu den Herkunftsländern meiner Familie hatten wir keine besondere Beziehung. Meine Eltern waren sehr gegen die kommunistischen Prinzipien und Regimes, ohne jedoch »kalte Krieger« zu sein; sie waren demokratisch und wünschten sich eine bessere Welt. Mit der Zeit wurden sie, wie Menschen so sind, ein bißchen konservativer. Sie waren immer sensibel für Antisemitismus und sehr darauf bedacht, ihn zu identifizieren. Nicht dagegen zu kämpfen. Sie wollten sich nicht so sehr profilieren oder Karriere machen. Ich glaube, hier zeigt sich die Angst, Opfer zu werden; sie wollten nicht auf sich aufmerksam machen. Sie waren sehr oft kritisch; sie dachten nicht nur an sich, doch sie haben sich in der englischen Gesellschaft nicht sehr engagiert, weil sie immer ein bißchen das Gefühl hatten, nur Gast zu sein, toleriert zu werden, was auch in der südafrikanischen Gesellschaft so war. Sie fühlten sich als Einwanderer oder als Kinder von Einwanderern. Wichtig war, sich erstmal zu beweisen, daß man sich in der neuen Gesellschaft behaupten konnte. Das hat viel Zeit und Energie beansprucht.

Meine Eltern wollten in erster Linie ihren Kindern eine gute Zukunft schaffen. Wir Kinder wuchsen mit dem Gefühl auf, daß wir zwar ein Recht auf Kritik hätten, aber es nicht gut sei, sich einzumischen, weil es immer heißen konnte, »Ihr seid hier nicht einheimisch«, denn die Engländer sind provinziell und haben eine Inselmentalität. Deshalb glaube ich, daß der Generationskampf sehr schwierig war; daß wir Kinder uns befreien mußten, weil wir immer Mitleid haben mußten, was die Eltern alles verloren hatten. Meine Familie hat sich bei jüdischen Festen mit Freunden und Verwandten, meistens Leuten aus Südafrika, getroffen. Nach dem Essen und dem Beten ging's damit los, wie schön es doch in Südafrika gewesen sei. Es ist immer leicht zu denken, daß das Land, das man verlassen hat, schöner ist als das, in dem man jetzt lebt. Das ist so bei Flüchtlingen. Da war diese wahnsinnige Sehnsucht nach verlorenen Menschen, verlorenen Ländern, verlorenen Wurzeln, die die schrecklichen Erfahrungen dort verdrängte. Das hat nie ein Gefühl von unmittelbarem Glück zugelassen.

Das Leben hatte mit Leiden zu tun. Ich habe manchmal versucht, mir vorzustellen, wie es wäre, in einem Land aufzuwachsen und ein Leben lang dort zu bleiben; das ist für mich ein Wunschtraum. Wenn man jung ist, sieht man das vielleicht anders, doch ständig ein- und auswandern zu müssen, unter Bedingungen, die die Weltgeschichte diktiert, ist ziemlich hart.

Als ich Anfang der siebziger Jahre zur Uni ging, habe ich mich in erster Linie von der Familie emanzipieren wollen. Ich war in dieser Zeit nicht so scharf auf meine jüdische Identität. Ich wollte mich richtig assimilieren und Politik machen wie die anderen Studenten. Es war eine sehr aufregende Zeit. Ich kam sofort in die Frauenbewegung und in die trotzkistische Bewegung. Wir hatten alle den Wunsch, zusammen die Gesellschaft zu verändern. Erst nach ein paar Jahren wurde mir klar, daß das ein Weg war, den viele Juden gegangen sind. Meine Eltern waren über meine trotzkistische Politik, beispielsweise gegen die britische Regierungspolitik in Irland und gegen die israelische Regierungspolitik gegenüber den Palästinensern, allerdings nicht sehr glücklich.

Nach der Uni – ich habe Mathematik studiert – habe ich mit anderen Leuten von der Uni ein Buch über Politik und Technologie verfaßt. Es war sehr kritisch in bezug auf die britische Politik in Nordirland, aber es ging auch um Vietnam und um andere aktuelle politische Fragen und war ein ziemlicher Skandal. Dann fing ich an mit Journalismus, mit marxistischer Theorie, Frauenpolitik, Frauenbewegung und so weiter. Es gab zwei Strömungen in dieser politischen Bewegung. Die eine war die marxistische, intellektuelle; die andere Seite hatte mit aktivem politischem Engagement und mit der englischen Arbeiterklasse zu tun. Ich hatte Arbeitern gegenüber manchmal ein Gefühl von Fremdheit; viele waren sexistisch, und ständig wurde ich gefragt, wo ich herkomme. Ich habe die englische Arbeiterklasse nie richtig verstehen können, ich glaube, man muß dafür geboren sein. Die können nur Leute vertreten, die die gleichen Erfahrungen gemacht haben.

1975 kam ich zum ersten Mal nach Deutschland. Ich hatte ein Buch geschrieben, *The Technology of Political Control*, und wurde von der Vierten Internationalen nach Berlin eingeladen, um einen Vortrag über Politik und Isolationshaft zu halten. Ich bin mehrmals nach Mittel- und Osteuropa gefahren, weil ich durch politische Aktivitäten mit den Oppositionsbewegungen in diesen Ländern zu tun hatte und zum Beispiel in Polen im Untergrund ein Video über Solidarnosc machte. Auch 1981 kam ich nach Berlin und blieb ein halbes Jahr, und 1983 kam ich wieder, weil ich ein Buch schreiben und dabei nicht in England sein wollte. So bin ich nach West-Berlin gekommen und einfach geblieben. Ich habe Deutschland nicht in dem Sinne gewählt, ich bin quasi zufällig hierhergekommen, habe dann Arbeit gefunden und baute mir mein Leben auf. Deshalb kann ich mir vorstellen, auch irgendwoanders zu leben. Ich glaube, das ist das Schicksal von Leuten, die an verschiedenen Orten der Welt gelebt haben, während Leute, die an ihrem Geburtsort geblieben sind, nicht so oft solche Vorstellungen haben.

West-Berlin war zu dieser Zeit sehr interessant. Der Literaturmarkt in Deutschland ist anders als in England. Literatur und Kultur haben einen anderen Stellenwert in der Gesellschaft. Es war beispielsweise leichter als in England, Stipendien zu kriegen und Lesungen zu machen. Es hat mich auch fasziniert, eine neue Sprache zu lernen und mein Fremdsein ausleben zu können, nach dem Motto: Wenn schon fremd, dann richtig.

Hier gibt es keine Möglichkeit, mich zu assimilieren. Ich würde nie deutsch werden, auch wenn ich die Sprache perfekt könnte. Ich bin anders aufgewachsen, ich bin ein »Mischling«, eine wirkliche Mischung aus vielerlei. Deutsch zu werden scheint mir besonders schwierig zu sein. Vielleicht würden Leute, die nach England einwandern, dasselbe sagen, aber ich finde, daß Ausländer hier noch stärker als Ausländer behandelt werden. Auch die, die weiß sind und nicht andersartig aussehen.

Ich glaube nicht, daß Juden sich in einem nichtjüdischen Land assimilieren können. Das Schicksal der deutschen Juden hatte möglicherweise damit zu tun, daß sie es versucht haben. Vielleicht ist Assimilation einer der größten Mythen des zwanzigsten Jahrhunderts. Ich glaube nicht, daß es möglich ist, als Erwachsene in ein anderes Land zu kommen und voll akzeptiert zu werden wie die Einheimischen. Die Geschichte hat das allen Ausländern in allen Ländern gezeigt. Auch meine Eltern haben versucht, sich zu assimilieren. Sie leben als Engländer, bis auf die Tatsache, daß sie Juden sind. Aber sie wissen, daß da immer noch eine Gefahr besteht, ausgegrenzt zu werden. Trotzdem bleibt die Sehnsucht, irgendwo dazuzugehören. Ich habe ein Bild von Heimat: Du stehst in einer Landschaft, und du und diese Landschaft passen zusammen. Das kann ich mir nicht in England und nicht in Deutschland vorstellen, auch nicht in Südafrika, das ist zu lange her. Man kann sich wohlfühlen in einem Land, aber man hat keine Heimat. Das geht vielen so. Statt dessen spielt für viele Menschen die Familie eine große Rolle; früher war es die Religion.

Ich leide darunter, daß ich hier immer wieder als Opfer dargestellt werde. Das passiert mir in anderen Ländern nicht so. Weil es die Shoa gab, haben die Leute das immer im Hinterkopf, doch hier in Deutschland haben es viele im Vorderkopf. Wenn am neunten November der Pogrom-Gedenktag wiederkehrt – der nun auch mit dem des Mauerfalls zusammenfällt, was ein ganz komischer Zufall ist – und wir im Fernsehen immer wieder brennende Synagogen und ähnliches sehen, dann habe ich das Gefühl, das alles wirkt irgendwie gegen mich. Es bringt die Geschichte wieder hoch. Ich will das nicht verdrängen, aber ich wünsche mir, es gäbe eine andere Art und Weise, diese Dinge zu betrachten. Die Deutschen sind von der Geschichte fasziniert, wie ich es nicht sein kann. Eine morbide Faszination ist das. Ich glaube, die ständige Auseinandersetzung mit dieser Geschichte ist nicht gesund, solange sie bei den Fakten stehenbleibt.

Ich will von den Deutschen nicht immer wieder an die schmerzhafte Vergangenheit erinnert werden, weil ich mich in diesem Moment als Jüdin im Sinne von Shoa-Nachgeborener, als Opfer funktionalisiert fühle. Es ist schwierig für Juden, hier zu leben, weil diese Darstellung der Deutschen als Täter und der Juden als Opfer viel öfter und stärker vorkommt als in anderen Ländern.

Ich wünsche mir manchmal, ein ganz neutraler Mensch zu sein, ohne Nationalität und Geburtsort. Anders als beispielsweise in England erwartet man hier von mir, daß ich, weil ich Jüdin bin, eine Haltung zur Geschichte haben muß. Oder ich muß jemandem versichern, daß ich nichts gegen ihn habe, weil er als Deutscher geboren worden ist und ich Jüdin bin.

Ich merke jedoch auch bei mir selbst, daß ich Menschen, deren Verhalten ich schlecht finde, mit Nazis oder bösen Deutschen assoziiere. Natürlich kriege ich einen Schreck, wenn ich auf der Straße deutsche Jugendliche mit SS- oder Hakenkreuz-Tätowierungen sehe. Das ist für mich etwas anderes als die englischen Faschisten, gegen die ich schon Anfang der siebziger Jahre auf die Straße gegangen bin. Aus diesem Grund finden es viele Juden bis heute schwierig, wieder nach Deutschland zu kommen. Auch die, die aus keiner deutschen Familie stammen. Ich überlege mir ständig, ob das wirklich so sein muß. Oder ob es nicht besser wäre, nicht hier zu leben. Das steht für mich ständig in Frage.

Die Vergangenheit ist nicht nur durch Denken zu bewältigen. Das muß durch Taten geschehen, durch den Aufbau einer Gesellschaft, in der die Menschen einander wirklich achten. Was jedoch nicht passiert, besonders jetzt, in Großdeutschland, nicht. Großdeutschland hat ganz andere Ziele, den harten Kapitalismus, das wird auch eine sehr lange Zeit so bleiben. Wir alle leben unter diesen historischen Umständen, die sind nicht zu ändern. Wir müssen damit leben, daß die Shoa geschehen ist, und sie nicht als dunkle Flecken sehen, die wieder weggehen, wenn wir nur genug waschen. Sie bleiben. Wenn wir das akzeptieren, können wir versuchen, als Menschen zueinanderzukommen.

Es gibt für mich einen sehr großen Unterschied zwischen Individuen und der Gesellschaft. Im Umgang mit einzelnen Menschen habe ich kaum Schwierigkeiten; manchmal merke ich, daß sie ein bißchen mißtrauisch gegenüber Ausländern sind. Ich kenne hier sehr viele Menschen, von denen ich annehme, daß sie nie mitmachen würden, falls wieder so etwas wie der Nationalsozialismus dieses Land beherrschen würde, und ich habe sehr viele Freunde, die mich schützen würden. Auf der anderen Seite frage ich mich, wie sich Menschen unter Terrorbedingungen verhalten und was ich selbst machen würde. Ich kenne schließlich Leute, die bei der Staatssicherheit mitgemacht und ihre Freunde verraten haben, obwohl in der DDR nicht so ein großer Druck geherrscht hat wie im Nationalsozialismus. Es ist für mich eine Frage von Persönlichkeit und Moral. Es liegt sehr viel an der Erziehung; inwieweit ein Mensch dazu erzogen wurde, gewisse Grenzen zu setzen. Es gibt allgemeine gesellschaftliche Werte, und man kann Kinder dazu erziehen, fremde Leute im Land zu akzeptieren. Ich kenne in der Nachkriegszeit aufgewachsene Menschen, die ein sehr starkes Bewußtsein dafür haben, daß sie in einer Diktatur nicht mitmachen würden, daß sie vielmehr dagegen kämpfen müßten.

Dieser von den Herausgeberinnen verfaßte Text basiert auf einem 1991 geführten Interview.

Gila Wendt
Manchmal lasse ich die Leute
lieber in dem Glauben, ich sei aus Indien
und nicht aus Israel

Man sieht mir nicht an, daß ich aus Israel komme. Aber da ich braun bin, vermutet jeder, daß ich keine Deutsche bin. Die Leute sehen, daß ich von woanders her sein muß, und fragen ganz rhetorisch, woher ich denn komme. Es geschieht nicht aus Interesse an der Person, und ich sehe nicht ein, warum ich jedem Menschen meine Lebensgeschichte erzählen soll. Ich frage auch nicht jeden, ob er oder sie aus Süd- oder aus Norddeutschland kommt und wo seine beziehungsweise ihre Großeltern geboren sind.

Normalerweise erzähle ich nicht, daß ich aus Israel komme, denn ich habe keine Lust mehr auf Gespräche, in denen nicht differenziert und Israel pauschal verurteilt wird. Ich schaue mir die Leute genau an, und wenn ich keine Lust habe, mich mit ihnen zu unterhalten, dann sage ich, daß ich aus Indien komme. Mit dieser Antwort sind sie zuerst zufrieden. Aber ich entspreche auch nicht dem Bild, das sie sich von Inderinnen machen.

Meine Eltern kamen in den fünfziger Jahren aus Indien nach Israel; damals sind viele Juden aus Indien weggegangen. Auf Initiative meines Vaters schlossen sich uns auch andere jüdische Familien an. Sie kamen nach Giv'at Chaim, einem alten, wohlhabenden Kibbuz, der Anfang der zwanziger Jahre gegründet worden war und in dem ich auch geboren wurde. Wegen des Kulturunterschieds kamen meine Eltern anfangs mit dem Leben dort nicht zurecht. Sie waren gläubig, aber der Kibbuz war ein nichtreligiöser, sie hatten keine Synagoge, die Küche war nicht koscher und so weiter. Die anderen Kibbuzniks stammten hauptsächlich aus Europa, und so ging es von der Mentalität und der Erziehung her eher europäisch zu. Dennoch blieben meine Eltern in diesem Kibbuz, während andere Familien wegzogen und innerhalb Israels sogenannte indische Dörfer gründeten.

Mein Vater war Kommunist und Jude; ein Intellektueller, der Jura studiert hatte. Was ihn sehr faszinierte, war wohl zum einen die Idee eines jüdischen Staates, zum anderen ein Sozialismus auf freiwilliger Basis, im Gegensatz zu den kommunistischen Ländern. Für ihn war das Kibbuzleben in Israel die optimale Verbindung. Für meine Mutter dagegen war es schwierig, denn die Frauen mußten dort sehr harte körperliche Arbeit verrichten, und das war meine Mutter nicht gewöhnt. Auch daß die Kinder nicht bei ihr, sondern im Kinderhaus waren, störte sie. Und der Umgang zwischen Männern und Frauen, den sie für zu freizügig hielt. Ich habe das allerdings erst viel später begriffen. Erst auf einer Reise durch Indien habe ich gesehen, daß sich dort Männer und Frauen in der Öffentlichkeit nie berühren, während im Kibbuz Gefühle füreinander in der Öffentlichkeit gezeigt wurden. Der Bauch ist in Indien keine erotische Zone, man kann ihn ohne weiteres zeigen, aber nicht die Schultern. Im Kibbuz war es gerade andersrum. Die Frauen liefen in Shorts herum und kurzärmelig – das muß für meine Mutter ein richtiger Schock gewesen sein.

Später fing sie an, das Kibbuzideal zu akzeptieren, wozu unter anderem die Gleichberechtigung von Mann und Frau gehörte, auch in bezug auf die Arbeitsverteilung. Im Laufe der Zeit setzten sich jedoch die traditionellen Rollen allmählich wieder durch, denen zufolge Frauen für die Kindererziehung zuständig sein sollten und in die Küche und die Näherei gehörten, Männer dagegen in den Stall und auf das Feld. Dieser Trend wurde von den Frauen bestimmt, da sie es dadurch leichter hatten. Ich mußte schon darum kämpfen, daß ich auf den Feldern arbeiten durfte. Die Männer arbeiteten acht Stunden und die Frauen sieben Stunden; die achte war die sogenannte Schmusestunde, das heißt Frauen mit Kindern konnten dann zu ihren Kindern – aber warum nicht auch eine Schmusestunde für die Väter?

Was mir im Kibbuz sehr gut gefiel, ist, daß man beispielsweise zwangsläufig lernte, Rücksicht zu nehmen und eine bestimmte Ordnung einzuhalten. Im Gegensatz dazu haben die Menschen hier es nie gelernt zusammenzuleben, wie ich es in Berlin in einigen Wohngemeinschaften erlebt habe, auch wenn sie diesen Anspruch hochhalten. Außerdem war man im Kibbuz nicht der ständigen Kontrolle der Eltern ausgesetzt. Als wir klein waren, schliefen wir mit drei, vier anderen Kindern im Babyhaus, wo eine Frau für uns zuständig war. Nachmittags um vier kam man zu den Eltern, die im Gegensatz zum Leben in der Stadt, wo sie noch einkaufen, kochen oder zur Bank müssen, dann auch wirklich Zeit für die Kinder hatten. Abends haben sie uns dann zurückgebracht und uns etwas vorgelesen oder vorgesungen. Das war schön, dieses intensive Zusammensein.

Nach dem Abitur leistete ich die zwei Jahre Militärdienst ab. Ich wollte nicht, mußte aber schließlich doch. Es war schlimm für mich. Ich war damals noch überzeugte Vegetarierin, weil ich der Meinung war, daß man Tiere nicht töten darf – erst recht keine Menschen. Aber mit dieser Argumentation konnte ich nichts ausrichten. Während der Grundausbildung, die drei Wochen dauert, mußten wir auch schießen. Ich sagte zu der Offizierin, daß ich nicht schießen würde. Sie meinte, daß sie mich verstünde, aber wenn ich es nicht täte, sei das Befehlsverweigerung. »Mach die Augen zu«, sagte sie, »ich stelle mich hinter dich, halte dich fest, und du drückst nur drauf und dann ist es vorbei.« Ich habe geheult und geheult, und sie hielt mich fest.

Eine einzige positive Seite hatte der Militärdienst. Im Kibbuz lebst du wie im Gewächshaus. Du wirst behütet und hast alles und weißt nicht, was es bedeutet oder bedeuten kann, um dein Leben zu kämpfen. In sehr vielen Bereichen sind Kibbuzniks unselbständig. Sie sind gewöhnt, daß alles da ist – und alles nichts kostet. Es ist überhaupt kein Geld in Umlauf. Dennoch ist es – auch für israelische Verhältnisse – luxuriös. Es war für mich eine wichtige Erfahrung, in der Armee mit Menschen aus ganz unterschiedlichen sozialen Schichten zusammenzusein. Zum Beispiel mit Soldaten, die sehr viele Geschwister hatten, die sie ernähren mußten.

1980 kam ich aus privaten Gründen nach Deutschland. Am Anfang erschienen mir die Deutschen sehr kalt, intellektuell, distanziert. Ich konnte auch noch kein Deutsch. Im Kibbuz haben zwar viele

Jiddisch gesprochen, aber Jiddisch ist nicht Deutsch. Im Kibbuz gab es auch lange Zeit ein Verbot für deutsche Volontäre, weil es viele Kibbuzniks gab, die im KZ gewesen waren. Eine Frau sagte zum Beispiel, wenn sie die deutsche Sprache nur höre, drehe sie durch. Das war sehr ernst gemeint. Es gab viele, die so gelitten hatten und mit Deutschen einfach nichts mehr zu tun haben wollten.

Nach einem Aufenthalt in Westdeutschland entschied ich mich für Berlin. Hier habe ich angefangen, Leuchten zu entwerfen und zu bauen. Die Auseinandersetzung mit Licht und Beleuchtung gewann eine immer größere Bedeutung in meinem Leben. Parallel dazu fing ich an, Design zu studieren.

Die Entscheidung, vorläufig in Deutschland zu bleiben, bedeutet, daß ich eine andere Kultur, eine andere Gesellschaft, eine andere Denkart akzeptieren und mich emotional darauf einlassen muß, sonst bliebe ich immer eine Touristin. Das ist kein Verleugnen der eigenen Herkunft. Was ich vermisse, sind meine Freundschaften in Israel, die Landschaft, das Klima. Der jetzigen israelischen Politik stehe ich kritisch gegenüber. Ein paar Mal bin ich extra zu den Wahlen hingefahren, um wenigstens diese geringe Einflußmöglichkeit zu nutzen. Israel erlebe ich heute im wahrsten Sinne des Wortes als Ellbogengesellschaft. Was mir damals hier als kalt erschien und im Gegensatz dazu in Israel warm und menschlich, das empfinde ich jetzt dort als grob und unhöflich. Ob ich mir vorstellen kann, noch einmal nach Israel zurückzugehen und dort zu leben? Ich würde eher nein sagen, aber ausschließen würde ich es auch nicht.

Der gegenwärtige Rassismus macht mir Angst. Damit will ich nicht sagen, daß es vor der Wiedervereinigung keine rassistische Gewalt gab. Doch jetzt überlege ich mir immer wieder, was ich hier eigentlich will. Wenn ich über eine Emigration nachdenke, ist Israel jedoch nicht unbedingt eine Alternative.

Dieser von den Herausgeberinnen verfaßte Text basiert auf einem 1992 geführten Interview.

Barbara Honigmann
Von den Legenden der Kindheit,
dem Weggehen
und der Wiederkehr

Jetzt bin ich zweiundvierzig Jahre alt. Mein Vater ist vor sieben Jahren gestorben, meine Mutter vor wenigen Monaten. Die Rolle »Kind meiner Eltern« ist ausgespielt, und ich muß selbst in die vordere Reihe in der Kette der Generationen treten, wo zwischen dem Tod und mir keiner mehr steht, aber nicht nur das ist es, was weh tut.

Ich glaube, wir Kinder von Juden aus der Generation meiner Eltern sind, vielleicht überall, aber in Deutschland besonders lange, Kinder unserer Eltern geblieben, länger jedenfalls als andere, denn es ist schwer gewesen, der Geschichte und den Geschichten unserer Eltern zu entrinnen. Andere haben andere Geschichten gehört: von der Front, von Stalingrad, der Flucht aus Ostpreußen und Schlesien, von der Kriegsgefangenschaft und von den Bomben auf die deutschen Städte.

Die Legenden meiner Kindheit aber waren andere, und ich bin sehr lange in ihrem Bann geblieben. Im Banne der Gesänge von den mythischen Orten und Begebenheiten, tausendmal gehört und gleichzeitig mit viel Schweigen umgeben:

Die Routen des Exils
Überfahrten bei stürmischer See
Versunkene Städte
Die Treue der Gefährten
Das rettende Land
Die Insel des Überlebens
Eine fremde Sprache.

Wien vor dem Krieg
Berlin vor dem Krieg
Paris bis zur Okkupation

London
Bomben auf London
Der Blitz

Mein Vater wurde interniert.
Auf einer kleinen Schaluppe
nach Kanada gebracht.
(Meine Mutter war gerade beim Frisör,
sie konnte sich nicht mal mehr verabschieden)
Bäume fällen im Lager
und er hatte keine Ahnung, wo er da war in Kanada.
Wie ein Wunder,
daß sie heil zurückgekommen sind,
rechts und links wurden die Schiffe versenkt
mitten im U-Boot-Krieg.
Ein paar versprengte deutsche Juden
auf einer Nußschale, auf dem Ozean
zwischen Kanada und England
hängen über Bord und kotzen.

Später wurde mein Vater bei Reuters
Chef vom European Service,
und meine Mutter Werkzeugmeister
im Rüstungsbetrieb.
So kämpften sie gegen die Deutschen.
Dann kehrten sie nach Deutschland zurück.

Sie hatten sich für die russische Zone entschieden. Eine Art Überlau-
fen war das, von den Engländern zu den Russen. Sie lebten weiter nur
unter Emigranten.

Die Emigranten, das war der Adel, und der Adel verkehrt nur unter seinesgleichen, Nichtemigranten waren nicht standesgemäß. Die Freunde und Freundinnen meiner Kindheit waren Kinder von Emigranten, so wie ich.

Jetzt, da meine Eltern tot sind, gebe ich leicht der Versuchung nach, wieder in den Bannkreis dieser Mythen zu treten. Aber ich höre nun auch die Dinge, die damals wahrscheinlich nicht gesagt worden sind, und sehe, oder glaube zu sehen, was versteckt wurde.

»Was ist eigentlich aus den anderen geworden, aus euren Familien in Ungarn, Österreich und Deutschland? Sind sie tot, leben sie noch, was für ein Leben, wo?

Warum sprecht ihr nicht von den Gräbern eurer Eltern, warum sprecht ihr überhaupt so wenig von euren Eltern?

Was wolltet ihr in Gottes Namen in der DDR?

War es mehr als ein Parteiauftrag? War es nur ein Parteiauftrag?

Warum habt ihr euch unterworfen?«

Diese Fragen waren schmerzlich und wurden es mit den Jahren immer mehr. Später habe ich sie, um meine Eltern zu schonen, nicht mehr gestellt.

Meine Mutter hat nur mit den Schultern gezuckt, aber mein Vater war etwas offener, und dies war sein Credo: »Ich bin ein Urenkel der Aufklärung, und ich habe an Vernunft und an die Idee der Gleichheit und Brüderlichkeit geglaubt. Nicht die Juden vom Stetl waren ‘unsere Leut’, sondern die Männer der kommunistischen Idee waren es. Außerdem bin ich ein deutscher Jude, ein jüdischer Deutscher, die wollten mich aus Deutschland weghaben, aber ich bin wiedergekommen, das gibt mir Genugtuung. Ich gehöre hierher, auch wenn es mir hier kühl und leer ums Herz ist.« Vielleicht kam diese Kühle und Leere nicht nur davon, daß aus dem Sozialismus, den meine Eltern aufbauen wollten, nichts wurde, sondern auch davon, daß sie vollkommen zwischen den Stühlen saßen, nicht mehr zu den Juden gehörten und keine Deutschen geworden waren.

Viel später habe ich für mein Leben entschieden, daß auch das Jüdische darin seinen Platz haben sollte, und ich schrieb mich in den siebziger Jahren in die Jüdische Gemeinde ein, aus der meine Eltern in den fünfziger Jahren ausgetreten waren. Es gab dort schon eine kleine Gruppe von mehr oder weniger jungen Leuten, aus ähnlichen Elternhäusern kommend, die »zurückkehren« wollten und erst viel später erfuhren, daß sie Teil einer weltweiten Rückkehrbewegung zum Judentum waren. Wir fingen an, Hebräisch zu lernen und uns dafür zu interessieren, was in der hebräischen Bibel und in dem sagenumwobenen Talmud steht, denn wir hatten immerhin schon gehört, daß es mit der jüdischen Bibel auf ihrem Weg bis zur Lutherbibel ungefähr so wie bei dem Spiel »Stille Post« zugegangen sei. Jüdisches Wissen hatten mir meine Eltern verschwiegen oder haben es selbst nicht gehabt.

Als mein erster Sohn vor fünfzehn Jahren geboren wurde, wollte ich, daß er nicht nur wie ich jüdischer Herkunft sei, sondern mit mir zusammen auch ein jüdisches Leben führen könnte. Diese Entscheidung ist mir oft als Flucht in die Orthodoxie ausgelegt worden. In Wirklichkeit war ich auf der Suche nach einem Minimum jüdischer Identität in meinem Leben, nach einem selbstverständlichen Ablauf des Jahres nicht nach dem christlichen, sondern nach dem jüdischen Kalender und einem Gespräch über Judentum jenseits eines immerwährenden Antisemitismusdiskurses. Ein Minimum, würde ich auch heute noch sagen, etwas, das mir gerade gut paßt für mein Leben zwischen den Welten, was aber für deutsche Verhältnisse eben schon zu viel ist.

Deshalb mußten wir weg. Die jüdischen Gemeinden sind zu klein und lassen zu wenig Spielraum für ein jüdisches Leben, und außerdem habe ich den Konflikt zwischen den Deutschen und den Juden immer als zu stark und eigentlich als unerträglich empfunden.

Die Deutschen wissen gar nicht mehr, was Juden sind, wissen nur, daß da eine schreckliche Geschichte zwischen ihnen liegt, und jeder Jude, der auftaucht, erinnert an diese Geschichte, die immer noch weh tut und auf die Nerven geht. Es ist diese Überempfindlichkeit, die mir unerträglich schien, denn beide, Juden und Deutsche, fühlen sich in dieser Begegnung ziemlich schlecht, sie stellen unmögliche Forderungen an den anderen, aber können sich auch nicht gegenseitig in Ruhe lassen.

Obwohl ich selbst das Jüdische thematisiere und auf meinem jüdischen Leben insistiere, bin ich schockiert, wenn man mich daraufhin anspricht, empfinde es als Indiskretion, Aggression, spüre die Unmöglichkeit, in Deutschland über die »jüdischen Dinge« unbelastet, unverkrampft zu sprechen. Ich reagiere gereizt, die Reaktionen auf beiden Seiten scheinen mir überstark und jedes Wort, jede Geste falsch.

Manchmal, eher selten, haben mir Deutsche gesagt, daß sie ein Gespräch über Judentum ebenso quälend und eingeschränkt empfinden. Die vorgespielte Leichtigkeit derer, die ein bewußtes Judentum nur als einen Tick auffassen, ist allerdings noch schwerer zu ertragen, weil sie mir gänzlich meine Identität abzusprechen scheinen und ihre Unfähigkeit zeigen, ein anderes Leben als das ihre zu ertragen.

Es kommt mir manchmal vor, als ob das jetzt erst die so oft beschworene deutsch-jüdische Symbiose wäre – dieses Nicht-von-einander-loskommen-Können, weil die Deutschen und die Juden in Auschwitz ein Paar geworden sind, das der Tod nicht mehr trennt.

Es ist dieser Konflikt, diese Überspanntheit, vor der ich weggelaufen bin. Hier, in Frankreich, geht mich alles viel weniger an, ich bin nur ein Zuschauer, ein Gast, eine Fremde. Das hat mich von der unerträglichen Nähe zu Deutschland befreit.

Wenn man mich fragte, ob ich deutsch oder jüdisch bin, würde ich schon deshalb jüdisch sagen, um mich von den Deutschen abzugrenzen. Das deutsche Volk steht ja nicht in Frage, der Begriff vom jüdischen Volk aber bleibt doch immer im Vagen und Ungewissen. In guten alten DDR-Tagen durfte sogar offiziellerweise gesagt werden: Wir kennen kein jüdisches Volk. Allein deshalb mußte ich meine Zugehörigkeit zum jüdischen Volk herausstellen. Mein Judentum ist eine Dimension meines Lebens, die wichtigste vielleicht, jedenfalls etwas, aus dem ich nicht heraus kann, selbst wenn ich es wollte, etwas, das mehr wie Liebe ist, die einen reich macht und trotzdem weh tut und außerdem das Denken verengt, die Welt immer nur unter dem Aspekt zu betrachten, ob sie nun gut für die Juden ist oder schlecht.

Ich bin auch eine Schriftstellerin, und es wird leicht gesagt, eine jüdische. Aber dessen bin ich mir nicht so sicher, denn all das, was ich da sage, macht mich ja noch nicht zu einer jüdischen Schriftstellerin. Es macht, daß ich mich existenziell mehr zum Judentum als zum Deutschtum gehörig fühle, aber kulturell gehöre ich wohl doch mehr zu Deutschland und zu sonst gar nichts. Es klingt paradox, aber ich bin eine deutsche Schriftstellerin. Obwohl ich mich nicht als Deutsche fühle und nun auch schon seit Jahren nicht mehr in Deutschland lebe.

Ich denke aber, Schriftsteller sind, was sie schreiben, und vor allem die Sprache, in der sie schreiben. Ich schreibe nicht nur in Deutsch, sondern die Literatur, die mich geformt und gebildet hat, ist die deutsche Literatur, und ich beziehe mich auf sie in allem, was ich schreibe, auf Goethe, auf Kleist, auf Grimms Märchen und die deutsche Romantik, und ich weiß sehr wohl, daß die Herren Verfasser wohl alle mehr oder weniger Antisemiten waren, aber das macht nichts.

Als Jüdin bin ich aus Deutschland weggegangen, aber in meiner Arbeit, in meiner sehr starken Bindung an die deutsche Sprache, muß ich immer wieder zurückkehren.

Jessica Jacoby
Salzsäulen

Ich gehe
Und hinter mir
Ein Weg aus Schmerzen
Hinter mir Tropfen Blutes
Salzsäulen säumen meinen Weg

Ich gehe
Um nicht zu verbrennen
An Sodom und Gomorra im Innern
Die Säulen aus Salz
Sind nicht Lots namenloses Weib

Sie sind die Frauen einer Frau
Sie haben alle Namen
Sie sind erstarrt zu Stein
Weil sie sich nicht umwandten
als ich ging, nicht umsahen
nach Sodom und Gomorra

Wer sagt, daß Sodom nur Söhne hatte
die einander erkannten?
Sodom und Gomorra haben Töchter
Ihrer sind viele
Eine von ihnen bin ich
Hab ich nur die Wahl
Zwischen Salzsäule und Feuersbrunst?

1980

Cathy S. Gelbin
Eszter

We'll die for every heartbeat
We'll shut the doors behind
Love is death
Death the only
Blossom we could find

Wenn es so etwas gibt, dann war es Liebe auf den ersten Blick. Ich hätte nie gedacht, daß ich so unvermittelt auf einen anderen Menschen reagieren könnte, daß ich so schnell den nach langen Jahren mühselig erworbenen Boden unter den Füßen verlieren würde. Darüber wird noch in Zukunft nachzudenken sein: über meine Unfähigkeit, mich abzugrenzen, über meine bis an Selbstzerstörung grenzende Nachsicht.

Es war in der Gaststätte eines schmutziggrauen Ost-Berliner Bahnhofs, einer Mischung aus rot bezogenen Sitzen und kitschigen Gaslampen. Dort war unser Treffpunkt, in der Nähe der abfahrenden Züge. Die knallroten Sitze und die für unsere Verhältnisse zu hohen Preise gaben uns das Gefühl, hier bereits im Westen zu sein.

Mit »wir« meine ich eine Gruppe von Jugendlichen, denen ich zugerechnet wurde, weil ich manchmal zu ihnen stieß. In Ost-Berlin war es einfach, Bekanntschaften zu schließen. Es reichte, daß wir einander kennenlernten, die Stunden gemeinsam in den Kneipen oder im Kino verbrachten. Es genügte, daß wir einander sympathisch waren, um mit Leichtigkeit Verabredungen zu treffen, zusammen Musik zu hören oder miteinander zu schweigen.

Meine Wohnung war für mich eine Oase. Sie lag in der Nähe des Bahnhofs in einem Neubaugebiet und oft, wenn ich niemanden sehen wollte, zog ich mich dorthin zurück. Niemand von uns besaß ein Telefon, es gab kein störendes Klingeln oder lange Gespräche mit anderen, die sich nicht sehen lassen und statt dessen nur ein paarmal im Jahr anrufen. Wenn meine Freunde mich sehen wollten, besuchten sie mich, und wenn ich allein sein wollte, machte ich nicht auf.

Eines Nachmittags entfloh ich meiner Wohnung. Zu lange war ich an meinem Schreibtisch in quälende Gedanken über meine Zukunft versunken und wollte nun unter Menschen sein. Wie so oft in einer solchen Stimmung machte ich mich zum Bahnhof auf.

Diesmal entdeckte ich dort ein neues Gesicht. Es besaß tiefdunkle, traurige Augen und war blaß, sehr blaß. Im Scheitel der sehr kurz geschnittenen Haare glänzte silbrig eine graue Strähne und bildete einen Farbkontrast zum olivgrünen Parka. Ich glaube, dieses silbriggraue Büschel Haare war es, in das ich mich zuerst verliebte.

Sie redete lebhaft und lachte viel, was im Gegensatz zu ihren Erzählungen vom Krankenhaus stand. Beim Reden berührte sie die Umsitzenden oft mit ihren kleinen, weichen Händen. Später, als sie zufällig neben mir saß, lehnte sie beim Erzählen ihre Wange an meine Schulter. Ich erschrak, hielt aber still, um ihren Kopf nicht zu verscheuchen, und blickte manchmal auf die roten, tief eingeschnittenen Narben an ihrem Handgelenk.

Wie merkwürdig war doch dieses Gesicht. Es hatte lebhafte, sehr wache Züge, wirkte jedoch durch die bleiche, fast weiße Haut mitleiderregend und starr. Ich fuhr mit den Blicken darüber. Es war mir schon fast vertraut. Ich ahnte die Hilflosigkeit dahinter.

Wir saßen an der Bar; die übrigen hatten sich laut redend im Raum verteilt. Irgend jemand bestellte für uns alle eine Flasche Wein. Neben mir suchte sie in ihrem Portemonnaie nach Kleingeld, um jemanden anzurufen. Schließlich bat sie den neben ihr sitzenden Mann, ihr ein Markstück zu wechseln.

»Ach komm, nimm es geschenkt«, sagte er freundlich und drückte ihr zwanzig Pfennig in die Hand. »Wir wollen nicht handeln, wir sind ja keine Juden.«

Bevor ich mich fassen konnte, war er aus der Kneipe gegangen. Ich sah, wie ihr Gesicht tiefrot wurde. »Du Arschloch«, sagte sie erst tonlos, dann schrie sie ihm durch die Kneipe hinterher: »Du Arschloch!«

»Hören Sie auf zu brüllen«, zischte die hinter der Theke stehende Kellnerin. »Wenn Sie nicht sofort ruhig sind, fliegen Sie hinaus.«

Sie blickte die Kellnerin mit großen, entsetzten Augen an, legte dann den Kopf auf die Arme und begann zu weinen. Behutsam legte ich meinen Arm um ihre Schultern und streichelte sie ganz leicht. »Meine Großmutter hieß Eszter«, sagte sie nach einer Weile, und dann unvermittelt laut zur Kellnerin, so daß es die ganze Kneipe hören mußte: »Meine Großmutter war Jüdin und wurde in Mauthausen ermordet!« Die Kellnerin blickte über die Theke, beugte sich leicht nach vorn und erwiderte: »Halten Sie jetzt endlich den Mund, das interessiert doch hier niemanden.«

So ist es gewesen, genauso hat alles begonnen. Genauso fing die lange Reihe von Nächten an, die sie in meinem langen weißen Nachthemd auf dem zweiten Bett bei mir verbrachte.

An jenem Abend hatte ich sie in meine nahegelegene Wohnung mitgenommen, ein übermächtig bleiches Wesen, das sich vor Übelkeit auf den Bürgersteig kauerte, während ich ein Taxi suchen ging. Die geringe Menge Wein konnte kaum an ihrer Übelkeit schuld sein. Sie erklärte mir, daß ihr von Tabletten übel sei. Ich dachte an ihre roten Narben auf dem Handgelenk, an ihren Krankenhausaufenthalt und schwieg.

So kam es, daß wir lange Nächte hindurch redeten. Frühmorgens stand ich übernächtigt auf und ging zur Arbeit, von der sie mich am späten Nachmittag abholte, dann schlenderten wir durch die Straßen und kehrten in Kneipen ein. Die Rechnungen bezahlte ich, stillschweigend – ich dachte dabei an ihre Narben. Wenn mich etwas besonders störte, so waren es diese häufigen Kneipenbesuche. Doch ich widersprach keinem ihrer Wünsche. Ich mußte immerzu daran denken, was sie sich hatte antun wollen und manchmal, wenn ich mich unbeobachtet fühlte, betrachtete ich lange meine eigenen Unterarme.

Wie vertraut mir diese Frau war. Die roten Striemen auf ihrem Handgelenk, ihr bleiches Gesicht in meinem weißen Nachthemd. Kind einer im Budapester Judenghetto Geborenen, benannt nach ihrer ermordeten Großmutter. Geschichte einer zerrissenen Identität, der übermäßigen Last, die abgerissenen Lebensfäden ihrer toten Verwandten fortzuknüpfen.

Von meinen Gefühlen für sie sagte ich nichts. Die Sehnsucht nach ihrem geschwungenen, vollen Mund verwandelte ich in nächtelanges Zuhören. Vielleicht suchte sie einen Halt, den sie in der Ruhe meines Zimmers zu finden hoffte. Vielleicht spürte sie, was ich für sie empfand, ahnte es, ohne danach zu fragen. Um sie nicht zu erschrekken, um sie in meiner Nähe zu halten, erzählte ich ihr nicht, daß ich Frauen liebe.

Es wäre vielleicht ewig so weitergegangen, ohne Anfang und ohne Ende, wenn sie nicht eines Tages eine Nadel und ein Päckchen mit weißem Pulver aus der Tasche gezogen hätte. Mit einem Schlag begriff ich ihre Übelkeit am ersten Abend, den chronischen Geldmangel, das übermächtig bleiche Gesicht. Plötzlich fügte sich alles zu einem Bild, und ich war fassungslos, daß ich so lange nichts verstanden hatte.

Ich warf sie aus der Wohnung. Erklärte ihr, daß ich sie liebhätte, schon vom ersten Augenblick an, und daß ich es nicht ertragen könnte, ihr bei ihrer Selbstzerstörung zuzusehen.

Nach vierzehn Tagen war sie wieder da. Sie sagte, daß sie es noch nie mit Rauschgift probiert habe und mich beim ersten Mal dabeihaben wollte. Meine Reaktion darauf sei ihr jedoch verständlich gewesen. Ich sah sie skeptisch an: »Und die Tabletten? Und der Alkohol? Glaub mir, wenn du so weitermachst, lebst du keine zwei Jahre mehr.«

Ihre dunklen Augen nahmen einen verzweifelten Ausdruck an, dann sagte sie: »Mir ist in den letzten zwei Wochen klar geworden, daß ich etwas für dich empfinde, daß ich dich lieben will. Vielleicht habe ich vor kurzem wieder angefangen, Tabletten zu nehmen, weil ich dich gern habe und doch wußte, daß du von hier weggehen wirst. Wenn es erst soweit ist – ich habe Angst, daß dann für mich sowieso alles zu Ende ist.«

Ich weiß nicht, warum ich ihr glaubte – vermutlich, weil ich es wollte. Es war bereits unmöglich, dieses Gesicht zu vergessen, mir vorzumachen, es hätte nichts mit mir zu tun. Ich öffnete die Tür und ließ sie herein. Ihre Sachen hatte sie gleich mitgebracht, sie mußte auf meine Nachsicht gerechnet haben. Ich machte ihr ein Fach im Schrank frei. Sie packte den Inhalt ihres Rucksacks hinein, unter ein altes Foto von mir, das an die Innenseite der Schranktür gezweckt war.

Von der Zukunft redeten wir viel. Wir wollten nach Holland auswandern, weil wir gehört hatten, daß dieses Land liberal gegenüber Homosexuellen sei, und dort wollten wir eines Tages ein jüdisches Kind adoptieren. Einen David wollte sie haben. Einmal sprach sie jedoch von einem schwarzen Kind. Ein schwarzes Kind sei auch gut, weil es anders sein würde. Als sie den zukünftigen Vater erwähnte, einen afrikanischen Studenten, schwieg ich. In diese Zukunftspläne war ich nicht mehr einbezogen, es machte mich zu ratlos, um etwas dazu zu sagen.

Unsere Gespräche dehnten sich endlos in die Nacht hinein, fast lagen wir schon in einem Hotelzimmer in Holland und redeten von der Gegenwart, nicht von der Zukunft. Ich träumte immer heftiger von Berührungen ihrer kleinen, weichen Hände, deren Haut an den Fingerknöcheln etwas dunkler war, doch ich drängte sie nicht. Ich hatte gelernt zu warten, und im Warten war ich bereits geübter als im Zärtlichsein.

Alles ging gut so, nur meine Freunde besuchten mich vermutlich nicht mehr so oft wie früher. Ich war jedoch zu beschäftigt, um das wirklich zu bemerken. Nur mit meiner Freundin Vera, die in derselben Straße wohnte wie ich, frühstückte ich so häufig wie früher.

»Ich habe Angst, daß das nicht gut ausgeht«, sagte mir Vera eines Morgens. »Aber sie nimmt keine Tabletten mehr«, entgegnete ich. »Sie hat es mir versprochen. Sonst würde ich sie hinauswerfen.« Vera wiegte ihren Kopf: »Sie ist krank. Sehr krank, glaub mir, und du wirst ihr nicht helfen können.« Empört fuhr ich auf: »Nur weil ihr sie alle schon aufgegeben habt, ist sie jetzt so kaputt. Sie braucht Hilfe, und ich werde für sie da sein!«

Eines Abends kam sie nicht nach Hause. Ich wartete vergeblich auf sie, verbrühte mir vor Nervosität die Hand mit heißem Wasser und versuchte schließlich zu schlafen. Aber ich wachte immer wieder auf, in der Hoffnung, endlich den Schlüssel im Schloß zu hören, ihren Kopf auf dem anderen Bett zu erblicken. Grau verrannen die Stunden, mit jedem Aufwachen wurde mein Kopf schwerer, bis ich in den frühen Morgenstunden überhaupt nicht mehr einschlafen konnte.

Zögernd ging ich zum Badezimmerschrank. Irgendwo mußte sie das Gift doch aufbewahren. Sie hatte, als sie bei mir einzog, noch zwei Packungen mit Schlaftabletten bei sich, die sie aufheben wollte; als Beweis für mich, daß sie sie nicht brauchte. Im Badezimmer fand ich die beiden Schachteln nicht. Ich ertrug das Warten nicht mehr, das endlos lange Zerrinnen der Zeit und wollte zudem nicht ganz ohne Schlaf zur Arbeit gehen. So durchsuchte ich die Sachen in ihrem Schrankfach, doch auch hier fand ich die Tabletten nicht, statt dessen jedoch ein Bündel Papiere. Ich wollte nicht darin lesen; zufällig blieb mein Blick jedoch an einigen Worten hängen, bis ich nicht mehr widerstehen konnte.

Es war eine Art Tagebuch, eine Sammlung von Selbstmordankündigungen aus verschiedenen Jahren. Dazwischen unzählige Briefe, aufgehobene und nie abgeschickte, Gedichte über Meere, die auf sie einstürzten, über Ratten, die an ihrem Herzen fraßen. Fassungslos taumelte ich auf die Straße vor meinem Haus. Die Morgenkälte lag auf dem staubigen Beton, sie glitzerte in den kahl gewordenen Bäumen vor Veras Haus und auf dem davorliegenden Feld, aus dem in nur wenigen Wochen neue Bauten in den Himmel schießen würden. Veras Fenster lag noch im Dunkel, schwach erkannte ich die Kakteen auf dem Fensterbrett.

»Kannst du mir ein paar von deinen Tabletten geben?«, fragte ich ins Halbdunkel der geöffneten Tür. »Ich ertrage es nicht mehr zu warten.« Vera sah mich schweigend an und humpelte auf ihren Krücken in die Wohnung zurück. »Ich habe heute Nacht von ihr geträumt«, sagte sie dann. »Sie wollte dein Herz aufessen.«

Erst am Abend des darauffolgenden Tages brach sie in meinen bleiernen Schlaf ein, mit verhangenem, abwesendem Blick. Der olivgrüne Parka und die Jeans waren mit getrocknetem Lehm beschmiert, die Füße in den für Ende November zu leichten Turnschuhen mußten fast erfroren sein. Sie hatte geklingelt, und als ich die Tür öffnete, fiel sie in den Flur.

»Gib mir ein Messer«, lallte sie. Ich packte sie unter den Achselhöhlen und schleifte sie ins Bad. Sie war völlig unterkühlt. Ich versuchte, ihren Oberkörper aufzurichten und ihr die beschmutzten Sachen auszuziehen. Ihr Blick fiel auf die Wanne, in der ich Hemden rot eingefärbt hatte. »Deine Wanne ist voller Blut«, sagte sie mit herabfallendem Kopf und grinste. »Das sieht lustig aus.« In wachsender Panik entdeckte ich ihren rot verkrusteten Ärmel, auf der Haut darunter den Schnitt, schräg über das Handgelenk und klaffend, die Schlagader unversehrt. Sie hatte nur gespielt.

Ich weiß nicht mehr, wie ich sie ins Bett bekam. Nachdem ich die Wohnungstür doppelt verschlossen hatte, sah ich in den Spiegel und erblickte mein Gesicht, verschwollen und fast unkenntlich. Zwischen den Lippen die weißen Tabletten, die hinter der Zunge verschwanden. Den Schlüssel versteckte ich unter dem Kopfkissen.

Sie schlief noch nicht, sondern sprach träumerisch vor sich hin: »Ein Vogel sitzt auf den Zweigen, sie sind kahl und hart, wie bunte Glasscherben. Jetzt fliegt er, fliegt von Nest zu Nest und webt die Fäden.« Sie lächelte mich langsam und glücklich an. Mit schweren Lidern beobachtete ich ihre Bewegungen im Bett, mit denen sie sich unter den Decken hervorwühlte und schwankend, auf allen Vieren, auf mich zu kroch. Ihre weiche, verbundene Hand legte sich zittrig an meine Wange und knöpfte dann schwerfällig das weiße Nachthemd auf. Obwohl mir die Schlaffheit schon in alle Glieder gekrochen war und mich fast bewegungsunfähig machte, liefen mir bei ihrem Anblick Schauer über den Rücken. Ich sah, wie meine Finger über ihre Haut krochen, über das weiße Gesicht, den weißen Rücken, die Schenkel. Dann schlief sie ein.

Einmal in Raserei versinken. Einmal nicht mehr auftauchen aus ihrem Gesicht, aus ihrer Haut. Einmal ihren Mund, der so viel redete bei den Berührungen, verschließen.

Doch es war schon zu spät, während ich noch versuchte, sie zu retten. Während ich spürte, wie sie mir entglitt, wie sie sich quälte, um mich mitzuquälen. Endlose Stunden habe ich mit ihr in den Krankenhäusern verbracht, wenn sie sich selbst Verletzungen zugefügt hatte oder als hilflos aufgefundene Person eingewiesen worden war. »Chronischer Alkohol- und Tablettenmißbrauch«, lautete die Diagnose. Ich selbst gehörte bereits zu den Apothekenkunden, weil ich nicht mehr schlafen konnte, keine Ruhe mehr fand.

Holland und unsere gemeinsame Zukunft waren vergessen, die endlos langen Nächte vorbei. Der Schlaf kam schnell, drei weiße Tabletten hinter der Zunge, er war kurz und dumpf und dauerte manchmal auch einen Tag lang oder zwei, wenn sie von unserem gemeinsamen Tod gesprochen hatte. Schlafen war der letzte Widerstand, den ich noch aufbrachte.

Ein Ende der Geschichte gibt es nicht oder nur für mich. Freunde haben mich retten können, kurz bevor ich mich selbst aufgeben wollte. Ich habe sie in ein Taxi gesetzt, mitsamt ihren unzähligen Sachen und ihr noch das Fahrgeld bezahlt.

Kurze Zeit später bekam ich meine Ausreisepapiere. Ich verließ eine Stadt, in der es eine Bahnhofskneipe mit roten Sitzen gegeben hatte, nahe den abfahrenden Zügen. In der ich, viel früher, den Schuldrill nicht hatte ertragen können und die Verlogenheit meiner Mitschüler, meine Empfindungen für Frauen und das ganze Leben überhaupt. In der ich durch Betonstraßen gelaufen war, tablettenschwer. Ein Leben habe ich dort hinter mir gelassen.

Manchmal, wenn ich ein Telefongespräch mit einer Freundin beendet habe, statt sie zu sehen, weil dies im Westen zum Ersatz für Besuche geworden ist, trete ich auf den Balkon vor meinem Zimmer hinaus. Nur selten laufen Menschen in diesem abgelegenen Stadtteil vorbei, aber es gibt auch sonst kaum unerwartete Gäste in dieser Stadt. Ich lausche in die beängstigende Stille und denke an Vera, die einmal das alte Foto an der Innenseite meiner Schranktür betrachtete und mich fragte: »Ist sie das?« Und ich lächelte und sagte: »Nein, das war ich, vor langer Zeit.«

Geschrieben 1986/89. Für Kenny, die mir geholfen hat zu leben.

Talia Bloch
Meine Muttersprache

Vielleicht ist das Außergewöhnliche an mir, daß ich diese Sprache spreche. Nein, daß ich sie schon immer gesprochen habe. Sie ist meine Muttersprache. Meine Muttersprache, die Mördersprache. Die Sprache der Mörder, meine Muttersprache. Meine Mördersprache. Meine Mördersprache? Nein, mich hat sie nicht erwürgt, erwürgt mich auch jetzt nicht. Aber sie verwurzelt mich in einer Kultur, die mit deutschen Befehlen zum Schweigen gebracht wurde; einer Kultur, die nur noch von alten Frauen und Männern in Amerika, in Israel und anderswo gelebt wird. Meine Muttersprache, die Sprache, mit der meine Mütter zum Schweigen gebracht wurden.

Ich bin in New York geboren und lief dort im Haus meiner israelischen Mutter auf deutsch kreischend herum – von einem Zimmer zum anderen, von einer Ecke zur anderen –, so wie in jener Nacht, in der wir den »chametz« – das gesäuerte Brot – aus allen Ecken sammeln und verbrennen. Meine Mutter war »Mama«, ist »Mama«, mein Vater »Papa« – nie »Mom and Dad« –, und als ich anfing mit den Worten zu spielen, formten meine Eltern meine Zunge von »Ogi« zu »Omi« und strengten sich an, damit ich meine »Omi« richtig rufe.

Ich hatte keine »grandmas«. Selbst die Eltern meiner Mutter waren »Oma« und »Opa«, obwohl sie in Israel lebten, obwohl meine Mutter nie das Land gesehen hatte, in dem sie einmal Deutsch sprachen – und in dem andere es noch immer sprechen. Die Großeltern zogen von einem polnischen Schtetl in eine deutsche Stadt, von Bolimov und Skierniewice nach Fürth, damit mein Großvater, ein Schneider, für die Soldaten des Ersten Weltkrieges Anzüge nähen konnte. Hier hatten sie vier Mädchen, die Deutsch lernten, deutsch spielten, Deutsch sprachen. 1933 warnte ein Kaufmann, der in der Nazi-Partei war, meinen Großvater unwissentlich, dieses Land, diese

Sprache zu verlassen. Sie flüchteten ins Französische in der Hoffnung, dort Asyl zu finden durch die Geburt einer französischen Staatsbürgerin: meiner Mutter. Aber sie wurden auch aus dieser Sprache verjagt, und dann ließen sie sich im Hebräischen nieder.

Ihre Kinder bekamen neue Namen: Esther, Rachel, Hannah, Sarah und Pnina anstatt Else, Rosie, Annie, Selma und Paulette. Die Kinder ihrer Kinder benannten sich selbst um: Yovel und Ron-El anstatt Jablonowsky und Rothenstein. Sie sprachen ihre Muttersprache nur noch mit der Mutter und bemühten sich nicht, sie in ihrer gegebenen Form zu erhalten – frei von äußerlichen Einflüssen, was manche schon »rein« genannt haben. Ihre Kinder können nicht einmal auf deutsch nicken. Warum sollten sie es können? Warum sollten sie eine Sprache erhalten, aus der sie vertrieben wurden, in der die Mütter ihrer Mütter verdammt und ermordet wurden?

»Ruhe bitte«, steht auf einem alten Zettel, der im Gebetbuch meines Vaters liegt. »Ruhe bitte«, gemahnt die Gemeinde meiner Großmutter während des Gottesdienstes zum Schweigen – in derselben Sprache, in der andere sie für Ewigkeit zum Schweigen bringen wollten.

Schweigen läßt sich nicht aussprechen.
Schweigen sprechen heißt Schweigen zerstören.
Sie sprechen das Nicht-Sprechbare, Schweigen.
Sie tragen das Schweigen auf ihren Zungen:
Klagegesang der Vergangenheit,
Stimmen, die nur noch schweigen.

Denn diese Sprache – die zum Mißhandeln benutzt wurde, die mißhandelt hat und mißhandelt wurde – war auch ihre Sprache, ihre Muttersprache, Teil ihrer Kultur und Herkunft. Meine Eltern und meine Großmutter wollten, daß ihre Kinder zweisprachig aufwachsen. Neben Englisch war Deutsch die gemeinsame Sprache, die sie für ihre Kinder beibehielten, als wäre dies so leicht wie die Wahl des ersten Mantels – eine praktische äußere Hülle, aus der sie in kurzer Zeit herauswachsen. Doch mit der Muttersprache wird auch die

Geschichte meiner Mutter, meiner Großmutter und ihres Sohnes, meines Vaters, an mich überliefert; kommt ihr Schweigen und ihr Schreien, kommt ihr Gefühl von Entwurzelung zum Ausdruck.

Jeden Schabbatabend saß die Matriarchin der Familie, meine Großmutter, an einem Ende des langen Eßtisches meinem Vater gegenüber. Sie erzählte von ihrer Kindheit in Ellerstadt und von ihrer Jugend und Ehe in München, sie kannte deutsche Sprüche und Lieder, sie brachte den *Aufbau* und das *Münchner Mosaik*. Sie backte den »Barches« – das Schabbatbrot – und die Kirschtorte, die Linzer Torte oder den Igel. Ihre Küche war eine deutsche Küche mit Geschirr und Besteck aus Deutschland und mit süddeutschen Speisen.

Ihre Bräuche und Gewohnheiten stammten aus Deutschland. Es hätte auch nicht anders sein können, verbrachte sie doch die ersten zweiundvierzig Jahre ihres Lebens hier und die nächsten einundfünfzig Jahre inmitten ihrer aus Deutschland mitgebrachten Möbel im Norden Manhattans.

Mein Vater verbrachte seine Kindheit hier und seine Jugend dort. Nachts sang er mir seine eigene Version von »Guten Abend, gute Nacht« vor. Der Christbaum wurde in einen tanzenden Puppenbaum verwandelt. Meine ersten Platten: zwei mit deutschen Kinderliedern und eine aus Israel mit Feiertagsliedern. Anstatt »Mother Goose Nursery Rhymes« – Kindersprüche für Englisch sprechende Kinder – lehrten mich meine Eltern »Backe, backe Kuchen« und »Hoppe, hoppe Reiter«.

Und vielleicht wären all diese Einzelheiten des Alltags, die meine Großmutter und mein Vater an ihre Vergangenheit knüpften, nur ihre Vergangenheit, nur Teil von ihnen geblieben, hätten sie mich nicht durch die deutsche Sprache in diese Vergangenheit miteingebunden. Mich schauderte als Kind, wenn meine Großmutter sich mit jemandem auf der Straße auf englisch unterhielt. »Omi, sprich Deutsch«, zischte ich. Als ich älter wurde, erzählte sie diese Geschichte gerne; stolz, daß ihre Enkelin so eifrig Deutsch sprechen wollte. Nie verriet ich ihr, daß ich einfach ihren Akzent auf englisch nicht mitanhören konnte. Ihr Englisch hörte sich so fremd, so falsch an. Als ich noch älter war und hierher kam, um einen Blick auf meine

Vergangenheit zu werfen, schickte sie mich zu ihrem Geburtsort und zum Geburtsort meines Großvaters und zum Geburtsort meines Vaters und zu den Gräbern meiner Urgroßeltern. Sie konnte es aber nicht verstehen, warum ich dann länger blieb, warum ich für ein zweites Jahr nach Deutschland zurückkehrte. Ich ginge zurück zu den Gojim, sagte sie eines Schabbatabends. Sie starb mit dem Gedanken, ich hätte sie verlassen. Sie konnte nicht begreifen, daß ich zu ihr, zu meinem Selbst, zu einem Geheimnis meiner Vergangenheit zurückzukehren suchte.

Doch irgendwie hatte sie recht gehabt, denn ich kehrte zu einem zerrissenen Selbst, zu einem Stück von Großmutter und Vater, aber nur zu einem Fragment von Mutter zurück. Jede ältere Frau, die ich auf der Straße sehe, ist meine Goßmutter, und dann aber wiederum nicht. Wahrscheinlich ist sie vielmehr das Gegenteil von meiner Großmutter: eine Frau, die die Not meiner Großmutter während des Krieges zumindest ignorierte, wenn nicht sogar vergrößerte.

Das Deutsche meiner Herkunft war und ist mit dem Jüdischen tief verwurzelt. Meine Großmutter und mein Vater kamen doch aus einer deutsch-jüdischen Gemeinde in München, und sie siedelten in eine deutsch-jüdische Gemeinde in der Stadt New York um. Das Deutsche war mit einem Rhythmus des jüdischen Heimes – mit Schabbes und »Jonteff«[1] – verknüpft. Die deutsche Kultur, in der ich aufgewachsen bin, war eine deutsch-jüdische oder eine jüdisch-deutsche Kultur: liberal, intellektuell, etwas assimiliert, obwohl der Tradition noch treu. In Deutschland fand ich hauptsächlich das Deutsche ohne das Jüdische und viele schweigende Ruinen, verborgen und nicht so verborgen. Sprache und Sitten waren die, die ich von zu Hause kannte, aber doch nicht ganz.

Meine Reise nach Deutschland sollte sich als eine Begegnung des »Unheimlichen« mit dem »Heimlichen« erweisen. In seinem Aufsatz »Das Unheimliche« beschreibt Freud die Beziehung zwischen dem »Unheimlichen« und dem »Heimlichen«: »Das Unheimliche ist jene Art des Schreckhaften, welche auf das Altbekannte, Längstvertraute zurückgeht.«[2] Was am vertrautesten ist, wird fremd, indem es leicht von dem Bekannten abrückt. Es gibt sich weder als das Bekannte noch als das bekannte Unbekannte, das bekannte Andere zu erkennen.

»Heim« ist das Zuhause.
»Heimisch« ist das Vertraute.
»Heimlich« ist das Private und Geheime.
»Unheimlich« ist das Fremde und Ungeheuerliche.
Das Heim trägt das Geheimnis des Selbst.
Das Selbst trägt das Geheimnis des Heimes,
der Vergangenheit, unbewußt.
Das Heimlichste des Selbst,
und das Heimlichste des Fremden, das Unheimliche,
begegnen sich im Geheimnis.

Deutsch ist eine Sprache. Jüdisch ist keine. In meinen ersten Jahren wurde mir das Judentum auf deutsch vermittelt. Meine Mutter, der stärkste jüdische Einfluß in meinem Leben, gab ihr Judentum, gab sich selbst in ihrer Muttersprache weiter, was Deutsch war, obwohl sie in Israel aufgewachsen ist und ihre Eltern aus Polen stammten. Die Sprache meiner Mutter war also nicht perfekt, war kein Deutsch aus Deutschland. Sie streichelte und kratzte an einem Deutsch mit jiddischem Tonfall und jiddischen Wendungen. Es war das Deutsch, das sie bei ihrer Mutter gehört hatte. Wenn ich jetzt nach Hause gehe, höre ich, wie weich und rund ihr Deutsch ist. Die harten Kanten von »ta'am« und »chen« und »zores« und »broiges«[3] sind abgeschliffen und in einen Singsang verwandelt. Ihr Deutsch enthält mehr Jiddisches als Deutsches.

Meine Muttersprache ist nicht perfekt. Ich lernte sie dem Gehör nach, und bis zu meinem zwanzigsten Lebensjahr beschränkten sich meine literarischen Deutschkenntnisse auf Geburtstagsgrüße an Tanten und Onkel in Israel: »Alles Gute zum Geburtstag, Küsse und Grüße, Deine...« – und selten auf einen *Aufbau*-Artikel oder Gedichte aus der Sammlung *Der ewige Brunnen*. Jahre später, als ich an der Universität deutsche Autoren zu lesen und deutsche Aufsätze zu schreiben begann, mußte ich von der vertrauten gesprochenen Sprache, in der es Undeutlichkeiten gab, zu der exakten geschriebenen Sprache mit ihrer strengen Grammatik durchdringen.

Die Sprache des Schreibens, die Sprache, in der ich zur Schule gegangen bin, war Englisch. In dieser Sprache wiederum mußte ich die langen, komplizierten deutschen Konstruktionen, die sich selbst in meinem Englisch bemerkbar machten, nach und nach hinter mir lassen. Englisch wurde aber zu meiner Sprache. Wenn Deutsch meine Muttersprache ist, ist Englisch meine Heimatsprache – »my native tongue«. Das Wort wurde identisch mit dem Ding, mit dem Wort wurde das genannte Ding hervorgerufen. Englisch verband sich mit der Entfaltung meiner eigenen Welt. Es war die Welt amerikanischer High Schools, amerikanischer Colleges und amerikanischer Freunde, die Welt der Stadt New York, amerikanischer Rockmusik und englischer und amerikanischer Literatur; die Welt eigenen Erforschens und des Austausches, der Kritik und der Diskussion. Englisch war die Sprache, in der ich zu widersprechen, zu argumentieren lernte.

Doch trotz der Wichtigkeit der englischen Sprache konnte ich mich nie in der amerikanischen Vergangenheit wiederfinden, nur in der amerikanischen Vergangenheit der Einwanderer (die vielleicht sogar die amerikanische Vergangenheit ist). Ich blieb in der zwiespältigen Position der Einwanderin, der New Yorkerin – einer anderen Amerikanerin. Ich sprach Deutsch zu Hause, schrieb auf englisch und sang hauptsächlich hebräische Lieder.

Nach meinen amerikanischen College-Jahren entschied ich mich, endlich den Ort meiner deutsch-jüdischen Vergangenheit zu sehen und meinem Interesse an der Literatur Paul Celans nachzugehen. Ich ging nach Berlin. Im nachhinein scheint es mir, als ob ich Berlin wählte, weil dieser Ort unter deutschen Städten am internationalsten ist.

Aber bei meinem Hiersein, meiner Suche nach meiner Vergangenheit, hat sich gezeigt, daß deutsch-jüdische und jüdisch-deutsche Gegenwart, wie sie in New York präsent ist, hier nicht mehr existiert, ausgelöscht wurde, nur noch als Spur der Vergangenheit sichtbar ist. Es gibt hier zwar eine neue Jüdische Gemeinde, aber sie besteht hauptsächlich aus nichtdeutschen Juden mit anderen Sitten und

Bräuchen. Durch die deutsche Sprache wurde ich in eine neue Vergangenheit gepflanzt, die in der Gegenwart keine Entsprechung hat. Ich bin entwurzelt, mit einem Stück Sprache in der Hand, wie ein ausgerissenes Blatt aus einem alten Buch.

Hier in Berlin nehmen mich Deutsche und Türken häufig als Türkin wahr. Wie oft hat mich ein türkischer Mann oder eine türkische Frau auf türkisch angesprochen! Sie haben mich in eine neue Gegenwart eingeordnet. Jedesmal bin ich stolz darauf, nicht für eine Deutsche, aber auch nicht für eine Amerikanerin gehalten zu werden, doch jedesmal befürchte ich, daß man glauben könnte, ich sei eine türkische Frau, die darauf besteht, Deutsch zu sprechen, und die ihre Kultur dabei verleugnen möchte.

Menschen in Deutschland, Deutsche, wundern sich andererseits, wie gut mein Deutsch ist. Selten verrate ich ihnen, warum es so gut ist. Ich bin nicht stolz darauf, daß mein Deutsch fast akzentfrei ist, aber ich möchte auch keinen amerikanischen Akzent haben. Selten sage ich, daß ich Amerikanerin bin. »Wirklich?« fragen sie dann und starren mich ungläubig an. »Ja, ich bin eine Mischung aus vielem. Ich komme aus New York.« Eine Stimme regt sich in mir: »Weil ich Jüdin bin, können sie mich nirgends einordnen.« Selten sage ich das, fast nie. In letzter Zeit trage ich eine Kette mit einem Magen David.

Mein Deutsch ist noch immer nicht perfekt, aber es nimmt an »eidetischer« Kraft zu. Deutsche Laute scheinen die genannten Dinge hervorzurufen, aber ich sträube mich gegen dieses neue Deutsch, das härter und anders als meine Muttersprache ist. Und doch bin ich noch hier. Ich spreche Deutsch auf der Straße, ich schreibe Englisch und singe jiddische und hebräische Lieder im Hinterzimmer meiner Berliner Wohnung.

1 Jonteff: Jiddisch für »Feiertag«.
2 Sigmund Freud, »Das Unheimliche«, in: Gesammelte Werke, zwölfter Band: Werke aus den Jahren 1917–1920, London, Imago Ltd., S. 231.
3 Ta'am: Hebräisch für »Geschmack«; chen: hebräisch für »lieb«; zores: jiddisch für »Sorgen«; broiges: jiddisch für »verärgert«.

Claudia Cervio
Erst in Deutschland
wurde es für mich wichtig zu sagen,
daß ich Jüdin bin

Was bin ich – Argentinierin, Deutsche, Jüdin? Wenn man mich früher gefragt hätte, dann hätte ich gesagt, ich bin Argentinierin, Tochter von deutschen Immigranten.

Die Kategorie »Jüdischsein« war für mich in Argentinien kein Thema, auch weil es, zumindest in demokratischen Verhältnissen, so selbstverständlich war. Faschistische Gruppen hat es immer gegeben, aber ihre Anschläge richteten sich nicht nur gegen Juden. Erst als ich nach Deutschland kam, wurde es für mich sehr wichtig zu sagen, daß ich Jüdin bin, daß ich Tochter von deutschen Eltern bin, die jüdisch sind.

Es war für mich wichtig zu sehen, wie die Leute darauf reagieren. Wenn sie beispielsweise sagten, »Na und, ich habe nichts gegen Juden, mein bester Freund ist Jude«, konnte ich mit ihnen nicht klarkommen.

Ich mußte aus ähnlichen Gründen, die meine Eltern gezwungen hatten, Deutschland zu verlassen, aus Argentinien fliehen und bin nach Deutschland gekommen. Sicher nicht nur, weil ich einen deutschen Paß hatte, der mir die Einreise nach Deutschland ermöglichte; es war auch eine Suche nach meinen Wurzeln.

Meine Eltern hatten einen Haß auf Deutschland; sie kamen erst wieder hierher, um mich zu besuchen. Sie hatten allerdings schon einmal während einer Europareise einen Versuch unternommen. Sie wollten nach Stuttgart, wo meine Mutter gelebt hatte. Sie stiegen am Flughafen in ein Taxi, aber auf halbem Weg sagte meine Mutter, sie wolle wieder zum Flughafen zurück; sie konnte es hier nicht ertragen.

Durch die negative Einstellung meiner Eltern erschienen mir die nichtjüdischen Deutschen wie Karikaturen aus amerikanischen Filmen. Ich war deshalb auch neugierig, wie es hier wohl wirklich sein würde. Deutschland war einfach nur schrecklich; es war etwas ganz Tabuisiertes, über das nicht geredet wurde. Andererseits war da aber auch die Sehnsucht meiner Mutter nach der deutschen Landschaft. In der Pubertät haben mir meine Eltern das Tagebuch von Anne Frank gegeben, auch andere Geschichten aus Konzentrationslagern. Diese Bilder haben mich sehr beschäftigt und sich mit der Realität in Argentinien vermischt.

Meine Mutter wurde, als Hitler an die Macht kam, 1935 von ihren Eltern in die Schweiz auf ein Internat geschickt. 1937 sind ihr meine Großeltern gefolgt, denn meine Großmutter hatte Hitlers *Mein Kampf* gelesen und vorausgesehen, daß es sehr schlimm werden würde. In der Schweiz haben meine Mutter und meine Großmutter für den Völkerbund, den Vorläufer der United Nations gearbeitet. Sie haben geholfen, jüdische Flüchtlinge in anderen Ländern unterzubringen, was 1937 schon ziemlich kompliziert war. Durch diese Arbeit bekamen sie viele Informationen, und so ist Ende 1940 die ganze Familie nach Uruguay ausgewandert.

Mein Vater wanderte 1936 alleine nach Argentinien aus. Er war dreiundzwanzig Jahre alt und hatte gerade angefangen, Jura zu studieren. Meine Eltern lernten sich in Argentinien kennen, wo sie beide in einer nordamerikanischen Firma gearbeitet haben. Sie haben sich in Südamerika schnell eingelebt, waren vorwiegend mit deutschen Juden befreundet und hatten kaum Kontakt zu den »Hiesigen«, wie die Argentinier von ihnen genannt wurden. Abgesehen davon, daß meine Eltern, sobald sie Geld hatten, auch argentinische Dienstmädchen hatten, wie jeder in der Mittelschicht Argentiniens, die mir mit ihren Geschichten mehr als andere über dieses Land vermittelt haben.

Als ich sechs Jahre alt war, entschieden sich meine Eltern, mich auf die amerikanische Schule in Buenos Aires zu schicken und nicht auf eine, die von vielen deutsch-jüdischen Schülern besucht wurde. Wenn man jüdisch ist, meinte mein Vater, sollte man so viele Pässe wie möglich haben und auch viele Sprachen können; die materiellen Dinge könne man alle verlieren, aber wenn man Sprachen beherrsche und Pässe habe, dann sei man mobil und könne hingehen, wo man sich sicher fühlt. Das hat mich wirklich beeinflußt, das empfinde ich auch so. Außerdem wollten meine Eltern nicht, daß mein Bruder und ich Deutsch lernten. Sie haben zwar miteinander Deutsch gesprochen, aber mit uns Spanisch. Dadurch war mein Spanisch so wie etwa das Deutsch von Immigranten-Kindern hier, wenn die Eltern mit ihnen gebrochenes Deutsch sprechen. Richtig Spanisch habe ich erst auf der Universität gelernt, als ich Psychologie studierte; ich konnte besser Englisch sprechen. Ich erinnere mich jedoch zum Beispiel an die Musik in deutscher Sprache; meine Mutter hat zu mir auf Deutsch gesungen. Als Folge dieser Entfremdung bleibt, daß ich Deutsch nie perfekt sprechen, daß ich immer kleine Fehler machen werde und daß ich zwischen den Kulturen stehe.

Mein Vater vertritt heute noch die Meinung, daß Anpassung die einzige Möglichkeit ist, um zu überleben. Wenn man will, soll man in die Synagoge gehen und gläubig sein, aber man müsse sich den Sitten des Landes anpassen. Es ist nicht so, daß meine Eltern nichts mit Judentum zu tun haben möchten. Auch die areligiösen Juden haben sich immer zum Jüdischsein bekannt. Zwar wollten sie mit Deutschland und der deutschen Sprache nichts zu tun haben, aber sie waren der Meinung, »wir deutschen Juden sind etwas Besseres«. Die Juden in Argentinien, die es in den Augen meines Vaters »zu nichts gebracht« haben, hat mein Vater immer ein bißchen mit Verachtung angeschaut, und mit dieser Welt hatte man überhaupt nichts zu tun. Viel weniger als mit der Bourgeoisie, zu der man gehören wollte. Mit dem jüdischen Kleinbürgertum hatte man ebenfalls nichts zu tun, das war »polakisch«, »die stinken nach Knoblauch«, hieß es. Meinen Eltern ist keine Knoblauchzehe ins Haus gekommen, das war etwas, was mit Ostjuden in Verbindung gebracht wurde. Diese Haltung hatten sie aber auch schon in Deutschland.

Ich war politisch in Argentinien gar nicht besonders aktiv. Ich stand links, gehörte aber nie einer Partei oder Gruppe an, auch wenn ich immer gewerkschaftlich aktiv war, sowohl als Studentin als auch als Psychologin. Ich war Professorin an einer Universität im Norden des Landes und lehrte Psychoanalyse. Nicht mein politisches Denken hat mich in erster Linie in Gefahr gebracht. Als es so weit war, daß die Militärs nach der in aller Welt bekannt gewordenen Maxime handelten: »Erst werden wir alle Terroristen umbringen, danach alle Sympathisanten und dann alle Unentschlossenen«, da reichte es schon aus, progressiv zu sein, um in Lebensgefahr zu geraten. Eine Gefahr, die mein Mann und ich von Anfang an wohl nicht richtig eingeschätzt hatten. Wir dachten, politisch aktiv sind wir nicht – was kann uns schon passieren? Durch die Nazi-Geschichte war ich aber doch hellhöriger geworden und hatte große Angst, daß es uns auch erwischen könnte. Als dann Freunde von uns verschwanden, die ebensowenig »gefährlich« waren wie wir selbst, wurde uns klar, daß es jeden erwischen konnte. Das war auch die Taktik dieser Diktatur: daß sie nicht systematisch vorging wie die Deutschen, sondern unsystematisch, daß also hier jemand verschleppt wurde, dort einer ermordet und anderen dagegen nichts passierte.

Wir waren inzwischen in Buenos Aires untergetaucht. Als Freunde von uns festgenommen und gefoltert wurden, fragte man sie nach mir als Jüdin. Also nicht nach der politisch links Denkenden oder der Psychologin, sondern der Jüdin. Auch war von »jüdischer Verschwörung« die Rede. Es ist sehr schwer zu sagen, ob man allein aufgrund dessen, daß man Jude oder Jüdin war, verschleppt wurde. Tatsache ist, daß sehr viele Juden zu dieser intellektuellen Schicht gehörten und links waren.

Andererseits hat die Jüdische Gemeinde in Argentinien nie ihre Stimme gegen Ungerechtigkeit und gegen Rassismus erhoben in dieser schlimmen Zeit. Aufgrund der Erfahrungen, die Juden während der Nazizeit machen mußten, hätte ich das erwartet. Es gab sogar Stimmen, die sagten: Wer verschleppt wurde, muß auch etwas verbrochen haben. Diese Zustimmung war es, die mich empörte. Allerdings war ich eine Privilegierte, denn ich konnte raus.

In Deutschland fühlte ich mich hauptsächlich lateinamerikanischen Frauen zugehörig. Ich habe 1977 eine lateinamerikanische Frauengruppe mitorganisiert, und die ersten drei Jahre war sie sehr wichtig für mich. Im Vordergrund meines Lebens hier stand für mich die lateinamerikanische Diktatur, die traumatischen Erfahrungen der letzten Jahre in Argentinien und wie man sich als Lateinamerikanerin im Exil fühlt.

Je mehr ich nach diesem Jüdischsein grabe, desto mehr stoße ich auf Negatividentifikation, also Identifikation über das Leiden und die Verfolgung. Indem ich Verfolgte bin, werde ich unangreifbar, bin unschuldig und werde ich in gewisser Art zu »etwas Besserem«. Das riecht nach Arroganz, die mir nicht paßt. Aber meine Identität ist auch positiv; dies hat mich seit meiner Pubertät immer wieder dazu gebracht, gegen Ungerechtigkeit zu kämpfen und mich auf die Seite der Ausgegrenzten, Verfolgten und Armen zu stellen. Aber da verliert das Jüdischsein auch gleichzeitig an Stellenwert; es steht in größeren Zusammenhängen, beispielsweise antirassistischer Arbeit.

Bei der Frage nach der Identität spielt auch mein Aussehen eine Rolle. Als ich siebzehn Jahre alt war, gab es ein ganz wichtiges Thema: meine Nase. Mit dieser Nase hatte ich furchtbare Probleme. Nicht nur ich, sondern viele meiner jüdischen Freunde hatten Probleme mit ihrer Nase, und sie sind auch tatkräftig geworden: Sie haben sich alle die Nase operieren lassen. Woher kam dieser Haß auf meine Nase? Sicher auch aus der problematischen Identität meiner Eltern in Argentinien, wo kleine Nasen das Ideal der hohen Bourgeoisie spanischer Herkunft sind. Auch meine Mutter war nicht glücklich, daß ich eine solche Nase hatte; es hätte doch viel besser zu ihrer Theorie von Anpassung und Assimilation gepaßt, »normal hübsch« zu sein. Weil meine Identität immer brüchig war, habe ich mich schließlich doch nicht dazu entschlossen. Ich hatte einfach Angst, nach der Operation in den Spiegel zu schauen und mich nicht wiederzuerkennen! Mit zwanzig war ich schließlich sehr glücklich, es nicht getan zu haben. Ich habe meine Nase jetzt auch sehr gern. Aber es war einer der langen Prozesse, mit meiner Familiengeschichte fertig zu werden.

Dieser von den Herausgeberinnen verfaßte Text basiert auf einem 1991 geführten Interview.

Vivet Alevi
Hier bin ich zur Türkin
gemacht worden

Ich bin Jüdin, und ich bin türkische Staatsangehörige. Wenn mich früher jemand als Türkin vorstellte, habe ich gesagt, ich bin türkische Staatsangehörige. Ich hatte das Gefühl, das beschreibt, was ich bin, denn für mich ist es ziemlich egal, welcher Nationalität ein Mensch ist; wir sind alle gleich. Das war so ein unbewußter Internationalismus, den ich entwickelt hatte, bevor ich 1972 nach Deutschland kam. Hier bin ich zur Türkin gemacht worden. Für mich war es so unwichtig, daß ich aus der Türkei kam! Das war genauso unspektakulär wie mein Jüdischsein, das weder etwas Negatives noch etwas Positives ist, sondern einfach zu mir gehört. Aber in der deutschen Gesellschaft bin ich so damit konfrontiert worden, bis ich irgendwann kapierte, daß es hier offenbar unmöglich ist, einfach Weltbürgerin zu sein.

Ich bin in Istanbul geboren und aufgewachsen und habe ein typisch jüdisches Familienleben gehabt. Kleinbürgerlich, überhaupt nicht orthodox, ziemlich »heile Welt«. In unserer Familie wurden drei große Feste gefeiert: Pessach, Jom Kippur und Rosch Haschana. Purim und Sukkot wurden zwar nicht besonders gefeiert, aber das war etwas, woran meine Großmutter festhielt. Meine Familie väterlicherseits wohnte in einer kleinen Stadt, und solange mein Opa, das Familienoberhaupt, lebte, sind wir an Pessach zu ihm gereist und haben mit allem drum und dran gefeiert. Ich erinnere mich sehr positiv an diese Festtage. Es waren richtige Familienfeste, wo alle zusammenkamen und das Gebet gelesen wurde. Ich habe auch gefastet an Jom Kippur. Das war mein Stolz; wenn ich es nicht geschafft hatte, war ich sehr traurig und mußte getröstet werden. Ich habe das ziemlich lange mitgemacht, aber ich habe es nicht als ein Muß erlebt.

Mit sechzehn habe ich ganz offen gesagt, ich bin Atheistin, ich glaube nicht mehr an Gott, und trotzdem bin ich Jüdin. Ich habe einen langen Prozeß durchgemacht, um herauszufinden, was ich eigentlich bin. Die gängige Redensart in der Türkei ist: Wir sind alle Türken und haben nur unterschiedliche Religionen. Das war für mich schwierig zu vertreten, weil ich mit Religion überhaupt nichts mehr zu tun hatte. Wenn ich nicht gläubig bin, was ist dann dieses Jüdischsein? Es gibt eine kulturelle Zusammengehörigkeit, die gepflegt und auf die Wert gelegt wird. Es gibt natürlich auch religiösgläubige Menschen, aber die Mehrheit ist es nicht.

Alle Kinder und Erwachsenen, die ich kannte, waren jüdisch. Ich hatte natürlich auch nichtjüdische Schulfreundinnen – ich ging auf eine ganz normale Grundschule und nicht auf die jüdische –, aber mein eigentliches Umfeld war jüdisch. Es war die natürlichste und normalste Sache, ich habe mir darüber keine Gedanken gemacht. Mit sechzehn kam ich in eine naturwissenschaftliche Klasse, in der ich anfangs das einzige Mädchen war. Glücklicherweise kam dann doch noch eine Frau dazu, eine Türkin. Wir wurden dicke Freundinnen. Sie war die erste mir nahestehende Person, die kein jüdisches Familienleben hatte. Durch sie erweiterte sich mein Kreis und ich bekam dann auch nichtjüdische Freunde.

Meine Eltern und Großeltern haben zu Hause noch Ladino gesprochen, aber nicht mit mir und meinem Bruder, damit unsere Aussprache nicht litt. Ich verstehe Ladino, obwohl ich es selbst nicht mehr sprechen kann. In meiner Generation sind zwar viele, die die Sprache noch verstehen, aber die, die nach mir kommen, können sie nicht mehr. Auch meine Generation spricht es kaum noch.

Ich war stolz, sehr gut Türkisch zu sprechen und keine jüdische, das heißt eine spanische Aussprache zu haben, denn an der Aussprache wird eine Jüdin, ein Jude in Istanbul erkenntlich. Andererseits war es früher selbstverständlich, daß in Istanbul auch Juden, Griechen und Armenier lebten und daß ihre Sprachen auf der Straße zu hören waren. Das waren wohl die letzten Spuren der Multikulturalität in Istanbul. Später hat sich die Population der Stadt versiebenfacht, und sie ist jetzt sehr türkisch und islamisch geprägt.

Bei uns gibt es die Tradition, daß jedes Kind die Namen der Groß-eltern väterlicherseits bekommt. Danach sollte ich, wie meine Mutter auch, Mazel-Tov heißen. Meine Mutter wird aber Mathilda genannt, denn Mazel-Tov ist inzwischen ein altmodischer Name. So sollte ich den Namen meiner Großmutter mütterlicherseits bekommen. Danach hätte ich Victoria heißen sollen, aber weil auch das veraltet war, haben sie einfach das »V« von Victoria genommen, und so ent-stand mein Name. Durch meinen anderen, meinen fremd klingen-den Namen wurde mir bewußt gemacht, daß ich eben doch nicht so ganz türkisch bin. Die Leute fragten mich wegen meines Namens, was ich bin. Ich wollte nicht immer ausgesondert werden, aber ich wollte meine Herkunft auch nicht verleugnen.

Integrations- und Anpassungsbemühungen sind typische Merk-male der Juden in Istanbul, wo die meisten Juden in der Türkei leben; in allen anderen Städten sind die Gemeinden entweder total ver-schwunden oder sehr klein. Auch wenn die Kinder heutzutage einen türkischen Namen haben und kein Ladino mehr können, bedeutet das noch keinen Identitätsverlust. Sie haben ein Bewußtsein, Juden zu sein, aber sie wollen auf keinen Fall und nirgendwo auffallen.

Als ich in der neunten Klasse war, bin ich zum ersten Mal mit einer Jugendgruppe nach Israel gefahren. Wir fuhren sechs Wochen durch Israel, was ein großes Erlebnis für mich war, vor allem, weil es meine erste Reise ohne Familie war. Es gab sehr viele Vorträge während die-ser Reise, und wir haben viel musiziert. Meine Eltern erhofften sich wohl davon, daß es mir in Israel gefallen und ich dort vielleicht ein-mal studieren könnte. Es galt als erstrebenswert, dort hinzugehen. Auf jeden Fall war es für mich interessant, im Ausland zu sein; ich war offen und habe mir alles angeschaut. Vielleicht hätte ich ähnliche Gefühle gehabt, wenn ich nach Frankreich oder nach Italien gegan-gen wäre; alles war neu und interessant.

Es war eine schöne Zeit dort, aber heimatliche Gefühle hatte ich nicht. Israel war für mich bis dahin nur etwas Abstraktes gewesen, auch wenn wir dort entfernte Verwandte haben, die in den fünfziger Jahren eingewandert sind. Israel war das Gelobte Land, irgendwo weit weg. Es gab eine moralische Solidarität mit Israel, alles wurde positiv interpretiert, und es gab überhaupt keine Kritik an dem, was in Israel passierte.

Während dieser Reise merkte ich plötzlich, daß ich Heimweh hatte und mich freute, wieder nach Hause, nach Istanbul zu gehen. Bis dahin hatte ich mir noch keine Gedanken darüber gemacht, ob die Türkei meine Heimat ist. Als Jüdin bist du immer in der Diaspora, das ist ganz normal. Mit dieser Einstellung bin ich groß geworden, obwohl die Juden seit fünfhundert Jahren in der Türkei leben. Israel sollte die Heimat sein, war es aber nicht. Mir wurde klar, meine Heimat ist Istanbul, nicht einmal die Türkei, sondern der Ort, wo ich aufgewachsen bin.

Trotzdem bin ich aus der Türkei weggegangen. Ich wollte die Welt entdecken, mehr erleben und mich nicht länger einengen lassen. Es galt beispielsweise als selbstverständlich, daß ich heiraten und einen jüdischen Ehemann haben würde. Es war ein großes Drama, wenn eine meiner Freundinnen sich in einen türkischen Jungen verliebte – da wurde hart daran gearbeitet, daß diese Freundschaft zu Ende ging und das Mädchen wieder auf die »richtige Bahn« gelenkt wurde. Jüdinnen sollen Juden heiraten.

Dann gab es die subtile Erwartung, als Jungfrau in die Ehe zu gehen. Es war uns zwar erlaubt, Freundschaften mit Männern zu schließen, aber die Grenzen wurden gleich mitgeliefert. Da habe ich nicht funktionieren können. Wenn die Sache ernst wurde, kam die ganze Familie zusammen, und die Verhandlungen wegen der Aussteuer gingen los. Man setzte sich an einen Tisch und verhandelte, wieviel Geld sie mir mit in die Ehe geben würden. Ich fand das schrecklich. Ich habe mich gefragt, woher soll ich wissen, ob ein Mann mich liebt oder mich nur wegen meines Geldes heiratet? Es paßte nicht zu meinen mädchenhaften, romantischen Vorstellungen. Damals, mit sechzehn, siebzehn, habe ich mich entschlossen, einen Beruf zu erlernen; wenn ich studiere und einen Beruf habe, dann heiratet »er« mich nicht wegen meines Geldes. Gleichzeitig hatte ich einen Widerwillen gegen diese erzwungene Jungfräulichkeit. Das war für mich, wie wenn geschlachtet und das Fleisch kontrolliert wird, und wenn's tadellos ist, bekommt es einen Stempel und wird auf den

Markt geliefert. Ich wollte das nicht und habe mich nach und nach aus diesem traditionellen Leben herausgelöst. Solange meine Mutter zu mir stand, haben meine Verwandten und die Gesellschaft keine großen Kommentare dazu abgeben können, mich aber mit schiefem Blick angeschaut.

Ich habe mich irgendwann mal gefragt, wie es kommt, daß ausgerechnet ich – ich bin eigentlich keine rebellische Person, bin eher sanften Gemüts –, wie es also kommt, daß ich es gewagt habe, diese heile Welt zu verlassen. Eben wegen dieser sehr traditionellen Frauenrolle. Ich bin überhaupt nicht gefördert worden, niemand hat von mir erwartet, daß ich die höhere Schule besuche, daß ich einen Beruf erlerne. In der Richtung kam überhaupt kein Anstoß. Als Kind habe ich beispielsweise gern gemalt, aber das wurde nicht wichtig genommen. Ich sollte irgendwelche Sprachen lernen, am besten Französisch, und auf ein Gymnasium gehen. Aber das war alles auf die Rolle der Ehefrau zugeschnitten, ich sollte gut funktionieren, sollte elegant, schick und kultiviert sein, das war die einzige Anforderung an mich. Ich sollte meinen späteren Ehemann nicht blamieren in der Gesellschaft.

Im Marxismus habe ich später die ideologische Bestätigung für mein Selbstverständnis gefunden. Ich bin Marxistin geworden, und zwar nicht aus klassengegensätzlichen Gründen, sondern direkt als Frau. Ich habe ja diese Mitgift- und Jungfräulichkeitsgeschichte erwähnt und wie aus der Ehe ein Handel gemacht wird. Das erste Buch von Marx, das ich fand, waren seine Schriften über Frauen. Ich habe die Stelle gelesen, wo er über die bürgerliche Ehe schreibt, und gedacht, meine Güte, war der in Istanbul und hat unsere jüdische Tradition studiert oder was!

Mit achtzehn fing ich an, an der Akademie in Istanbul Dekoration und Innenarchitektur zu studieren. Das sei ein Frauenberuf, hieß es im Freundes- und Verwandtenkreis meiner Eltern. Damit konnten sie noch leben. Meine Busenfreundin und ich träumten jedoch davon, ins Ausland zu gehen, die Welt zu entdecken und kennenzulernen. Das war Anfang 1970. Wir wollten raus aus Istanbul. Ich wollte eigentlich am liebsten nach Frankreich auf die Akademie, aber das hat nicht geklappt. Meine Freundin hatte einen Studienplatz in Köln gefunden, sie ging nach Köln und ich hinterher. So bin ich nach Deutschland gekommen.

In Tel Aviv, wo mein Bruder studierte, wurde ich oft mit der Frage konfrontiert, warum ich ausgerechnet nach Deutschland gegangen sei. Damals habe ich gesagt, daß man die junge Generation der Deutschen nicht dafür verantwortlich machen kann, was damals passiert ist. Was den Juden in Nazideutschland angetan wurde, berührt mich etwa so, wie das eine Italienerin oder eine Griechin berühren würde – es gibt diese unmittelbare Betroffenheit nicht.

Köln war für mich tiefste Provinz. Ich kam ja aus einer Großstadt und wollte die Welt erleben! Ich war so enttäuscht und unglücklich und wußte nicht wie weiter. Ich habe einen Deutschkurs besucht und mich nach Studienmöglichkeiten umgeschaut. Irgendwann bin ich schließlich in Düsseldorf an der Fachhochschule gelandet. Düsseldorf war schon etwas besser als Köln, etwas hübscher und bewegter. Dann habe ich einmal eine Reise nach Berlin gemacht und war überwältigt – ich wollte nach Berlin, das war die richtige Stadt! Da ich inzwischen zwei Jahre in Deutschland war, die Sprache gelernt und mich ein bißchen zurechtgefunden hatte, wollte ich nicht mehr nach Frankreich gehen, was auch wegen des Studienplatzes sehr schwierig gewesen wäre, und ich hätte noch Französisch lernen müssen. So bin ich in Deutschland geblieben. Und ich war glücklich, nach Berlin gekommen zu sein, und wollte Land und Leute kennenlernen.

Ich habe sie auch kennengelernt, an der Universität, in den Kneipen und so weiter. Am Anfang war ich sehr naiv. Ich habe auf alle Fragen geantwortet, weil ich dachte, die fragen mich, also wollen sie auch etwas über mich wissen. Ich habe von mir und dem Land erzählt, aus dem ich komme – es auf jeden Fall versucht. Bis ich gemerkt habe, daß die Fragen immer eine bestimmte Art hatten. Ich wurde immer nach der Türkei gefragt. Und dann war das Gespräch meist zu Ende. Ich hatte aber mehr zu erzählen. Mich interessierten alle möglichen Themen, ich bin zum Beispiel gerne ins Kino oder ins Konzert gegangen, habe gelesen, was hier in diesem Land oder anderswo passiert. Aber darüber wurde mit mir nicht gesprochen.

Und ich wurde immer gefragt, warum ich so sei und nicht anders. Ich habe sehr lange gebraucht, um zu verstehen, wie ich sein sollte, was die Leute von mir erwarteten. Sie hatten ein Bild im Kopf, und ich habe nicht in dieses Bild hineingepaßt. Wenn ich sagte, ich war schon immer so, dann haben sie das nicht geglaubt und meinten, »du bist lange hier, du bist jetzt integriert, du hast die hiesigen Normen übernommen«. Ich wurde also nicht akzeptiert und anerkannt so wie ich bin, als Mensch, als Weltbürgerin. Sie wollten immer die Türkin in mir entlarven und ihre »Aha-Erlebnisse« haben. Ich mußte beispielsweise erklären, warum ich kein Kopftuch trage. Es war lächerlich, aber ich konnte niemanden davon überzeugen, daß ich nie ein Kopftuch getragen hatte und in Istanbul auch keine Frauen kannte, die Kopftücher trugen. Das war aber für die Leute unbegreiflich. Und das wiederum habe ich nicht verstanden.

Das hat mich schließlich auch motiviert, die hier lebenden Türken näher kennenzulernen, denn da mein Jüdinsein für mich nichts besonderes war, bin ich nicht auf die Idee gekommen, hier nach jüdischen Leuten zu suchen. Mein Jüdischsein ist hier für mich ganz nebensächlich. Nachdem ich also ungefähr sechs Jahre hier war, fing ich an, Kontakte zu Türken aufzunehmen und mich mit ihrer Situation und der Lage der Minderheiten in dieser Gesellschaft zu beschäftigen.

Ende 1981 bin ich zu einer Demo nach Westfalen gefahren, bei der sehr viele Leute aus der Türkei dabei waren. Nach dieser Demo waren wir durstig und haben eine Kneipe gesucht. Das erste Mal in meinem Leben wurden Kneipentüren vor mir zugeschlossen. Ich war mit schwarzhaarigen, schwarzschnäuzigen Männern zusammen, selbst bin ich ja auch schwarzhaarig, habe mich aber bis dahin deshalb nicht ausgeschlossen gefühlt. Das habe ich damals das erste Mal im Alltag gespürt und danach einen starken Riecher dafür entwickelt; ich bin nie mehr in Eckkneipen reingegangen.

Ich fing damals an, auf dieser Ebene politisch zu arbeiten, mich gegen die wachsende Ausländerfeindlichkeit zu engagieren. Natürlich auch in dem Bewußtsein, daß es in dieser Gesellschaft eine nationalsozialistische Geschichte gibt. Es hat sehr lange gedauert, bis ich das, was damals Ausländerfeindlichkeit hieß, als Rassismus begriff und definierte.

Ich habe die politische Wende sehr konkret als Ausländerin erlebt. Mein Status ist hier ja jahrelang der einer Ausländerin gewesen. Ausländerin sein, hieß plötzlich Türkin sein, und das war so etwas wie Jüdin sein. Was es bedeutet, in einer Gesellschaft eine Minderheit zu sein, kannte ich; ich bin ja als Angehörige einer Minderheit groß geworden. Ich dachte zwar, ich hätte das überwunden, aber plötzlich gehörte ich wieder einer Minderheit an. Ich bin eigentlich mit dem Bewußtsein groß geworden, eine weiße Frau zu sein, bis ich die weißen Deutschen kennenlernte, die mich immer zu irgendetwas degradiert haben, sei es als Angehörige eines unterentwickelten Landes, einer unterentwickelten Kultur, sei es beispielsweise aufgrund meiner Haarfarbe. Mir wurde klar, daß ich nicht den Normen entspreche, die sie festlegen. Dagegen wehrt sich alles in mir.

Dieser von den Herausgeberinnen verfaßte Text basiert auf einem 1990 geführten Interview.

Esther und Edna Bejarano
Wenn ich Polizisten sehe,
dann sehe ich rot

Ihr seid beide Sängerinnen und singt seit drei Jahren gemeinsam in der Band »Coincidence«. In eurem Repertoire habt ihr auch jiddische Lieder und Lieder, die in Konzentrationslagern und Ghettos entstanden sind. Wie kam es dazu, daß ihr zusammen auftretet?

Edna Bejarano: Zuerst hatten Esther und ich jeweils eine eigene Gruppe. Bis wir uns eines Tages gesagt haben, wir bearbeiten doch die gleichen Themen, haben ähnliche Arrangements, warum tun wir uns nicht zusammen. Es war schon fast so, daß wir gegeneinander konkurriert haben, weil zum Teil die gleichen Veranstalter an uns herangetreten sind.

So haben wir dann aus zwei Gruppen eben eine gemacht, mit Cello, Gitarre, Baß und uns als Sängerinnen. Während »Coincidence« zunächst nur aus Musikerinnen bestand, die vorher schon in meiner Gruppe waren, haben wir jetzt als Gitarristen und am E-Baß Männer, wobei als Bassist mein Bruder Joram mitwirkt. Außerdem war da natürlich auch noch der Reiz, als Mutter und Tochter gemeinsam aufzutreten. Am Anfang war uns das gar nicht so bewußt. Bis das Publikum zu uns kam und sagte, das sei eine ganz tolle Idee gewesen. Es ist eben ungewöhnlich. Nur in Ost-Berlin gab es schon mal eine ähnliche Konstellation, Lin Jaldati und Jalda Rebling.

»Coincidence« heißt nicht nur »Zufall«, sondern auch »Übereinstimmung«. Obwohl ihr beide sehr starke musikalische Persönlichkeiten seid, konkurriert ihr nicht auf der Bühne, sondern harmoniert. Wie schafft ihr das?

Esther Bejarano: Es ist in der Tat nicht immer einfach für uns. Wir sind beide ein bißchen dominierend. Manchmal sieht Edna eine Interpretation anders als ich. Gerade die jiddischen Lieder würde ich manchmal vielleicht anders singen, aber sie entscheidet, wie und was sie singt. Schließlich fände ich es auch nicht gut, wenn Edna mir reinreden und sagen würde, du darfst den Brecht nicht so singen, wie du ihn singst. Jede hat ihre eigene Meinung und ihre eigene musikalische Interpretation, und das respektieren wir gegenseitig, was ich sehr gut finde.

In Fragen des Repertoires müssen wir uns natürlich abstimmen. Manchmal gibt es kleine Reibereien, weil ich manche Lieder gerne noch politischer hätte. Mit »Siebenschön«, meiner früheren Gruppe, habe ich verschiedene Lieder gesungen, die wir jetzt nicht mehr im Repertoire haben, zum Beispiel Lieder von Franz Josef Degenhardt. Aber es ist gar nicht unbedingt nötig, daß wir Degenhardt singen, denn die griechischen Lieder von Theodorakis, die Edna singt, sind ja auch hochpolitisch.

Ihr verfügt über ein vielseitiges internationales Repertoire, ihr singt in sieben Sprachen, und Ednas Interpretation der israelischen Lieder hat mich besonders berührt, weil die Aufforderung, Frieden zu schaffen, so überzeugend zum Ausdruck kommt. Ist es wichtig für dich, Edna, hebräische und *internationale Lieder zu singen?*

Edna Bejarano: Wir haben viele internationale Titel in unserem Repertoire, weil es uns nicht nur um Judenverfolgung geht, sondern ebenso um Rassendiskriminierung auf der ganzen Welt.

Die hebräischen Lieder sind auf jeden Fall wichtig für mich. Ich bin ja in Israel geboren und finde dieses Land bis heute noch sehr schön und fühle mich ihm verbunden, auch wenn ich über die politische Entwicklung sehr traurig bin.

Esther Bejarano: Edna hat sehr darunter gelitten, daß wir aus Israel weggegangen sind. Ich weiß nicht, ob sie sich hier gefühlsmäßig je integriert hat. Sie hat immer gefragt, warum seid ihr hierher gekommen, und das war eher ein Vorwurf als eine Frage. Von Israel wegzu-gehen und wieder hier zu leben war auch für mich wie ein Sprung ins kalte Wasser.

Als ich 1960 zum ersten Mal wieder deutschen Boden betrat, wurde mir bewußt, welchen Schritt ich getan hatte. Es hat sehr lange gedauert, bis ich mich in der Bundesrepublik integriert habe. Nicht wirtschaftlich, sondern emotional. Wenn ich zum Beispiel Polizisten nur sehe, dann sehe ich rot, weil ich unweigerlich an die Gestapo den-ken muß. Ich hatte auch immer schreckliche Hemmungen, zu irgendwelchen Behörden zu gehen. Das hat natürlich mit meiner Vergangenheit, mit der Verfolgung im »Dritten Reich« zu tun. Es hat lange Zeit gedauert, bis ich mich einigermaßen wohlfühlen konnte. Und das erst, nachdem ich Menschen kennengelernt hatte, Men-schen mit einer gewissen Aufgeschlossenheit, oder andere ehemals Verfolgte, zu denen ich Vertrauen haben konnte.

Edna Bejarano: Ich habe manchmal das Gefühl, daß ich Esthers Angst vor Behörden, vor Beamten schon gespürt habe, bevor ich auf der Welt war, denn ich habe sie genauso. Das kann sich nur von Esther auf mich übertragen haben. Wenn mich früher ein Polizist auf der Straße anhielt oder ich einen Strafzettel erhielt, habe ich auch gleich diesen Gedanken gehabt: »Du Nazischwein!« Dieser »Urinstinkt« ver-folgt dich immer.

Esther Bejarano: Manchmal ist Edna, was Nazis anbelangt, in ihrer Meinung krasser als ich und reagiert noch stärker darauf. Das heißt nicht, daß ich irgendwas beschönigen will, was die Nazis getan haben, im Gegenteil. Aber bei ihr war es eine Zeitlang wirklich so, daß prak-tisch hinter allen Mißständen die Nazis steckten. Sie hat sehr darun-ter gelitten, daß ich im KZ war; das ist eben in ihr drin.

Edna Bejarano: Wenn ich an die vielen Prozesse in den letzten Jahren denke, wo die Nazis freigesprochen wurden, frage ich mich oft, wie Esther das ertragen kann, ohne auszuflippen. Ich könnte da zum Mörder werden.

Esther Bejarano: Dann darfst du dir diesen Film über die Neonazis, für den ich einen Kommentar gesprochen habe, überhaupt nicht angucken. Ein junger Filmemacher hat sich anderthalb Jahre in die Neonaziszene begeben und hat dort gefilmt. Er bat mich, mir den Film anzugucken, und dann sollte ich im Film erzählen, daß ich im KZ gewesen bin und so weiter.

Ich wollte mir den Film nicht angucken, weil mich das so aufregt. Darum vermeide ich es ja auch, in irgendwelche Prozesse zu gehen, weil ich das nicht aushalten kann. Ich habe dem Filmemacher gesagt, ich kann gerne etwas über meine Vergangenheit erzählen, aber ich will diesen Film nicht sehen. Ich weiß schon im voraus, was ich da zu sehen kriege; es wird nicht anders sein, als was ich früher wirklich erlebt habe. Und so war's auch. Ich habe mir den Film zwar hinterher doch angeguckt, aber mit mehreren Leuten zusammen. Dann ist das einfacher, weil man sich ja ein bißchen zusammenreißen muß.

Edna, du hast selbst einen Sohn. Denkst du, daß du dein Wissen über die Vergangenheit auch auf ihn überträgst?

Edna Bejarano: Das weiß ich nicht. Das kann mir mein Sohn vielleicht in zehn Jahren sagen. Er ist jetzt neun, und er kann sich noch nicht vorstellen, was ein KZ gewesen ist. Das wird in der Schule bewußt noch nicht in diesem Alter erklärt. Aber er fragt mich oft: »Was sind eigentlich diese Nazis?« Weil das ja häufig in den Nachrichten vorkommt. Das einzige, was ich ihm dann sage ist, daß das ganz schlimme Verbrecher waren, die andere Menschen ohne Grund umgebracht haben.

Esther Bejarano: Er hat mich aber neulich mal gefragt: »Sag mal, ich hab' gehört, du warst in so einem Lager, wie war denn das.« Also fängt er doch schon an nachzuforschen, was damals gewesen ist.

Wie war das, Esther, als Edna aufwuchs – hast du mit ihr über deine Verfolgung gesprochen?

Esther Bejarano: Nein, überhaupt nicht. Ich wollte nicht, daß sie in meine Erlebnisse reingezogen wird. Nicht mal Nissim, meinem Mann, habe ich viel erzählt. Der wußte zwar, daß ich in Auschwitz gewesen war, aber erzählt habe ich eigentlich nie was, ich konnte gar nicht, ich war wie zugeschnürt. Es hat sehr, sehr lange gedauert, bis ich darüber reden konnte; geändert hat sich das eigentlich erst, als ich 1978 in die VVN[1] reinging. Dort haben sie mir vorgeschlagen, ich solle doch mal mein Leben aufschreiben. Das habe ich dann auch gemacht.

Aber meinen Kindern habe ich eigentlich überhaupt nichts erzählt. Ich glaube allerdings, daß man in Israel automatisch mehr davon mitkriegt als hier.

Edna Bejarano: Ich bin der Meinung, daß ich schon als Kind, in Israel, ziemlich genau wußte, was die KZs bedeutet haben. Wahrscheinlich wurde in der Schule darüber gesprochen.

Konntest du eigentlich Deutsch, bevor du hierher kamst?

Edna Bejarano: Kein Wort! Zu Hause hatten wir nur Hebräisch gesprochen. Und es hat auch sehr lange gedauert, bis ich ein deutsches Wort über die Lippen gebracht habe...

Esther Bejarano: ...weil sie natürlich perfekt sein wollte. Sie wollte sich nicht blamieren und hat deshalb ganz lange nicht Deutsch gesprochen, während es Joram ganz egal war, ob er mit oder ohne Fehler spricht, er hat einfach drauflosgesprochen. Wir dachten, Edna lernt das nie, und plötzlich, nach einem oder anderthalb Jahren, fing sie an zu reden, hat ein tadelloses Deutsch gesprochen und war dann Klassenbeste in Deutsch. Das war ihr...

Edna Bejarano: ...Perfektionismus.

Esther Bejarano: Genau so ist es auch mit der Musik. Das ist ein Gegensatz zwischen ihr und mir. Sie ist Perfektionistin, bei ihr muß alles stimmen, während bei mir die Aussage die Hauptsache ist. Es ist nicht so wichtig, ob auch die Begleitung hundertprozentig toll ist.

Laßt uns noch etwas weiter zurückgehen. Wie seid ihr überhaupt zur Musik gekommen? Habt ihr beide eine Gesangsausbildung?

Edna Bejarano: Ich habe Schauspiel studiert, hatte als Pflichtfach Musical, Gesang und Tanzen, jedoch keine klassische Gesangs-ausbildung. Aber das Talent zum Singen war schon immer da. Die Liebe, die Neigung zur Musik liegt bei uns in der Familie. Schon im Kindergarten habe ich Esthers Arien gepfiffen, und mit elf Jahren stand ich mit ihr zusammen zum ersten Mal auf der Bühne. Da fing die »Mutter-Tochter-Karriere« an... Während der letzten Monate meines Schauspielstudiums stand ich aufgrund eines Engagement-vertrages bei einer sehr populären Rockgruppe vor dem Problem, ob ich mich dem Theater zuwenden oder Musik machen sollte. Die Musik siegte und ich war von nun an als Sängerin tätig. Ich habe seit-her jahrelang als Solistin mit Rock-, Pop- und Jazzgruppen gearbeitet und gründete später unter anderem die Gruppe »Coincidence«.

Esther Bejarano: Meine Gesangsausbildung – ich bin Koloratur-sopranistin – habe ich erst in Israel absolvieren können. Diese Aus-bildung macht man normalerweise mit siebzehn, achtzehn, aber ich war in dieser Zeit ja im KZ, in Auschwitz und später in Ravensbrück. Aber ich hatte schon immer den Wunsch, entweder Sängerin oder Schauspielerin zu werden, und ich habe Klavier und Blockflöte spie-len gelernt. Ich komme aus einem sehr musikalischen Haus; meine Kindheit bestand nur aus Musik. Ich konnte schon mit vierzehn viele Arien singen, weil mein Vater die immer gesungen hat. Die Musikali-tät habe ich von ihm geerbt beziehungsweise von meinem Großvater. Der war ein Genie; er hat komponiert, obwohl er nie Musik studiert hatte, und er hat die Nachbarn belästigt, weil er immer nachts Musik gehört hat. Mein Vater war ein sehr, sehr guter Sänger und hat nicht nur als Kantor, sondern auch in Opern gesungen. Er war Musiklehrer und konnte wunderbar Klavier spielen. Später ist er Kantor der

Jüdischen Gemeinden in Saarbrücken, Ulm und danach noch in Breslau geworden.

Mein Vater hatte in Saarbrücken, wo ich aufwuchs, auch zwei Synagogenchöre geleitet und hat uns ganz viele jüdische Lieder beigebracht. Außerdem war er auch Leiter eines Chors, der in den Kohlengruben auftrat. 1936 sind wir von Saarbrücken nach Ulm gezogen; dort war mein Vater Direktor der jüdischen Schule und war dann ganz maßgeblich am Jüdischen Kulturbund beteiligt. Im Jüdischen Kulturbund bin ich auch zum ersten Mal mit Gesang und Steptanz aufgetreten.

Nach meiner Auswanderung nach Palästina 1945 habe ich dort fünf Jahre Musik studiert, habe aber das Studium nicht ganz beenden können. Ich hatte dann nur die Möglichkeit, Konzerte zu geben, wenn ich in die Armee ginge. So bin ich 1948, während des Unabhängigkeitskrieges, in die Armee eingetreten, habe ein ganzes Jahr mit einem Trio Konzerte für die Soldaten gegeben und hatte großen Erfolg. Nach der Armeezeit war ich als Chorsängerin in einem Arbeiterchor. Einige der Lieder, die wir mit »Coincidence« singen, habe ich in diesem Chor gelernt, zum Beispiel das Treblinkalied oder die Lieder von Hirsch Glik[2]. Wir haben Tourneen nach Europa gemacht, 1947 haben wir vier Wochen lang Konzerte in Paris gegeben, und die Leute waren begeistert. Zwei Jahre nach dem Krieg! Das war enorm.

Ich habe in Israel sehr viel Musik gemacht, habe in Kindergärten Akkordeon gespielt, habe hier und da Konzerte gegeben und dann in Be'er Sheva mehrere Blockflötengruppen mit ungefähr siebzig Schülern gehabt, darunter auch Edna und Joram. Dann haben wir uns 1960 entschlossen, nach Deutschland zu gehen. Der Hauptgrund war, daß ich die Sprache beherrschte. Wir wollten eigentlich nur fünf Jahre dort bleiben und dann zurückkommen. Wir haben ja auch unsere Wohnung in Israel behalten, aber dann kam alles ganz anders und wir blieben in Hamburg. Schließlich fing ich an, bei öffentlichen Veranstaltungen mit der VVN jiddische Lieder und Widerstandslieder zu singen, und nun stehe ich schon seit über dreizehn Jahren wieder auf der Bühne.

Jedesmal geben uns die Leute nach einem Auftritt zu verstehen, daß wir ihnen Mut gemacht haben, sich weiter zu engagieren. Und das ist der springende Punkt. Wir singen über die Vergangenheit, aber wir wollen die Zuhörer anregen, den Blick von der Vergangenheit auf die Gegenwart zu richten. Wir wollen den Leuten Mut machen und sie motivieren, sich zu engagieren gegen Rassismus und Antisemitismus und all die schrecklichen Dinge, die wir hier wieder erleben.

Seitdem Edna und ich zusammen auftreten, ist unsere Botschaft noch stärker geworden. Auch meine Vergangenheit spielt dabei natürlich eine wichtige Rolle. Wenn wir zum Beispiel ein Konzert in einer Schule haben, dann ist das immer auch mit einem Bericht über meine eigenen Erlebnisse verbunden. So versuchen wir immer, auch ein bißchen was von der Geschichte einzubringen. Das ist wichtig, und die Lehrer wollen das auch. Vor kurzem waren wir zum Beispiel im Hamburger Albert-Schweitzer-Gymnasium und haben vor fünfhundert Schülern gesungen. Weil das eine Schule ist, die sehr auf Musik ausgerichtet ist, habe ich dort auch über das Mädchenorchester in Auschwitz erzählt, in dem ich selbst Akkordeon spielen mußte. Ich habe hinterher viel Zustimmung von den Schülern bekommen.

Es gibt eine Broschüre über mein Leben in der Nazizeit, die mir bei den Veranstaltungen mit Jugendlichen sehr hilft, weil ich dann nicht immer wieder alles zu erzählen brauche, sondern die Schüler das im Geschichtsunterricht lesen und sich dann Fragen überlegen, die sie mir stellen wollen. Ich glaube, ich kann sehr gut mit Jugendlichen umgehen; ich merke, daß sie sofort Kontakt zu mir kriegen, weil ich das ganz leger mache und sie mich dann als eine von ihnen ansehen. Und das gibt ihnen schließlich den Mut zu fragen.

Edna Bejarano: Es heißt immer, daß die Jugendlichen kein Verständnis mehr für solche Sachen haben und gar nicht mehr zuhören können, aber das stimmt nicht. Auch am Albert-Schweitzer-Gymnasium haben sie vor Begeisterung getobt. Es kommt immer darauf an, wie man ihnen den Inhalt und die Aussage der Lieder vermittelt. Musik ist ein sehr gutes Medium, um politische Inhalte zu vermitteln. Dabei spielt Esther natürlich eine große und wichtige Rolle, da sie aufgrund ihrer schrecklichen Erlebnisse während der Nazizeit eine unwiderrufliche Authentizität verkörpert.

Noch eine Frage zum Schluß: Wie sehen eure musikalischen Pläne aus? Macht ihr demnächst eine neue Platte?

Esther Bejarano: Das ist im Moment ein finanzielles Problem, denn seit der Wende gibt es fast keine Verlage mehr, die solche Themen in ihr Programm aufnehmen. Wir bräuchten einen Verlag oder eine Plattenfirma, die unser Projekt produzieren und vertreiben würde. Oder einen Sponsor. Wenn wir Geld hätten, könnten wir eine Platte selbst finanzieren. Aber woher nehmen, wenn nicht stehlen.

Edna Bejarano: Die Leute wollen jetzt nichts mehr von »Weltverbesserern« wissen. Wenn nur das Wort Kampf fällt oder Antifaschismus, dann bist du schon unten durch. Im Moment sieht es für solche Musik sehr schlecht aus. In Amerika gibt es fantastische Gruppen, Klesmergruppen[3] vor allem, die sich gut verkaufen. Hier ging politisch bewußte Folklore immer schlecht.

Dieses Interview wurde 1992 geführt.

Esther Bejarano: *»Man nannte mich Krümel«. Eine jüdische Jugend in den Zeiten der Verfolgung.* Hrsg. Auschwitz-Komitee in der Bundesrepublik e.V. Hamburg 1989. Dies.: *'s dremlen foigl oif di zwaign – Vögel träumen auf den Zweigen. Lieder aus dem Widerstand.* MMG 1987 (Schallplatte).

1 VVN: Vereinigung der Verfolgten des Nazi-Regimes.
2 Hirsch Glik: jüdischer Widerstandskämpfer im Wilnaer Ghetto, gestorben 1944. Von ihm stammt die Hymne der jüdischen Partisanenorganisation, *Sog nischt keinmol as du geyst dem letzten Weg* (Sag niemals, du gehst den letzten Weg).
3 Klesmer: wörtlich Musikant. Tanzmusik Osteuropas, die besonders durch die in die USA ausgewanderten Klesmermusiker populär wurde, so daß dieses kulturelle Erbe trotz der Vernichtung der osteuropäischen Juden erhalten blieb.

Karen Margolis
exorcise the demon

exorcise the demon
hunger fast to death
flagellate the body
to the last gasping breath

drink the brew of witches
eat the air of want
snatch the full-blown sexes
of scavengers on the hunt

bear the guilt of husbands
fight the hate of wives
let them suck your red, red blood
to fill their empty lives

drain the lake of meaning
stare into its depths
muddy mirror echoes hollow
words from your cracked lips

lay your body on a stone
let them tie you down
watch the life-juice ebb away
– – they' ll drink it when you' re gone

play the role they write for you
starving 'gainst the stream
history flows with or without you
in space no one can hear you scream

drive away the Dybbuk
steal his sleep at night
break his bones
ache his teeth
wear out his hair
tear out his guts
flake off the flesh
till the love shines through
then the waiting sharks
will come to devour you.

March 1990

Angela S. Reinhard
Die jüdischen Spuren
erst durch Anne Frank entdeckt

Wenn ich die Geschichte meiner Familie betrachte, glaube ich, daß sich in ihr ein typischer Werdegang jüdischer deutscher Familien zeigt. Meine Familie, das heißt die Familie meiner Mutter und deren Mutter, meiner Großmutter. Diese Familie kommt aus Osteuropa, die Spuren führen von Rußland nach Litauen und dann nach Breslau. Dort gründete der Ururgroßvater ein Bankhaus. Im Zuge der Stein-Hardenbergschen Reformen (1807–1810) wurden die Assimilationsmöglichkeiten für Juden erheblich erleichtert. Zu dieser Zeit ist mein Ururgroßvater zum christlichen Glauben übergetreten, und mein bereits beschnittener Urgroßvater wurde, wie es dann hieß, »stehend getauft«. Für die Nazis galt er später, ihren Rassegesetzen zufolge, trotz Taufe als Jude.

Die Familie meines Urgroßvaters zog von Breslau weiter nach Berlin und gründete auch hier ein Bankhaus. Meine Großeltern haben lange in Berlin gelebt, und auch meine Mutter ist hier aufgewachsen. Mit der Assimilation fing ein Teil der Verleugnung unserer Familiengeschichte an. Der Name wurde von Landsberger in Landsberg umgeändert, und mein Urgroßvater heiratete eine christliche Frau. Meine Großmutter sowie ihre beiden Geschwister wurden christlich erzogen. Eine erste Annäherung gab es wieder durch eben diese Großmutter, die einen Mann aus jüdischer Familie heiratete, dessen Familie aus England kam und Hanemann hieß. Das Schicksal der Familie meines Großvaters war ähnlich, auch sie war eine Generation vorher zum christlichen Glauben übergetreten.

Meine Großtante, die Schwester meiner Großmutter, war sich ihrer jüdischen Familiengeschichte sehr deutlich bewußt. Sie engagierte sich in einem christlich-jüdischen Verein und war auch in der

Frauenbewegung, im Kreis um Alice Salomon (1872–1948), der Vorkämpferin für soziale Frauenberufe, aktiv. Meine Großmutter selbst war sehr viel ängstlicher und angepaßter, so daß meine Mutter während der Nazizeit in dem Glauben aufwuchs, aus einer »arischen« Familie zu stammen.

Kurz vor Ende des Krieges gab es dann Schwierigkeiten mit den Papieren meiner Großmutter, und es bestand die Gefahr der Deportation. Mein Großvater hatte es während der Nazizeit geschafft, durch Fälschen der Papiere und verschiedene Wohnortwechsel die jüdischen Spuren so zu verwischen, daß immer wieder in letzter Minute eine drohende Gefahr abgewandt werden konnte. Aber all dies war ein Vabanquespiel. Auch der Bruder meiner Großmutter heiratete eine jüdische Frau. Diese Großtante ist 1939 mit ihrer Tochter über Argentinien nach New York emigriert und lebt dort noch in hohem Alter. Das sind die Spuren.

Ich bin mit diesen jüdischen Spuren erst konfrontiert worden, als ich das Tagebuch der Anne Frank las. Nach dem Krieg heiratete meine Mutter einen nichtjüdischen Kaufmann, einen Fabrikanten aus Hamburg. Dort bin ich 1948 geboren und aufgewachsen. Das Tagebuch der Anne Frank las ich mit ungefähr zwölf Jahren. Hinten auf dem Umschlag war ein Foto von Anne Frank, und das sah einem Jugendbild meiner Mutter sehr ähnlich. Ich zeigte ihr das Foto und sagte: »Ich finde, du siehst aber auch sehr jüdisch aus.« Sie reagierte gar nicht sehr erstaunt, sondern sagte nur: »Das ist ja auch kein Wunder, wir kommen aus einer jüdischen Familie.« Dazu ist zu sagen, daß ich auch schon vorher sehr durch meine Mutter geprägt worden war, die die Welt aus ihrem Blickwinkel betrachtete und in Juden und Nichtjuden einteilte. Wenn es also ein Konzert im Radio gab und Yehudi Menuhin spielte, sagte sie, »das ist ein jüdischer Geiger«, oder wenn Namen von Nobelpreisträgern genannt wurden, hieß es, »das ist ein jüdischer Wissenschaftler«. Ohne daß ich wußte warum, war die Welt für mich so. Sie hat mir auch immer vermittelt, daß wir etwas Besonderes sind. Irgendwie seien wir anders, ohne daß klar wurde warum. Aber es hat mich geprägt. Dann bin ich diesem Hinweis, aus jüdischer Familie zu stammen, weiter nachgegangen;

wollte wissen, wer, wieso, aus welchem Grund übergetreten ist. Die Konversion war ja ein Versuch, um den antisemitischen Ausschreitungen aus dem Wege zu gehen.

Ich bin zu der Auffassung gekommen, daß die Konversion niemals der Lösungsweg sein kann, sondern nur der durch die Identifikation mit dem Jüdischsein. Daher betrachte ich den Übertritt meiner Großeltern als für mich nicht gültig. Ich sehe es so: Wenn sie nicht zum christlichen Glauben übergetreten wären, dann wäre diese lange Kette jüdischer Generationen erhalten geblieben. Ich habe dann nach einem Weg gesucht, wie ich dort wieder anknüpfen kann. Mit all diesen ungeklärten Fragen und inneren Prozessen der Auseinandersetzung habe ich mich in der jüdischen Studentengemeinde in Heidelberg aufgehoben gefühlt.

Unsere Familie hatte keine direkten jüdischen Verwandten in Deutschland mehr; die angeheiratete Großtante hat rechtzeitig fliehen können. Das spielt für mein Leben, hier in Deutschland, eine große Rolle. Ich glaube nicht, daß ich in Deutschland leben würde, wenn meine nächsten Angehörigen umgebracht worden wären.

Dieser Prozeß der Klärung wurde von einem für mich sehr wichtigen Menschen begleitet, von dem Mann meiner Tante. Kurz nach dem Krieg ging die Schwester meiner Mutter nach New York, arbeitete dort am Goethe-Institut und lernte auch dort ihren späteren Mann kennen, Paul Victor Falkenberg, ein bekannter Filmemacher aus Berlin, der 1932 über Paris nach New York emigriert war. Er war für mich mein »gesuchter jüdischer Vater«, und ich habe viel mit ihm über meine starken jüdischen Gefühle, aber auch über meine Zweifel geredet. Er hat mich sehr unterstützt, den Weg des Übertritts zu gehen.

Ich habe mich lange, im Alter von vierzehn bis vierundzwanzig Jahren, mit dem Schritt der »Rekonversion« auseinandergesetzt. Es gab in mir ein starkes Gefühl von jüdischer Identität, ein Sich-zugehörig-Fühlen, so daß es mir logisch erschien, an diese Wurzeln wieder anzuknüpfen. Ich hätte natürlich auch sagen können, wenn ich mich selbst als Jüdin fühle, dann genügt mir das, aber ich wollte diesen Übertritt auch offiziell vollziehen.

Das hieß Anfang der siebziger Jahre, vor einer Prüfungskommission, in der drei orthodoxe Rabbiner saßen, über das eigene jüdische Leben Rechenschaft abzulegen, über koschere Koch- und Eßgewohnheiten und ob man gedenkt, einen jüdischen Mann zu heiraten und die Kinder jüdisch zu erziehen. Und da bin nicht nur ich, sondern auch die anderen beiden Frauen, die mit mir aus Heidelberg kamen, durchgefallen. Wir waren nicht orthodox genug.

Wir fuhren (ein zweites Mal) nach Frankfurt, und mein Onkel, der gerade aus New York zu Besuch war, begleitete mich und hat den Rabbinerrat davon überzeugt, daß jemand, der aus jüdischer Familie stammt und zu dieser Tradition zurückkehren will, nicht abgewiesen werden sollte. Beim zweitenmal sind wir dann alle drei angenommen worden, und ich bin auch zum ersten und bisher einzigen Mal in einer Mikwe gewesen.

Ich hatte das Gefühl, daß ich nun wieder etwas zurechtgerückt hatte, was durch die Geschichte, und von mir nicht beeinflußt, auseinandergerissen worden war; ein inneres, stimmiges Gefühl war eingetreten, und es ist bis heute geblieben. Ich bin sicher, daß es der richtige Schritt war, und daß ich so den Weg zu meiner jüdischen Identität gefunden habe, ohne daß ich in allen Einzelheiten benennen könnte, was das ist: meine jüdische Identität.

Ich denke, es gibt einen Zusammenhang zwischen diesem Weg der Identitätsfindung und meiner späteren Studien- beziehungsweise Berufswahl. Bei uns zu Hause – und das muß mit der Offenheit meiner Mutter zusammengehangen haben – wurde sehr viel über Gefühle und Gedanken, also all das, was sich im Innenleben abspielt, gesprochen. Es ging auch teilweise sehr emotional zu, es wurde geweint bei Abschieden und Begrüßungen. Mich hat das Innenleben anderer Menschen bereits früh interessiert. Schon als junges Mädchen habe ich Aufsätze von Freud gelesen, und mit vierzehn stand für mich fest, daß ich Psychoanalytikerin werden wollte.

Einen wichtigen Einfluß bezüglich dieses Berufswunsches hatte eine Freundin meiner Mutter, die in Heidelberg an dem Ausbildungsinstitut für Psychagogen Lehrtherapeutin war. Diese Frau, Ruth Stein, war als Jüdin von Deutschland nach Holland emigriert und ist mit ihrem Mann und einem ihrer drei Söhne von der Gestapo gefaßt worden. Sie wurde nach Bergen-Belsen gebracht und hat diese Zeit trotz einer schweren Typhuserkrankung überlebt. Sie hat später versucht, nach Deutschland zurückzukehren und lebte für kurze Zeit in Heidelberg, merkte jedoch bald, daß sie nicht mehr in Deutschland leben konnte. Sie ging dann in die Schweiz. Inzwischen lebt sie hochbetagt in einem jüdischen Altersheim in Holland.

Für mich war sie ein wichtiges Vorbild als Therapeutin. Ich habe mich auch früh mit meinem eigenen Seelenleben beschäftigt, und da es für mich etwas Normales war, mit Schwierigkeiten nicht allein fertigwerden zu müssen, sondern mit anderen darüber zu sprechen, bin ich schon während meiner Gymnasialzeit bei Problemen zu ihr gegangen und habe mit ihr darüber geredet. Sie war eine kleine Frau, rundlich, mit einem warmen Gesicht und wunderschönen, sehr traurigen, aber auch sehr warmen Augen, daß ich dachte, so will ich auch einmal werden. So eine Therapeutin wie sie möchte ich einmal sein. Und es wurde für mich noch klarer, daß ich auch Psychoanalytikerin werden wollte. Sie hat meinen Wunsch nicht nur wahrgenommen, sondern hat mich auch darin sehr unterstützt. Das war für mich sehr wichtig, weil ich ja nicht nur Therapeutin, sondern Psychoanalytikerin werden wollte.

Ich hatte das Gefühl, analytisches Denken liegt mir, das ist etwas, was mir sehr vertraut ist. Ich habe damals überlegt, wie ich am besten Analytikerin werden könnte. Ruth Stein hat mir eine Geschichte von sich erzählt, die mich sehr beeindruckt hat. Sie hatte zuerst mit dem Medizinstudium begonnen, und als sie einmal in der Pathologie war und eine Leiche sezieren sollte, aber nur auf die Leiche starrte, sagte der Professor zu ihr: »Was ist mit Ihnen, Ruth Stein? Was geht in Ihnen vor?« »Wenn ich so sein Gesicht sehe, überlege ich mir, was wohl alles im Leben dieses Mannes passiert sein mag.« Da sagte der Professor: »Es ist wohl besser, wenn Sie Ihr Studienfach wechseln. Es ist besser, wenn Sie Psychologe studieren.« Das hat mir Mut gemacht, nicht unbedingt Medizin studieren zu müssen.

Ich habe also Psychologie studiert und mich noch kurz vor Beendigung des Studiums um einen analytischen Ausbildungsplatz bemüht und bin auch angenommen worden. Ich wußte schon damals, daß es igendwann während der Ausbildungszeit Schwierigkeiten geben würde, weil ich mir, ähnlich wie bezüglich meiner jüdischen Identität, auch über meine lesbische Identität ziemlich im klaren war. Ich kannte in Heidelberg eine andere lesbische Therapeutin und einen homosexuellen Therapeuten, die in psychoanalytischer Ausbildung waren und die beide ihre Ausbildung abbrechen mußten. Sie waren etwas älter als ich, und ich konnte von daher ihre Wege genau verfolgen. Das war 1975/76.

Nach meinem Umzug nach Berlin habe ich nochmal in meiner Analyse mit meiner damaligen Therapeutin, die auch Lehranalytikerin war, besprochen, inwieweit es für mich Möglichkeiten gäbe, als lesbische Therapeutin überhaupt einen Abschluß zu machen. Mir wurde sehr deutlich gesagt, daß Homosexualität ein Ausschlußgrund für die psychoanalytische Ausbildung sei. Homosexualität wird von den Psychoanalytischen Vereinigungen nach wie vor als Krankheit und Perversion betrachtet. Interessant daran ist, daß es diese inoffiziellen Ausschlußgründe gegenüber homosexuellen Therapeuten fast nur noch in Deutschland gibt. Ich hatte mir überlegt, aus diesem Grund nach Holland oder sogar nach Amerika zu gehen und meine Ausbildung dort zu beenden. Aber das hätte so viel Schmerzliches bedeutet; ich hätte wegen eines anderen Teils meiner Identität weggehen müssen. Diese ausgrenzende Haltung in bezug auf die Homosexualität steht für mich im Zusammenhang mit der fehlenden Aufarbeitung der psychoanalytischen Geschichte während der Nazizeit in Deutschland. Auf jeden Fall war mir irgendwann klar, daß ich meinen Jugendtraum, Psychoanalytikerin zu werden, aufgeben mußte.

Ich bin dann zur Gestalttherapie übergewechselt, die ja auch eine jüdische Tradition hat. Meine jetzige berufliche Tätigkeit als Psychotherapeutin stimmt mit meinem jüdischen Identitätsgefühl überein. Gerade unter den Therapeuten gibt es ja außerhalb von Deutschland viele jüdische Therapeuten und auch viele Frauen. Ich war darum nie verlegen, Vorbilder zu finden und herauszufinden, was für mich richtig ist.

Nun bin ich als jüdische Therapeutin in Deutschland in meinen Therapien mit spezifischen Problemen konfrontiert, wobei ich bisher zwei sehr unterschiedliche Erfahrungen gemacht habe. Einige meiner Klientinnen hatten Väter, die Nazis waren, Väter, unter denen sie auch gelitten haben, die brutal und streng waren. Meine Aufgabe sehe ich darin, daß dieses Thema der Gewalt und auch der Nazivergangenheit in der Therapie zum Thema werden kann und wiedererlebt wird. Auch die übernommenen antisemitischen Vorurteile müssen ausgesprochen werden dürfen, und es entsteht die Möglichkeit, in der Auseinandersetzung mit mir als Jüdin eine Brücke zu schlagen zwischen den Klientinnen und den Nazivätern, die ja für die Klientinnen auch liebenswerte Seiten hatten. Ich muß immer wieder sehr darauf achten, wieviel an Nazivergangenheit ich bei meinen Klientinnen ertragen kann. Ich kann mir das nur zum Teil zumuten und auch nur mit gewisser Distanz. In meinem engsten Freundeskreis wäre diese Auseinandersetzung für mich ganz unmöglich, weil sie mir viel zu sehr unter die Haut ginge.

Die andere, dazu entgegengesetzte Erfahrung habe ich mit jüdischen Klientinnen gemacht. Eine ist zum Beispiel in Israel aufgewachsen, ihre Mutter hat Theresienstadt überlebt. Da werden auch in mir häufig schmerzliche Prozesse angerührt, und ich muß mich immer wieder dazu zwingen, mich zu distanzieren. Ich merke oft, wie schwierig es ist, aufgrund dieser gemeinsamen jüdischen Identität und der besonderen Situation hier in Deutschland den notwendigen Abstand zu halten. Diese Art von Nähe und tiefer Berührtheit erlebe ich in anderen Therapien nicht so durchgängig.

Aufgrund dieser Erfahrungen ist auch mein Interesse stärker geworden, mich mit Folgeerscheinungen bei »child survivors« und der zweiten und dritten Generation von Überlebenden zu beschäftigen. Ich habe diese Probleme bei einer Freundin aus der Heidelberger Studienzeit sehr unmittelbar miterlebt. Sie war damals meine beste Freundin. Wir hatten uns in der Jüdischen Gemeinde kennengelernt. Ihre Mutter stammte aus Mannheim, war nach Frankreich emigriert und dort von den Nazis in das französische Lager Gurs gebracht worden. Meine Freundin ist in Gurs geboren und verbrachte dort die ersten fünf Lebensjahre. Es ist sehr deutlich zu merken, daß sie anfängt, unter den Folgeerscheinungen dieser Lagerzeit zu leiden.

Im Rahmen der Organisation Jüdischer Ärzte und Psychologen in Berlin kann ich mich zum ersten Mal auch mit anderen jüdischen Therapeuten diesem schwierigen Thema annähern. Am bisher eindrucksvollsten war jedoch der Vortrag und das Erfahrungswochenende mit Dr. Johan Lansen vom Sinai-Zentrum in Holland im Januar 1991. Wir diskutierten mit ihm und einer kleinen Gruppe jüdischer Therapeuten über die Möglichkeiten und Grenzen der Psychotherapie mit Überlebenden und der zweiten Generation. In dieser geschützten emotionalen Atmosphäre konnte ich besser verstehen, was es heißen kann, durch Mitleiden und Mittragen bei schweren Spätschäden therapeutisch zu helfen. Es gibt ja keine »Wiedergutmachung«, es kann nur versucht werden, Hilfe zu leisten, um damit leben zu können, um lebensfähig zu bleiben. Wichtig war für mich auch die Erfahrung holländischer Therapeuten, daß die jüdisch-religiös geprägte Atmosphäre ihrer Klinik und die Rückkehr zu den Wurzeln jüdischer Identität für den Gesundungsprozeß notwendig sind.

Nach wie vor ist für mich der geschützte Rahmen der jüdischen Therapeutengruppe sehr wichtig, um über Spätfolgen bei Überlebenden des Naziterrors offen und ohne Scham zu diskutieren, bevor ich mir vorstellen kann, mich damit auch außerhalb dieses Rahmens auseinanderzusetzen, zum Beispiel in meinem gestalttherapeutischen Ausbildungsinstitut oder auf Frauentherapiekongressen.

Immer wieder wird mir schmerzlich bewußt, daß sich für mich die Geschichte in anderen Erinnerungskategorien abspielt als für andere Deutsche. Besonders deutlich wurde mir dies am 9. November 1989, dem Tag, an dem die Mauer fiel und so viele Menschen in einen Freudentaumel gerieten. Ich habe mir die Bilder der jubelnden Menschen im Fernsehen angesehen und mich ausgeschlossen gefühlt, denn in mir ruft der 9. November Bilder von brennenden Synagogen, von klirrenden Fensterscheiben wach. Ich habe auch geweint an diesem Tag, denn wieder findet ein großer Verdrängungsprozeß in der deutschen Gesellschaft statt. Besonders in Berlin hat es vor nicht einmal sechzig Jahren ein reiches, von Juden beeinflußtes kulturelles und geistiges Leben und jüdische Stadtviertel gegeben. Mein Onkel Paul Falkenberg hat mich bei seinen Berlin-Besuchen mitgenommen und mir die Straßen und Ecken in Ost-Berlin gezeigt, wo er aufgewachsen ist und sein Vater eine Religionsschule leitete.

Ein Gefühl von Verdrängung und Fremdheit im eigenen Land habe ich unmittelbar im Zusammenhang mit dem Golfkrieg erlebt. Da ist nicht nur in den Medien viel an antizionistischen und antisemitischen Meinungen geäußert worden, sondern auch in meiner näheren Umgebung. Ich bin nach wie vor sehr mißtrauisch und wachsam. Immer wieder kreisen meine Gedanken darum, ob ich weiter in Deutschland leben möchte oder ob ich nicht doch in ein anderes Land gehen sollte. Noch ist es eher ein Beobachten, aber die Beunruhigung hat zugenommen. Ich bin auch sehr entsetzt über den zunehmenden Rassismus und die stärker werdenden antisemitischen Tendenzen.

Aber noch bin ich hier und lebe gern in Berlin und finde die Veränderungen in dieser Stadt auch sehr spannend. Doch es ist sehr wichtig für mich zu wissen, daß meine nichtjüdische Lebensgefährtin zu mir hält und zusammen mit mir auch woanders hingehen würde.

Annette Leo
Warum dieses Schweigen?

Wenn mich jemand fragt, ob ich Jüdin bin, weiß ich nicht, was ich antworten soll: Ja und nein, vielleicht... es ist kompliziert. Die meisten Leute fragen auch nicht direkt, sondern eher verbrämt oder verklausuliert. An ihrer Wortwahl merkt man die Unsicherheit im Umgang mit dem Thema. Wenn sie aus der Antwort meine eigene Unsicherheit spüren, dann denken sie, ihre Frage war unpassend und entschuldigen sich. So gibt es eine Menge Irritationen.

»Halbjüdisch« soll man nicht sagen, das ist ein Nazibegriff. Nach dem jüdischen Verständnis gibt es keine »Halbjuden«. Hat ein Mensch eine jüdische Mutter, ist er Jude. Wenn nicht, dann nicht. Meine Mutter aber ist – »halbjüdisch« – ebenso wie mein Vater. Am einfachsten ist noch, ich sage: Ich habe zwei jüdische Großväter, die beide deutsche (?) Frauen geheiratet haben. Aber die Großväter betrachteten sich doch auch als Deutsche. Soll ich die Frauen Christinnen nennen? Oma Frieda war wohl evangelisch, aber Oma Charlotte ist aus der Kirche ausgetreten, als sie heiratete. Vielleicht haben die Großväter »nichtjüdische« Frauen geheiratet. Aber das klingt, als ob ihre einzige Eigenschaft darin bestand, nicht jüdisch zu sein.

Ist es nicht unwichtig, was jemand ist, woher er kommt? Ich bin mit sozialistischen Ideen aufgewachsen. Bei meinen Eltern hieß es immer: Alle Menschen sind gleich, entscheidend ist vielmehr die soziale Stellung oder der politische Standpunkt. Jüdische Tradition, Kultur, Religion – das gab es zu Hause nicht. Weder mein Vater noch meine Mutter wußten etwas davon, ihre Väter hatten ihnen nichts davon vermittelt. Großvater Wilhelm war schon als kleines Kind getauft worden, und Großvater Dagobert hatte sich in jungen Jahren von seiner orthodoxen jüdischen Erziehung losgesagt und war Kommunist geworden. Beide, so sagen ihre Kinder, fühlten sich nicht als Juden. Beide meinten wohl, mit der Religion auch ihr Judentum abgelegt zu haben. Wenn es die Zeit des Nationalsozialismus und den Mord an Millionen Juden nicht gegeben hätte, dann wäre ihr Wunsch nach Assimilation wohl aufgegangen. Ich wäre heute eine Deutsche wie alle anderen.

Aber Großvater Wilhelm starb im französischen Exil, wo er untergetaucht die deutsche Besatzung überlebt hatte. Großvater Dagobert wurde in Auschwitz ermordet. Seine Geschwister endeten im Vernichtungslager Chelmno. Die anderen Familienmitglieder leben heute über die Welt verstreut in Israel, in den USA, in Kanada, in Großbritannien und Österreich. Mein Vater aber kehrte nach Kriegsende aus Frankreich nach Deutschland zurück, weil er Kommunist war und eine neue Gesellschaft aufbauen wollte.

Zu Hause wurde viel und ausführlich über Politik gesprochen. Meine Eltern erzählten auch von der Vergangenheit. Ihr Hauptthema war der antifaschistische Widerstandskampf. Deshalb war ich lange Zeit der Meinung, in den Konzentrationslagern hätten nur Widerstandskämpfer gesessen, hauptsächlich Kommunisten. Ich kann mich nicht erinnern, daß wir je ausführlich über den Massenmord an den Juden sprachen. Es gab Hinweise, Andeutungen, ungefähr wußte ich schon, was geschehen war. Aber ich fragte nicht, forschte nicht. Das alles schien mir so weit entfernt von meinem eigenen Leben, es hatte mit mir wenig zu tun.

»Komm doch mit zur Jüdischen Gemeinde«, sagte Thomas, der in meine Schule ging. »Was soll ich dort«, antwortete ich abwehrend, »ich glaube nicht an Gott.« Während des Studiums bekam ich von Hermann freundliche Einladungen zu manchen Veranstaltungen im Gemeindezentrum in der Oranienburger Straße. »Das müßte dich doch auch interessieren«, meinte er, und ich erwiderte ihm sehr selbstsicher, daß es doch ganz unwichtig sei, woher jemand stamme. Für meine Interessen jedenfalls würde das keine Rolle spielen.

Warum war ich nicht einmal neugierig, warum bin ich nicht einfach mit ihnen dorthin gegangen? Unbewußt hatte ich wohl die abwehrende Haltung meiner Eltern übernommen und gab sie nun selbstverständlich weiter. Aber woher kam diese Abwehr? Erst Jahre später, als ich längst nicht mehr zu Hause wohnte, begann ich darüber nachzudenken.

Zu dieser Zeit führte ich Interviews mit Männern und Frauen aus der Generation meiner Eltern, Kommunisten, Antifaschisten, unter ihnen auch Juden. Wenn ich im Verlauf der Gespräche nach ihrer Herkunft, Erziehung, nach ihrem Verhältnis zum Judentum fragte, begegnete mir diese Ablehnung, das Ausweichen, zum ersten Mal bewußt. Aber nun konnte ich nachfragen. Ihre Geschichten betrafen mich nicht direkt. Die fremden Tabus sind leichter zu überwinden als die eigenen.

Er sei mit achtzehn Jahren aus der jüdischen Gemeinde ausgetreten, damit sei das für ihn abgeschlossen gewesen, sagte Hans S. Ausdrücklich betonte Alfons E., daß er aus politischen Gründen ins Konzentrationslager gekommen sei, nicht als Jude, als ob das ein Makel, eine Schande gewesen wäre. Max F. fragte mich unwillig, warum ich ihn unbedingt als Juden festnageln wolle, er sei Kommunist und kein Zionist. Kurz darauf sprach er in tadelndem Ton von seiner älteren Schwester, die nach dem Kriegsende nicht aus der englischen Emigration zurückkehren wollte. Mehrmals noch habe er das Gespräch mit ihr gesucht, ihr vor Augen geführt, wie sehr sie beim Aufbau des Sozialismus gebraucht würde, aber sie lehnte ab, weil sie mit Deutschland nichts mehr zu tun haben wollte. Ob er seine Schwester nicht verstehen könne, wandte ich ein. Ob nicht auch er Probleme gehabt habe mit den Deutschen, nach allem was geschehen sei. Das sei ein kleinbürgerlicher Standpunkt, meinte er nach einer Schweigepause, ich sollte das mal »klassenmäßig« betrachten. Nur die Frau von Alfons E. sagte mir, als wir allein in der Küche standen, voll Bitterkeit, daß sie in Deutschland nicht mehr heimisch geworden sei, und daß sie es heute bereue, aus der Emigration zurückgekommen zu sein.

Die tragische, besondere Zerrissenheit der kommunistischen deutschen Juden – oder jüdischen deutschen Kommunisten? –, die aus den Lagern oder dem Exil zurückgekehrt waren und ihre Ängste und ihr Mißtrauen diszipliniert unterdrückten – aus Einsicht in die politischen Notwendigkeiten. Ihr Glaube an die neue Zeit und an den neuen Menschen sollte die Fragen zudecken nach den Nachbarn, den Kollegen, den Leuten in der Straßenbahn, ob diese vielleicht verantwortlich, beteiligt, verstrickt oder nur gleichgültig gewesen waren. Die offizielle Lesart besagte schließlich, daß der Faschismus in der DDR »mit seinen Wurzeln« ausgerottet sei, nachdem die Monopole und Großgrundbesitzer enteignet waren, und daß sich eine »sozialistische Menschengemeinschaft« gebildet habe.

Herbert M., der erst Anfang der fünfziger Jahre aus den USA zurückgekommen war, sah sich im Alltag immer wieder mit antisemitischen Äußerungen konfrontiert, die nicht in das Bild paßten, das er sich aus der Ferne vom neuen Staat gemacht hatte. Wenn er sich darüber empörte, beschwichtigten ihn seine Genossen, das seien Überbleibsel, Einzelerscheinungen. Sie warfen ihm auch vor, er sei überempfindlich und nehme sich selbst zu wichtig. Über die Ursachen solcher Erscheinungen habe man nicht sprechen dürfen, sagte er mir im Herbst 1991.

Warum meinte er, daß man darüber nicht sprechen durfte? Hatte er sich selbst das Verbot erteilt in vorauseilendem Parteigehorsam, um die eigenen Zweifel zu zerstreuen? Gerade die jüdischen Intellektuellen in der KPD und später in der SED hatten sich wohl stets bemüht, ihre Herkunft und Erziehung vergessen zu machen, um zu beweisen, daß sie nicht anders waren als die anderen, um die ersehnte Gleichberechtigung, die ihnen die Arbeiterbewegung verhieß, erlangen zu können.

Aber das war es nicht allein. Irgendwann erfuhr ich, daß es Anfang der fünfziger Jahre auch einen Stalinschen Antisemitismus gegeben hatte. Weil er niemals öffentlich zurückgenommen, verurteilt, ja nicht einmal beim Namen genannt wurde, waren seine Wirkungen noch Jahrzehnte später zu beobachten. Er nannte sich nicht Antisemitismus, sondern Antizionismus und richtete sich gegen den, wie es hieß, »kleinbürgerlichen jüdischen Nationalismus«. Der Antizionismus war ein Kind des Kalten Krieges. In den Ländern des sowjetischen Machtbereiches wurde überall fieberhaft nach »Agenturen des imperialistischen Geheimdienstes« gefahndet. Um Angst zu verbreiten, Machtpositionen zu festigen, mußten Schuldige gefunden und an den Pranger gestellt werden. Wie schon so oft in der Geschichte machte man Juden wieder zu Sündenböcken. Es gab schließlich alte Ressentiments, auf die die Drahtzieher solcher Kampagnen zurückgreifen konnten: in der Sowjetunion, der Tschechoslowakei, Polen, Ungarn und nicht zuletzt in der DDR, wo viele kleine Nazis sich inzwischen zu lautstarken Stalinisten gewendet hatten.

Der Slansky-Prozeß im November 1952, der vorgab, eine »Spionage- und Diversionstätigkeit mit Hilfe zionistischer Organisationen« zu enthüllen, hatte den Auftakt zu dieser Kampagne gebildet. Im Januar 1953 zog die SED die Lehren aus dem Prozeß. Juden wurden aus leitenden Positionen im Partei- und Staatsapparat entfernt, andere wurden sogar aus der SED ausgeschlossen oder mußten sich demütigenden Prozeduren der Selbstanklage unterwerfen.

Vom Slansky-Prozeß wußte ich seit 1968; ich hatte mir auch damals Gedanken gemacht über den Zusammenhang von solchen Hexenjagden und den Gruppenkämpfen um die Macht, aber die antisemitische Komponente nicht wichtig genommen. Lange Zeit meinte ich, das sei ein abgeschlossenes Kapitel, längst vergangen und überholt. Nach meiner Vorstellung hatte diese schlimme Situation nur wenige Jahre, bis zum XX. Parteitag der KPdSU 1956, gedauert. In der DDR war außerdem niemand zum Tode verurteilt oder in einem Lager umgebracht worden. Die Verhafteten wurden später wieder freigelassen, die Ausgeschlossenen wieder in die SED aufgenommen und die Gemaßregelten bekamen wieder eine leitende Position. Was ich mir nicht vorstellen konnte, war das Ausmaß der Angst, auch bei denjenigen, die von den Repressalien nicht direkt betroffen waren.

Erst vor einiger Zeit las ich die Zeitungskommentare und Parteibeschlüsse von 1952/53 noch einmal genau. Da war im Zusammenhang mit einer geforderten Entschädigung enteigneter jüdischer Besitzer von »Verschiebung deutschen Volksvermögens« die Rede. »Zionistische Agenten«, so wurde geschrieben, fühlten sich nicht zu ihrer Heimat gehörig, sondern entsprechend ihrer »jüdisch-nationalistischen Gesinnung und ihrer bürgerlichen Abstammung« würden sie bereit sein, jedem ausländischen Spionagedienst Informationen zu liefern. Als »zionistischer Agent« wurde nicht nur beschuldigt, wer in Beziehung mit den Verurteilten des Slansky-Prozesses gestanden hatte, auch wer in der Emigration mit jüdischen Organisationen zusammengearbeitet hatte, wer die Veranstaltungen der Jüdischen Gemeinde besuchte, wer Verwandte in Israel hatte oder sich einfach nur bei »Joint«, einer jüdischen Hilfsorganisation, die damals noch in allen volksdemokratischen Ländern Filialen unterhielt, Pakete abholte. Die Welle von Mißtrauen und Ausgrenzung, die von der Partei – der höchsten Autorität der Kommunisten – kam, hat die Betroffenen wahrscheinlich innerlich wehrloser gemacht und tiefer verletzt, als der Judenhaß der Nationalsozialisten es vermochte. Nachwirkungen dieser Verletzungen habe ich noch Jahrzehnte später erlebt, als ich endlich wagte, danach zu fragen und meine Gesprächspartner bestritten, jemals diskriminiert worden zu sein, oder sich sperrten, die Frage überhaupt zur Kenntnis zu nehmen.

Die französische Germanistin Sonia Combe hat in einem Vortrag in Frankfurt/Main die Generation der deutschen Kommunisten jüdischer Herkunft die »letzten Altgläubigen der jüdischen-deutschen Symbiose« genannt. Aufgrund ihrer sozialistischen Überzeugung hielten sie auch nach Auschwitz an der Idee der Assimilation fest, an dem Aufgehen der jüdischen Identität in einem sozialistischen Gemeinwesen. Diese Vision sollte sie über alle gegenteiligen Erfahrungen, alle Zweifel und Bitterkeit hinwegtragen. So erzogen sie auch ihre Kinder, von denen viele – mittlerweile längst erwachsen – sich nach dem Zusammenbruch des Sozialismus als »Waisenkinder« der Assimilation fühlten. Nun schlägt das Pendel zurück: Eine ganze Generation, die nach ihren Wurzeln sucht, nach ihrer Identität, die Hebräisch lernt, in die Synagoge geht, erwachsene Männer, die sich beschneiden lassen, junge Frauen, die Kopftücher tragen.

Ich stehe dem skeptisch gegenüber. Mir kommt das vor wie die Flucht in einen neuen/alten Glauben, nachdem die politische Religion der Eltern gescheitert ist. Es gibt doch kein jüdisches Volk und auch keine jüdische Kultur in Deutschland mehr. Und doch bleibt auch für mich etwas, das ich schwer benennen kann.

»Ich weiß nicht genau, was es heißt, Jude zu sein ...«, schreibt der französische Schriftsteller Georges Perec in einem Gedicht[1], in dem ich einige meiner Gedanken und Gefühle wiederfinde. »... Es ist eine Gewißheit, wenn man so will, aber eine / Seltsame Gewißheit, die mich an nichts bindet. / Kein Zeichen der Zugehörigkeit, / Kein Glauben, keine Religion, keine Sprache, keine Tradition; / Es wäre vielleicht eher ein Schweigen, eine Leere, eine Frage, / Ein Zweifel, ein Schweben, eine Beunruhigung, / Eine unruhige Gewißheit, / Hinter der sich eine andere Gewißheit abzeichnet, / Formlos, lastend, unerträglich: / Die Gewißheit, als Jude bezeichnet zu sein / Und zwar als Opfer / Und das Leben nur einem Zufall und dem Exil zu verdanken ... / Irgendwo bin ich fremd mir selbst gegenüber; / Irgendwo bin ich anders, aber nicht anders als die anderen, / Anders als die »Meinen«: / Ich spreche nicht die Sprache meiner Eltern, / Ich teile nicht ihre Erinnerungen, / Etwas, das sie besaßen, das sie zu dem machte, was sie waren, / Ist mir nicht übermittelt worden. / Ich habe nicht vergessen, / Ich hatte niemals die Möglichkeit zu erfahren ...«

1 Aus: Georges Perec, Récits d' Ellis Island: histoire d'errance et d'espoir, Übersetzung aus dem Französischen: A. Leo.

Julia Hausen
In der Kommode waren
immer die wichtigsten Sachen
zusammengepackt

Als ich anfing, politisch aktiv zu werden, habe ich mich selbst sehr stark als Jüdin verstanden. Inzwischen sehe ich das als eine Art Selbstkonstruktion, die ich mir aus familiären, psychologischen und auch typisch deutschen Gründen selbst gebastelt habe. Ich bereue es heute nicht, denn es brachte mir eine Erweiterung von Sichtweisen und eine Sensibilität etwa in bezug auf Sprache, auf das ganze Faschismusthema, auf Minderheitenpolitik, in der ich jetzt auch beruflich drin bin.

Bei uns in der Familie war das Jüdischsein kein Thema. Vielleicht nur insofern, als meine Mutter aufgrund ihrer eigenen Geschichte sehr ängstlich und überanpassungsbereit ist. Ich habe erst sehr viel später gemerkt, daß Kinder auch das, worüber nicht gesprochen wird, sehr genau mitkriegen. Ich hatte Alpträume vom KZ, träumte, ich sei schwer wie ein Stein im KZ, ein Bild der völligen Wehrlosigkeit. Ich hatte in meiner Kommode immer die wichtigsten Sachen zusammengepackt, ein Tuch obendrauf, so daß ich genau wußte: Wenn »sie« kommen, kippe ich die Sachen schnell in das Tuch, knote es zusammen und dann raus aus dem Schlafzimmerfenster in den Wald. Ich war an allem, was mit Konzentrationslagern, mit Faschismus, mit faschistischer Verfolgung zu tun hatte, interessiert und habe mich dabei immer stark mit den Opfern identifiziert – wohl als Abgrenzung von meinem Vater anstelle einer Auseinandersetzung mit ihm. Statt zu gucken, wo er mich geprägt hat, habe ich mich zurückgezogen auf diese Opferposition. Dieses merkwürdige Konglomerat war die Grundlage für meine politische Entwicklung.

In der Pubertät, in der man ja eine Zugehörigkeit sucht und auch die Abgrenzung von den Eltern, erfuhr ich, daß ich jüdische Vorfahren mütterlicherseits habe. Erst als mein Großvater starb, von dem ich im übrigen bis dahin gar nicht wußte, daß er noch lebte, lernte ich meine Familiengeschichte kennen. Meine Mutter hatte den Krieg mit falschen Papieren überlebt.

Mit dreizehn, vierzehn Jahren fing ich also an, mich auf die eigenen Socken zu machen, um herauszukriegen: Gibt es jüdische Gruppen, und wo könnte ich dazugehören? In Hohenlimburg, wo ich aufwuchs, gab's die natürlich nicht. Ich wollte mich der deutschen Geschichte und den Welten meiner Eltern schon früh nicht zugehörig fühlen; dazu hatte ich Brüche und Widersprüchlichkeiten, Lügen und Heucheln zu stark gespürt. Ich habe mich damals an einem von mir selbst gesponnenen Sozialismusideal orientiert, das ich auf Israel projizierte. Ich habe Hebräisch gelernt, habe mir ausgemalt, wo in Israel ich hinziehen könnte. Das war aber nicht von irgendeiner realen Erfahrung genährt, sondern meine Art der Utopiebildung.

Dann lernte ich alte Antifaschisten und Antifaschistinnen kennen, die im Faschismus im Widerstand gewesen waren. Leute zu erleben, die in der wirklichen, realen Erfahrungssituation gestanden und dabei die Energie und menschliche Kraft aufgebracht haben, dem trotz aller Schwierigkeiten etwas entgegenzusetzen, das war für mich in gewisser Weise ein Durchbruch. Besonders bei einer Führung in Buchenwald ist mir das anschaulich vermittelt worden. Der ehemalige Häftling, der uns führte, erzählte uns die Geschichte »Nackt unter Wölfen« von Bruno Apitz. Dabei geht es um die Entscheidung, ein Kind zu retten und dabei möglicherweise die illegale Parteiorganisation im Lager und die Hoffnung auf eine Selbstbefreiung zu gefährden, also um moralische Konflikte, um Menschlichkeit und Disziplin. Es hat mich fasziniert und ermutigt, Leute zu erleben, die in dieser Situation völliger Unterdrückung und Vernichtung Alternativen aufgebaut und versucht haben, Menschlichkeit aufrechtzuerhalten. Natürlich weiß ich auch um den Preis, der gezahlt wurde, und um die Unmenschlichkeit, die in dieser Situation steckte.

Diese Begegnungen haben den Stein in mir in Bewegung gebracht. Ich hatte zum ersten Mal nicht mehr das Gefühl, daß man unmenschlichen Bedingungen ausgeliefert sein muß, sondern daß es möglich ist, selbst seinen Weg zu bestimmen und zu entwickeln. Das war ein sehr entscheidender Impuls für meine ganze weitere Entwicklung – auch eine Überwindung der Überidentifikation mit den Opfern und eine Möglichkeit der Auseinandersetzung mit meinen Eltern, jedenfalls ansatzweise, denn leider ist mein Vater sehr früh gestorben. Ich bin mit sechzehn Kommunistin geworden, nicht zuletzt wegen dieser alten Antifaschisten, aber auch, weil wir versucht haben, uns in diesem sauerländischen Städtchen Handlungsmöglichkeiten zu erobern. Wir haben uns für ein selbstverwaltetes Jugendzentrum eingesetzt, gegen »braune Seiten« in Geschichtsbüchern, für Vietnam, Chile, Angela Davis und den »roten Punkt«, eine Aktion gegen die Erhöhung von Nahverkehrstarifen.

Was mein Interesse an Israel und jüdischen Zusammenhängen anbetrifft, war ich jahrelang in einer völligen Isolation. In jüdischen Kreisen war ich es als Kommunistin, und in den kommunistischen Kreisen hieß es immer: »Ach, die hat ihren Israel-Tick.« Ich mußte immer bei den einen jeweils das andere mehr oder weniger für mich behalten. Alle hatten ihre fertigen Bilder im Kopf und haben nicht nachgefragt. Es war überhaupt kein Interesse da. Wenn ich meine politischen Aktivitäten in jüdischen Kreisen überhaupt anklingen ließ, wurde ich richtig agitiert, nicht so verrückt zu sein, erstens Jüdin sein zu wollen und dann auch noch Kommunistin. Es war ja die Phase, in der die DKP gerade erst legal geworden war, und es herrschte ein aggressiver Antikommunismus. Meine Versuche, mit der Kommunistischen Partei in Israel Kontakt aufzunehmen, blieben ergebnislos. Das war auch zu weit weg von meinem Alltag.

Nach dem Abitur fing ich an, in Marburg Germanistik und Russisch zu studieren. In einem Aufzug las ich einmal die Parole: »Für die eigenen Interessen kämpfen!« Ich dachte, genau das ist es. Nicht für das Proletariat oder irgendetwas anderes Missionar sein, sondern für meine Interessen im gesellschaftlichen Zusammenhang kämpfen. Ich habe meine politische Arbeit immer so verstanden, daß sie etwas verändert am Gang der Geschichte, aber eben in dem großen und dem kleinen Rahmen, der mir zugänglich ist. Also habe ich damals an den

Studieninhalten gearbeitet und dies auch fortgesetzt, als ich nach einem Jahr nach Berlin kam. Wir haben etwa versucht, Seminare zu Themen wie »Antifaschistische Wirkungsmöglichkeiten von Literatur und Literaturwissenschaft« zu entwickeln und fortschrittliche Studienkonzepte im Studiengang zu verankern.

Die Auseinandersetzung mit Israel hatte sich in der Zwischenzeit insofern tendenziell verändert, als ich in Moskau endlich mal Israelis traf. Ich war bis dahin nie nach Israel gefahren – wohl weil ich wußte, daß der reale Staat Israel meinen Träumen nicht entspricht, und weil ich Angst vor dem Verlust dieses Traumgebildes hatte.

Nachdem ich dann in Moskau, wo ich Russisch studierte, jüdische und arabische Israelis kennengelernt hatte, habe ich mich das erste Mal getraut, nach Israel zu fahren, und mein Interesse für dieses Land wurde auf eine rationalere Basis gestellt. Ich war dann sehr oft in Israel, lebte in einem arabischen Dorf bei einer arabischen Familie und lernte dadurch die Konflikte, die Lebensbedingungen und die Diskriminierung der arabischen Minderheit in Israel genauer kennen. Ich habe versucht, den Widerstand dort ein bißchen zu unterstützen, indem ich etwa Artikel darüber schrieb, Veranstaltungen machte oder an einem internationalen Workcamp in Nazareth teilnahm. Ich habe später an einem Film über die Auswanderung der sowjetischen Juden nach Israel mitgearbeitet, in dem unter anderem danach gefragt wird, wie die Neueinwanderer die Konflikte im Land wahrnehmen und was diese Einwanderungspolitik für die in Israel lebenden Palästinenser bedeutet. Mein Verhältnis zu Israel hat sich dadurch versachlicht und ist zu einem Teil meines alltäglichen politischen Interesses geworden. Heute gehört Israel wie Spanien und Rußland zu den Ländern, die ein Teil meines Lebens und mir wichtig und nah sind.

Ich war inzwischen in Westberlin in der SEW[1] und habe die übliche Parteiarbeit mitgemacht, Aufbau der Hochschulgruppe und so weiter. Die Hochschulreform stand damals an, das Hochschulrahmengesetz, der ganze Studienreformprozeß. Die Hochschulgruppe war relativ männerdominiert. Die ganze Frage Feminismus und Frauenbewußtsein stand in diesen Jahren bei uns völlig am Rande, auch bei mir. Die Struktur der Auseinandersetzung war wie die ganze Uni sehr männerdominiert, und das war in der Partei nicht anders. Dazu hatte ich in diesen Jahren keinen Gegenentwurf, das hat sich erst später entwickelt.

Ich hatte eine recht dogmatische Phase; das Bedürfnis nach Dazugehörigkeit zu einer Gruppe war immer noch wichtig für mich. Bis es dann zu großen inhaltlichen Widersprüchen und Auseinandersetzungen kam, die mich selbst sehr aufgerieben haben. Dabei war die Tatsache der mangelnden Ehrlichkeit und Demokratie in der Gesamtpartei ein großes Problem. Ich kann nicht sagen, daß ich immer auf der Seite der Parteikritiker war; ich habe das Ausgrenzen von Genossen, die »Probleme haben«, wie es immer hieß, bis zu einem bestimmten Punkt mitgetragen. Ich empfand sie mit ihrer häufig zögerlichen »Kompliziertheit« als hinderlich für unser oft so anstrengendes politisches Eingreifen. Bis ich merkte, daß »Probleme haben« einfach bedeutete, Fragen zu stellen, und daß die Art des Umgangs mit Leuten, die Fragen stellen und andere Ansätze entwickeln, nicht mehr meine sein konnte. Nach und nach wurde die Parteimitgliedschaft für mich zu einer Behinderung bei meinem politischen Engagement. Ich erlebte viele meiner Genossen und Genossinnen als eher konservativ, unehrlich und unoffen. 1986 bin ich aus der Partei ausgetreten.

Ich bin im Sommer 1982 zum Referendariat nach Hamburg gekommen und habe dann hier im Rahmen des Referendariats Gewerkschaftsarbeit gemacht. Wir haben uns damals bemüht, der harten Konkurrenzsituation im Referendariat gegenzusteuern; es waren die Jahre der absoluten Lehrerarbeitslosigkeit, es gab keine Einstellungen. Gegen Ende des Referendariats begann ich, mich stärker in der VVN[2] zu engagieren, mit einer Gruppe von Leuten, von denen die wenigsten in der DKP waren. Die meisten waren entweder nicht parteilich gebunden oder mehr im grünen Spektrum. Diese Gruppe ist dann aber mit der Gruppe von DKP-Leuten, die sich für die VVN-Politik verantwortlich fühlten und die die Fäden im Hintergrund ziehen wollten, in Konflikt geraten. Es gab immer wieder Auseinandersetzungen um die Art der Bündnispolitik und um die Themen, denen wir uns widmeten. Es gab übrigens auch Auseinandersetzungen darum, wie das Thema der Judenverfolgung in die VVN aufzunehmen sei. Die VVN pflegte eher die Tradition der antifaschistischen Kämpfer. Dafür gibt es gute Gründe, aber dabei geht sehr viel an Widersprüchlichkeit oder einfach an Realität verloren. Es gab eben im Faschismus auch Verfolgung von nicht aktiven Antifaschisten, von Jüdinnen und Juden, Roma und Sinti, von sogenannten »Asozialen«, von Prostituierten und so weiter. Das alles ist nicht automatisch in die VVN-Politik aufgenommen worden.

Die Nichtauseinandersetzung mit vielen Widersprüchen, auch denen der eigenen Politik während des Faschismus, der eigenen Ausgrenzung von anderen Minderheiten, zeigte sich natürlich auch bei der DKP. Es gab hierzu immer sehr unterschiedliche Positionen, was in Westberlin etwa an der Frage der Schwulenbewegung sehr deutlich wurde. Wir von der Hochschulgruppe hatten da eine recht offensive Position und wollten mit im antifaschistischen Bereich engagierten Schwulen von der AHA[3] zusammenarbeiten. Da hatte die SEW ganz große Vorbehalte, immer mit dem Argument: Wir sind doch sowieso schon eine Minderheit, und wenn wir uns auch noch »dieses Problem an die Hacken holen«, dann werden wir von »den breiten Massen« überhaupt nicht mehr verstanden. Mit dieser Haltung wurde sehr viel ausgegrenzt. Nach und nach haben wir durchgesetzt, daß doch die eine oder andere Aktion mit den Schwulen zusammen gemacht wurde.

Ich war als Lehrerin in Hamburg arbeitslos, und als ich mich dann bei einer Fortbildung in Moskau in einen Spanier verliebte, bin ich mit ihm nach Spanien gegangen. Das war die sehr frauenübliche Kombination aus Arbeitssuche und Liebe. Ich wußte, dort kann ich Deutsch unterrichten; außerdem wollte ich schon immer mal im Süden leben. Es war nicht so sehr eine Flucht aus Deutschland. Ich war hier beruflich in keiner besonders guten Situation, doch ich ging nicht mit der definitiven Idee nach Spanien, dort für immer zu bleiben. Das war offen. Für mich war interessant, daß in Spanien das Thema Jüdischsein und Judentum kein Tabuthema ist wie hier. Erst dort habe ich gemerkt, wie sehr hier alles mit Spannungen und Verknotungen belastet ist, was die eigene Position zur deutschen

Geschichte betrifft. Das gibt es in Spanien so nicht, obwohl es in diesem nahezu »judenfreien« Land auch verschiedenste Variationen von Antisemitismus gibt.

Nach drei Jahren kam ich aus Spanien zurück – wieder aus der Kombination von Arbeitssuche und Liebe: Die Liebe ging ihrem Ende zu, und ich hatte Schwierigkeiten mit der Arbeit in Spanien. Ich war nicht legal dort und konnte keine berufliche Perspektive für mich entwickeln. Auch war es für mich immer wichtig, mich politisch einzumischen. Das ist im Ausland sehr schwer, vor allem, wenn man erst kurz da ist, weil man immer das Gefühl hat, sich in fremder Leute Angelegenheiten einzumischen. Ich habe dort viel gelernt, habe auch politisch gearbeitet, aber ich hatte nie so richtig das Gefühl, mich entfalten zu können. 1989 bin ich zurück nach Hamburg, weil ich glaubte, mich hier sicherer und mehr am Platz zu fühlen.

Niemand konnte wissen, daß der Zusammenbruch der DDR so schnell und so direkt passieren würde. Bei mir war durch mein Studienfach Russisch weniger die DDR als vielmehr die Sowjetunion der Punkt der Abarbeitung am Sozialismus gewesen. Ich habe dieses sozialistische Land lange unter der Perspektive gesehen, daß es dort sicherere Lebensperspektiven gibt, daß mehr Humanismus im Umgang untereinander existiert. Nachdem ich öfter und länger in der Sowjetunion war, konnte ich viele Brüche auch vor mir selbst nicht mehr länger verheimlichen. In den letzten Jahren habe ich früher als viele meiner Genossinnen und Genossen gesehen, auf wieviel Sand das gebaut ist. Ich wußte von Karrierismus, Denunziantentum, Doppelmoral und anderem. Das hat mich tief verletzt, hat mich zur Verzweiflung gebracht. Ich habe diesen ganzen Perestroika-Prozeß mit sehr viel Skepsis gesehen. Ich war froh, als es losging, hatte auch die Hoffnung, daß sich da doch was bewegen kann. Aber ich war ziemlich mißtrauisch, weil ich in den Jahren, in denen ich immer wieder in der Sowjetunion gewesen war, wenig Leute kennengelernt habe, die die Kraft und das Interesse hatten, eine wirklich sozialistische Alternative aufzubauen. Ich war jedoch sehr erschrocken, als es dann wirklich so gründlich den Bach runterging. Als ich aus Spanien zurückkam und erlebte, wie hier einige Leute noch an ihrem Bedürfnis festhielten, in der DDR noch etwas zu sehen, wofür sich's doch zu kämpfen lohnt, hat mich das sehr abgestoßen. Auch die mangelnde Bereitschaft, ganz andere Strukturen der politischen Arbeit aufzubauen. Eine völlig andere Art zu arbeiten habe ich dann mehr in Frauenzusammenhängen erlebt. Da gab es Ansätze, zähe Versuche, anders, demokratischer miteinander umzugehen und Hierarchien zu vermeiden. Hier wie auch in antirassistischen Initiativen konnten wir dennoch bisher den unauflösbaren Widerspruch nicht knacken: daß es uns auch darum gehen muß, Macht zu haben, wenn man etwas durchsetzen will. Macht durchzusetzen, ohne selbst herkömmliche Machtstrukturen zu reproduzieren – das ist eine der Aufgaben der nächsten Jahre.

Inzwischen ist der Druck gegen alles, was mit Marxismus zu tun hat, dermaßen groß, daß es schwer ist, dagegenzuhalten. Es ist wenig von dem, was sich in der Folge der Achtundsechziger-Bewegung entwickelt hat, übriggeblieben. Dieser Prozeß kriegt eine Maschendichte, die ziemlich atemraubend ist. Das war auch mein Empfinden beim neunten November, aber auch am dritten Oktober 1990, als die ganzen Massen mit Fahnen auf die Straße gingen. Ich fand diesen Tag furchtbar und bedrohlich. Ich hatte nicht die konkrete Angst, daß nun der Aufmarsch der nationalen Kräfte beginnt, aber daß sich jetzt Weltbilder schließen und abschließen gegenüber jeglichem Bedürfnis nach Veränderung von Verhältnissen, die für mich nach wie vor unmenschlich sind. Es gibt jetzt kein Gegengewicht mehr, es gibt nichts mehr, was dieses System in Frage stellt. Die Hilflosigkeit, die wir im Moment im Systemmaßstab erleben, ist erdrückend.

Da fällt es manchmal schwer, nicht in das Gefühl, ein Stein zu sein, in die Opferposition, zurückzufallen, sondern dennoch immer weiter Handlungsmöglichkeiten zu suchen und zu finden.

Dieser von den Herausgeberinnen verfaßte Text basiert auf einem 1992 geführten Interview.

1 SEW: Sozialistische Einheitspartei Westberlins.
2 VVN: Vereinigung der Verfolgten des Nazi-Regimes.
3 AHA: Allgemeine Homosexuellenaktion Berlin.

Jutta Oesterle-Schwerin
Lernen nein zu sagen

Ein Stück Heimat ist für mich überall dort, wo ich längere Zeit lebe und wo ich Freundinnen und Freunde habe. Aber ich habe kein Vaterland, auch kein Mutterland, und damit muß ich mich abfinden. Natürlich habe ich das moralische Recht, überall zu leben, aber es gibt für mich kein Land, in dem ich mit Sicherheit für immer bleiben könnte. Das kann für mich nicht Israel sein, und ich weiß nicht, ob es Deutschland sein wird. Wir wissen ja nicht, wie sich das hier entwickelt und wie lange wir hier noch unbehelligt leben können. In Israel dagegen müßte ich mich damit rumschlagen, daß ein großer Teil der Bevölkerung meint, die Palästinenser müßten weg. Das wäre genauso schmerzhaft. Und als Lesbe wäre ich dort sicherlich noch einer zusätzlichen Diskriminierung ausgesetzt. Wenn ich ein bestimmtes Maß an Kritik überschreiten würde, würde man mir sagen, daß ich ja nicht richtig dazugehöre. Dieses Schicksal habe ich – aus unterschiedlichen Gründen – hier und dort.

Es passiert öfter, daß jemand zu mir sagt: »Wie kannst du hier leben, nach all dem, was man euch angetan hat.« Ich spüre dabei den Hintergedanken: Warum seid ihr überhaupt zurückgekommen. Auch die große Israel-Freundlichkeit, die zeitweise in Deutschland geherrscht hat, hatte den Tenor: »Die Juden gehören in *ihr* Land.« Mensch, denke ich dann, das hätte euch gerade so gepaßt, daß von uns keine mehr zurückkommt, und ich sage dann: »Wie könnt *ihr* hier leben – habt ihr denn den Nazis ihre Verbrechen verziehen?«

Für die Kinder mit jüdischen Vorfahren ist die Situation besonders problematisch. Als mein Sohn etwa acht Jahre alt war, habe ich zum ersten Mal versucht, ihm davon zu erzählen, daß es Juden gab in Deutschland und was mit ihnen passiert ist. Auf einmal schaut er mich ganz ernst an und sagt: »Aber wir sind doch keine Juden, oder?«

Er wußte natürlich genau, daß sein Großvater Jude war und daß ich aus Israel bin, daß insofern auch er etwas damit zu tun hat. Da wurde mir klar, daß es für Kinder schrecklich ist, sich mit den Opfern zu identifizieren.

Meine Eltern sind 1933 – sie waren damals noch sehr jung – aus Deutschland in die Tschechoslowakei und dann in die Schweiz geflüchtet, nachdem mein Vater schon im KZ Oranienburg eingesperrt war, von wo er geflohen ist. Zwei Jahre lang sind sie dann durch ganz Europa gewandert und schließlich 1935 nach Palästina, weil es das einzige Land war, wo sie als junge Leute mit abgebrochener Ausbildung hingehen konnten. Sie waren keine Zionisten; sie sind nicht nach Palästina gegangen, weil sie dachten, das sei das Land der Juden, sondern weil sie keine Visa für die USA bekamen und nicht das Geld hatten, woanders hinzugehen.

Mein Vater war Jude, weil seine Eltern Juden waren, und sie waren Juden, weil ihre Eltern Juden waren. Meine Mutter war Nichtjüdin, weil ihre Eltern Nichtjuden waren. Mit Religion hatten meine Eltern überhaupt nichts zu tun. Sie haben sich als Deutsche gefühlt und haben immer gesagt: »Wenn das vorbei ist mit den Nazis, dann gehen wir zurück nach Deutschland.« Deshalb war es auch typisch für sie, daß sie mir und meinem Bruder – ich wurde 1941 geboren, er 1945 – deutsche Namen gaben. Immer, wenn ich in eine neue Schule kam und meinen Namen sagen mußte, hieß es dann, »also sage ich Judith zu dir«. Ich mußte regelrecht um meinen Namen kämpfen, weil ich ja nicht Judith hieß. Ich hatte das Gefühl, daß mir damit ein Stück meiner Individualität genommen würde. Das war die Hebräisierung, die ich noch heute nicht gut finde.

Nach Kriegsende hatten meine Eltern aber nicht das Geld und die Möglichkeit, nach Deutschland zurückzugehen. Dort war die Lage sehr schlecht; es gab keine Arbeit und keine Wohnungen. Deshalb wollten sie ihre Rückkehr noch ein bißchen verschieben. 1947 kam mein Vater dann in Jerusalem in den Anfängen des sogenannten Befreiungskrieges um, also dem Krieg zwischen Juden und Arabern.

Er war noch nicht mal sieben Tage tot, da schrien mir Kinder von polnischen Eltern, die im KZ Schreckliches durch Deutsche durchgemacht hatten, auf der Straße »Nazi!« nach – obwohl meine Eltern vor den Nazis geflohen waren! In meiner Mutter haben sie die Deutsche identifiziert und mich dann als Nazikind beschimpft. Das war ein ziemlich einschneidendes Erlebnis.

Meine Mutter ist bewußt nicht zum Judentum übergetreten. Sie war Kommunistin – später allerdings nicht mehr –, und es lag ihr vollkommen fern, eine Religion anzunehmen, an die sie nicht glaubte. Andere Frauen sind übergetreten und hatten es dann etwas leichter. Meine Mutter war in Jerusalem immer die Gojin. Sie sah auch so aus, groß und blond. Das hat eine wichtige Rolle in unserem Leben gespielt.

Nach dem Tod meines Vaters war meine Mutter allein und hat unter sehr großen Schwierigkeiten für uns das Geld verdienen müssen. Sie ist nicht nach Deutschland zurückgekehrt; sie hatte auch keine realistische Möglichkeit dazu. Sie hat weiter in Israel gelebt und sich einigermaßen akklimatisiert. Aber sie hat zum Beispiel kaum Hebräisch gelernt, was ein Ausdruck dafür ist, daß sie sich weiterhin fremd fühlte. Die meisten Juden aus Deutschland haben sehr schlecht Hebräisch gelernt, aber meine Mutter wollte es auch nicht lernen. Wer mit ihr Kontakt haben wollte, der sollte gefälligst Deutsch sprechen.

Mit mir und meinem Bruder hat meine Mutter immer Deutsch gesprochen, und sie hat Wert darauf gelegt, daß wir ein gutes Deutsch sprechen. Andererseits habe ich natürlich auf der Straße und schon im Kindergarten Hebräisch gelernt. Eigentlich habe ich Hebräisch viel mehr als meine eigene Sprache betrachtet als das Deutsche – zur damaligen Zeit. Die ersten Bücher, die ich las, waren alle hebräisch. Ich liebe diese Sprache, auch jetzt noch. Andererseits war es mir nicht so wichtig, daß ich mit meinen Kindern, die hier geboren sind, Hebräisch gesprochen habe; schließlich leben sie in der Bundesrepublik, und ihr Vater ist Deutscher.

Meine Mutter ist bei ihrer nichtzionistischen Haltung geblieben. Sehr lange jedenfalls. Zum Beispiel wurde während meiner Schulzeit regelmäßig für »Keren Kajement L'Israel«[1], für die sogenannte »Erlösung des Bodens« gesammelt. Die Wahrheit war natürlich, daß die Zionisten den reichen Arabern den Boden abkauften, damit sie eine Legitimation hatten, die Falachen von dort zu vertreiben. Meine Mutter sagte, daß wir das nicht mitmachen. Jeden Freitag kam die Lehrerin mit der Büchse, jedes Kind hat etwas reingetan, und ich habe jeden Freitag erklärt: »Wir sind dagegen, wir machen das nicht mit.« Heute bin ich meiner Mutter dankbar, daß sie mir beigebracht hat, nein zu sagen, aber auf diese Weise bin ich auch zur Außenseiterin geworden. Ich habe das wie mit der Muttermilch aufgesaugt, daß wir zwar Freundinnen und Freunde haben, aber daß wir eigentlich nicht so richtig dazugehören. Doch es gab auch keinen anderen Platz, wo wir dazugehört hätten.

In der Nacht, als mein Vater ums Leben kam, sagte meine Mutter zu mir: »Dein Vater war Kommunist, das mußt du dir merken.« Auf diese Weise bin ich eigentlich eine Linke geworden. Ich wußte, daß das ein Bestandteil meines Lebens sein wird. Ich bin schon mit zehn Jahren in den »Schomer Hazair«[2] gegangen, und ab vierzehn, fünfzehn bin ich in der Kommunistischen Jugend gewesen. Später war ich im Kibbuz. Ich war noch nicht selbständig politisch aktiv, aber es war trotzdem eine sehr wichtige Zeit. Es gab zum Beispiel eine Kinderzeitung von der linken Mapam-Bewegung[3], *Mischmar L'Jeladim,* und ich kann heute sagen, daß ich meine politische Bildung zu einem großen Teil durch diese Kinderzeitung bekommen habe. Heute gibt es solche Zeitungen überhaupt nicht mehr. Die Kinder lesen *Bravo* oder sonstigen Schund. Es war auch ein politischer Akt, am 1. Mai zur Demonstration und nicht in die Schule zu gehen, denn es war kein Feiertag. Ich finde es gut, wenn Kinder so etwas machen und gut, daß meine Mutter mich dabei unterstützt hat, weil mich das auch gestärkt hat.

Dann wurde ich achtzehn, und mit achtzehn Jahren gehen alle in Israel zum Militär. Ich war mir ganz sicher, daß es für mich nicht in Frage kommt, Soldatin zu werden, weil alles, was mit Militär zu tun hat, mir äußerst zuwider war. Es gibt in Israel fast keine Möglichkeit, den Kriegsdienst zu verweigern. Da fiel mir ein, daß meine Mutter ja Nichtjüdin ist, ich deswegen nach dem jüdischen Gesetz auch, und daß ich deshalb nicht würde heiraten können, ohne zum Judentum überzutreten. (Ich war damals noch keine Lesbe, sondern habe mich für Jungens interessiert und die sich für mich.) Wenn das so ist, dachte ich, warum soll ich dann in die Armee gehen? Ich schrieb also einen Brief an Ben Gurion[4]: »Ich verweigere den Dienst, weil ich hier nicht die gleichen Rechte habe. Heiraten kann ich nicht, und wenn ich in eurer Armee ums Leben komme, kann ich nicht einmal auf dem Friedhof beigesetzt werden, weil dort nur Juden begraben werden. Folglich ist es wohl selbstverständlich, daß ich nicht in diese Armee gehe. Ich bitte Sie, mich deshalb vom Dienst zu befreien.« Ben Gurion gefiel diese Position offenbar; er hat das auch seinen Gegnern in den frommen Parteien gezeigt und gesagt: »Schaut doch mal, was für Situationen ihr schafft: Der Vater von einem Mädchen ist hier umgekommen in einem Krieg für dieses Land und ihr verbietet ihr das Heiraten.« Das war auch für sein Verständnis eine absurde Situation. Das ging hin und her, und nach einem Jahr wurde ich dann tatsächlich vom Militärdienst befreit. Das war einerseits ein großer Gewinn, es hat aber auch meine Außenseiterinnen-Position noch verstärkt, denn meine Freundinnen, die alle zur Armee gingen, haben gefragt, warum ich nicht gehe. Es ist nicht einfach, in Israel nicht zur Armee zu gehen. Viele Menschen gehen gerne, und die meisten halten das für richtig oder gut. Es hat mich bestimmt niemand deswegen beschimpft oder gehaßt, aber es war klar, daß es eine absolute Außenseiterinnen-Position war.

Nach Deutschland bin ich ziemlich zufällig gekommen. Ich habe in Jerusalem als Werklehrerin gearbeitet. Ich hatte keine feste Stelle, es war das erste Berufsjahr, und ich war nicht sehr glücklich mit dem Beruf. Da bekam ich das Angebot, für ein Jahr in ein jüdisches Kinderheim in der Schweiz zu gehen, weil sie dort eine suchten, die mit den Kindern Hebräisch lernt. Ich ging dorthin, lernte in dieser Zeit viele Deutsche kennen, und war auch öfter in Baden-Württemberg. Ich hatte mich schon zu Beginn der sechziger Jahre, als die ersten deutschen Studenten – Linke und kritische Christen – nach Israel kamen, mit Deutschen angefreundet und sehr schnell Kontakt gefunden. Es war eine gewisse Anziehungskraft da, auch wegen der Sprache. Irgendwie hatte ich immer gedacht, Deutschland ist so wie diese Menschen. Es hatte mich auch niemand gewarnt und gesagt, Deutschland ist ganz anders.

Als das Jahr im Kinderheim vorüber war, kam ich auf die Idee zu studieren, und es ergab sich die Gelegenheit, das in Stuttgart zu tun. Das war 1962. Ich ging auf die Kunstakademie, habe Innenarchitektur studiert und bin auch gleich politisch aktiv geworden, unter anderem gegen den Vietnamkrieg. Ich hatte die Absicht, hier zu studieren und dann wieder nach Israel zurückzugehen, aber nach meiner Heirat war ziemlich klar, daß ich nicht zurückgehen würde. Ich habe einen linken Genossen aus dem SDS[5] geheiratet, ganz brav und traditionell, das heißt standesamtlich, und ich bekam zwei Kinder.

Meine Mutter hatte mich ja ziemlich extrem als Außenseiterin erzogen; das habe ich bei meinen Kindern nicht gemacht. Aber ich habe sie beispielsweise nicht in den kirchlichen Kindergarten geschickt. Städtische Kindergärten gab es nicht in Ulm, wo wir gelebt haben; es war also notwendig, einen eigenen Kinderladen zu gründen. Dann kamen sie in die Schule und die Frage war, in welchen Religionsunterricht sie gehen sollten. Ich wollte, daß meine Kinder abgemeldet werden. Andere, die in der gleichen Elterninitiative waren, fragten, ob ich keine Angst hätte, daß sie darunter leiden, wenn sie nicht zum Religionsunterricht gehen. Aber ich war der Meinung, so wie ich das ausgehalten habe, können meine Kinder das auch. Und so war es, sie haben nicht darunter gelitten. Schließlich gibt es in jeder Klasse auch Türkinnen und Türken, die ebenfalls nicht zum christlichen Religionsunterricht gehen.

Später mußten sie noch mehr aushalten. Ulm ist eine kleine Stadt, alle kennen sich. Es gab in Ulm kaum linke Zusammenhänge, und da ich dennoch politisch aktiv sein wollte, bin ich in die SPD gegangen, bin in den Gemeinderat gewählt worden und war dadurch schon bekannt in der Stadt. Dann bin ich Lesbe geworden, es ließ sich nicht verheimlichen, und ich wollte es auch nicht verheimlichen. Es war eben bekannt, daß der Vater meiner Kinder jetzt auszieht und die Ch. einzieht. Als meine Tochter in die Pubertät kam, hat sie mal zu mir gesagt: »Also eins sag' ich dir, die heutige Jugend ist dagegen, und das bleibt auch so.« Hat die Autotür zugeknallt und ist gegangen. Es war nicht konfliktfrei, aber inzwischen haben wir alle gelernt, mit der Verschiedenheit unserer Lebensweisen gut umzugehen.

Erfahrungen mit Antisemitismus habe ich erst gemacht, als ich mich offen politisch gegen faschistische oder neonazistische Tendenzen gewendet habe. Es gab in Ulm öfter Naziveranstaltungen, ich habe mich als Stadträtin öffentlich dagegen gewehrt, und daraufhin bekam ich eine ganze Reihe antisemitischer Briefe. Es stellte sich heraus, daß sehr viele Leute meinen Hintergrund kannten, obwohl ich ja nicht damit hausieren ging, daß mein Vater Jude war. Ich habe aber auch nicht verheimlicht, wo ich herkomme, wenn man mich gefragt hat. Am schlimmsten war es, als ich 1989 im Bundestag eine Rede gegen die Äußerung des Regierungssprechers Klein hielt, der gesagt hatte, daß die Waffen-SS eine ehrenhafte Organisation gewesen sei. Daraufhin bekam ich einen Aktenordner voll schlimmster antisemitischer Beschimpfungen und Bedrohungen.

Wenn du aktiv bist und zu erkennen gibst, wer du bist und was du denkst, dann bekommst du Antisemitismus natürlich schneller zu spüren. Aber das heißt nicht, daß, wenn du nichts tust, du es nicht auch zu spüren bekommst. Angepaßtes Verhalten schützt nicht vor Diskriminierung und vor Verfolgung, auch nicht uns Lesben. Deswegen hat es auch keinen Sinn, sich zu verstecken oder nicht offen zu sagen, was frau denkt.

Wenn einem alte oder junge Nazis Briefe schreiben, dann tut das nicht sehr weh, weil Papier geduldig ist und du weißt, aus welcher Ecke das kommt. Aber wenn (unbewußter) Antisemitismus von Feministinnen oder Freundinnen kommt, dann ist das viel schlimmer. Es sind schon Dinge mit engen Freundinnen passiert, die mich sehr erschüttert haben. Einmal sprach zum Beispiel eine sehr nahe Freundin mit mir über meine Mutter, über ihre ökonomische Situation, und dann fiel die Bemerkung: »Natürlich geht es ihr gut, die Juden haben doch Geld.« Dahinter stand auch: »Wir (also ihre Eltern) sind die Armen, wir haben alles verloren.« Das war schrecklich. Ich glaube, ich habe nichts darauf gesagt, frau kann nicht alles verbalisieren. Die Beziehung ist schließlich auseinandergegangen – nicht zuletzt deswegen.

Seit 1987 bin ich als Abgeordnete der GRÜNEN im Bundestag. Inzwischen mache ich ziemlich viel Lesbenpolitik; mein zweites Thema ist Wohnungspolitik. Ich halte es unter anderem für sehr wichtig, daß Lesben sichtbarer werden, und durch mein offen lesbisches Auftreten im Bundestag kann ich anderen Lesben helfen, ebenfalls sichtbar zu werden[6]. Lesbischsein ist für mich auch eine Form, zu den herrschenden politischen Verhältnissen, und wie sie sich entwickeln, nein zu sagen. Nicht nein sagen zu können ist die Wurzel allen Übels. Ich bilde mir nicht ein, daß ich wahnsinnig viel verändern kann. Aber ich versuche aus meinem Leben, meinem Wissen und aus den Begabungen, die ich habe, das Beste zu machen. Daß das Leben weitergeht und daß die Zerstörung aufhört. Manchmal überrollt mich die Angst vor einer neuen Verfolgung. Ich wäre wahrscheinlich nicht die erste, die davon betroffen wäre, weil ich weiß bin und relativ gut situiert. Aber es ist schlimm genug, wenn das anderen passiert und du es mitansehen mußt.

Wahrscheinlich bleibe ich noch einmal eine Legislaturperiode im Bundestag, auch weil das ein Forum ist, von dem aus du dir relativ leicht Gehör verschaffen kannst. Aber wir sollten uns nicht einbilden, daß wir dadurch die Katastrophe, die sich jetzt bei der Vereinigung Deutschlands anbahnt, aufhalten können. Wir sind zuwenige, und es ist zu schwierig und zu unbequem, uns zu folgen.

Ich finde es schrecklich, wie die ehemalige DDR vom Westen aus kaputt gemacht wird. Die Kommunisten haben eine Politik gemacht, die die Menschen daran gehindert hat, sich mit ihrem Land zu identifizieren und es sozial zu verteidigen. Kommende Generationen werden daraus lernen, wenn sie Glück haben. Ein Fehler war wahrscheinlich, daß man in der DDR keine wirkliche Alternative zum Kapitalismus aufgebaut hatte, aber das war ja in anderen realsozialistischen Ländern auch so. Das ist eine verpaßte Chance. Das wirft uns um viele, viele Jahre zurück, wahrscheinlich um Generationen.

Dieser von den Herausgeberinnen verfaßte Text basiert auf einem 1990 geführten Interview.

1 Keren Kajement L'Israel: Jüdischer Nationalfonds, gegründet auf dem
  5. Zionistenkongreß in Basel 1901.
2 Schomer Hazair: Hebräisch »Junger Wächter«; Jugendorganisation der Mapam
  (siehe nächste Anmerkung).
3 Mapam: »Vereinigte Arbeiterpartei« in Israel; linkssozialistisch, zionistisch.
  Dazu gehört die Jugendorganisation »Schomer Hazair« und die Kibbuzbewegung
  »Hakibuz Haarzi«.
4 David Ben Gurion: Proklamierte 1948 den Staat Israel und amtierte bis 1963 als
  Ministerpräsident.
5 SDS: Sozialistischer Deutscher Studentenbund.
6 Siehe hierzu auch Jutta Oesterle-Schwerins Beitrag »Zwei Jahre Lesben-Politik im
  Bundestag – wie alles anfing und wie es weitergehen könnte«. In: *beiträge zur
  feministischen theorie und praxis.* 12. Jg. 1989, H. 25/26, S. 201–208.

Sabine Spier
Immer schon
habe ich Deutschland
verlassen wollen

Es geschah im Jahre 1190, zur Zeit des dritten Kreuzzugs. Die Juden
der Stadt York verschanzten sich in einem Turm auf einem Hügel und
nahmen sich das Leben – der letzte Ausweg angesichts der mordgie-
rigen Meute. Über achthundert Jahre später reden die Leute in England immer noch davon.

Ich kam, fast auf den Tag genau, vor vierzehn Jahren nach England. Das Land steuerte auf ein volles Jahrzehnt konservativer Tory-
Regierung zu. Plus der begleitenden Kopfschmerzen, als da wären:
verschärfter Rassismus, Homophobie und eine fast religiös betrie-
bene Verfolgung der Armen, der Behinderten und der Alten... Mehr
Menschen als in irgendeinem vergleichbaren europäischen Land sterben hier auf diesem angenehmen, mit relativ milden Wintern geseg-
neten Eiland an Unterkühlung. Anders als viele prophezeit hatten,
erwies sich die Frau Premierministerin als schlechte Nachricht – nicht
nur für Frauen.

Warum bin ich überhaupt hierher gekommen? Jedesmal, wenn mir
jemand diese Frage stellt, könnte ich eine andere Antwort geben.
Damals, Ende der siebziger Jahre, war ich überzeugt, daß es eine
Möglichkeit wäre, dem drohenden Berufsverbot in Deutschland zu
entgehen, das schon die berufliche Perspektive meines späteren Ehe-
mannes zu verderben schien. Tatsächlich fand ich in London innerhalb einer Woche eine Stelle, aber mein mittlerweile Ex-Mann fand
keinen Boden unter den Füßen, weshalb er elf Jahre später nach Berlin
zurückging.

Das Berufsverbot wurde kurz nach unserer Ankunft abgeschafft,
während das Wort SozialarbeiterIn – dank Frau Thatcher – zu einem

Schimpfwort verkommen ist. Daher ist mein fester Arbeitsplatz in den letzten fünf Jahren zu einer ziemlich wackligen Angelegenheit geworden, vorsichtig ausgedrückt. Also, wo sind jetzt meine Gründe? Wenn ich nur wüßte, wo ich sie gelassen habe...

Vielleicht sollte die Frage lauten, ob ich hier weggehen und nach Deutschland zurückkommen wollte? Auf keinen Fall!

Immer schon habe ich Deutschland verlassen wollen. Obwohl ich nicht mehr genau weiß, wie der Gedanke aufkam, erinnere ich mich einer heißen Diskussion mit einer jüdischen Freundin, als wir beide zwölf waren. Sie brachte eine Menge praktischer Einwände gegen meine Auswanderungspläne vor – als da wären Unterkunft, Unterhalt, ganz zu schweigen von dem Problem, eine neue Sprache zu meistern. Damals war ich noch nie außerhalb Deutschlands, dem Land meiner Geburt, gewesen. Sie schon. Ich hatte ihr anvertraut, daß, wenn ich erst groß wäre, eine berühmte Schriftstellerin aus mir werden würde. »Du hast sie wohl nicht mehr alle«, fuhr sie mich an. »Wie willst du jemals in einer fremden Sprache schreiben?« Gegen mein diffuses Unbehagen, mir eine Zukunft in Deutschland vorzustellen, hatte meine Freundin, die mit beiden Beinen auf dem Boden der Realität zu stehen pflegte, das letzte Wort behalten.

In diesem Alter fehlte mir noch die Schlagfertigkeit, sie an ihren Lieblingsspruch zu erinnern: »Ein Nazi hackt dem anderen kein Auge aus.« Sie pflegte diese Feststellung bei dem kleinsten Hinweis auf eine Abweichung von den linksliberalen Prinzipien ihrer alleinerziehenden Mutter zu murmeln. Im Berlin des Jahres 1963 war sie mindestens zwanzig Mal am Tag angebracht.

Ist es ungewöhnlich für Zwölfjährige, so obsessiv die politische Lage ihres Landes zu beobachten, egal, ob das Vorhaben darin besteht, zu bleiben oder die unwirtliche Heimat zu verlassen? Heutzutage, da Fünfjährige von manchen Eltern mit Drogen losgeschickt werden, um sie ihrer abhängigen Kundschaft zu überbringen, da Berichte über sexuellen Mißbrauch an der Tagesordnung sind, scheint so eine Frage vielleicht banal. Aber 1963 hatte keiner meiner gleichaltrigen Schulkameraden ein politisches Interesse oder eine Meinung dazu. Meine jüdischen Freundinnen und Freunde sehr wohl. Und die wenigsten hielten ihren Aufenthalt in Deutschland für dauerhaft. Weniger, weil sie selber »emigrieren« wollten. Es waren eher die Eltern, die sich auf Transit wähnten. Selbst wenn sie Geschäfte in West-Berlin hatten, wirkten die Wohnungen provisorisch, kahl, ungemütlich und deprimierend. Selbst wenn sie vollgestellt wurden, blieb, deutlich wahrnehmbar wie ein Schild, diese Atmosphäre einer Zwischenstation. Über die Jahre wurde aus dem Übergangszustand ein permanenter, verschwommen wie eine Erinnerung, vage wie ein unhaltbares Versprechen... Die meisten sind nie weggegangen, doch das wußte ich nicht in jenen Jahren, als meine Pläne Gestalt annahmen.

Seht ihr, ich mußte einfach weg. Meine engen Freundinnen blieben auch nicht. Die Eltern planten ihren Weggang. Es schien vernünftig zu sein. Wie sollte mensch ohne einen guten Auswanderungsplan mit den Berichten über die Kriegsverbrecherprozesse fertig werden, während fast alle so taten, als wäre gar nichts passiert? Wie umgehen mit der plötzlichen Brutalität der »Judenwitze«, die dir vertraulich erzählt wurden, von jenen, die sich sicher fühlten, weil dein Gesicht »nicht so jüdisch ausschaut«.

Ich erinnere mich an eine Kundin in dem Tabakladen meiner Großmutter. Sie war eine extravagant aufgemachte Frau, deren flotte Sprüche mich als das Äußerste an Originalität und spöttischem Witz beeindruckten, das ich mit meinen elf Jahren kennengelernt hatte. Wir nannten sie die »Attraktive«. Eines Morgens ließ sie eine wahre Flut von antisemitischem Dreck auf mich los. Ich starrte sie an – fassungslos. Ich konnte nichts tun, um sie zu bremsen. Meine Großmutter hatte mir großen Respekt vor der Arbeiterklasse eingebleut. Sie wurde unterdrückt. Juden waren unterdrückt worden. Die Unterdrückten sollten zusammenhalten. Nicht wahr? Das war meine erste Konfrontation mit fatalen Annahmen. Mein gestürztes Idol hatte es bei mir nicht mit gleichgesinnten Deutschen zu tun, und sie war sicher auch keine Heldin der Arbeiterklasse gewesen. Ich hätte schreien und brüllen, aufspringen und an ihren Haaren, die zu einem schönen Knoten aufgesteckt waren, reißen mögen. Ich tat nichts dergleichen. Alles, was ich tun konnte, war, mit trockenem Mund das Beben meines Körpers unter Kontrolle zu halten. Und wie das betäubende Dröhnen der Stimme in meinem Kopf zum Schweigen bringen, die mir sagte: »Du Schwachkopf. Du Idiotin, du Feigling, reiß dich zusammen und tu endlich etwas! Sag endlich irgendwas!« Derweil machte meine Großmutter ihr in aller Ruhe klar, daß ihre Kundschaft im Laden unerwünscht sei, falls sie darauf bestünde, solche Unflätigkeiten vor einem Kind von sich zu geben. Daraufhin ward die »Attraktive« nicht mehr gesehen.

Ich mußte einfach weg, weil Lehrer, Ärzte und Polizisten dieses gewisse Alter hatten. Das Alter, um mit den besten Gründen die Frage »Was haben *Sie* während des Krieges gemacht?« zu fürchten wie Vampire das Tageslicht. Wäre nur die Frage öfter gestellt und entsprechend behandelt worden, das hätte »mein« Problem gewiß erleichtert. Da aber die Frage nicht gestellt wurde, schor ich sie alle über einen Kamm.

Es gab nur wenige Lehrer und Lehrerinnen, denen ich vertraute. Diejenigen, die keine Veranlassung sahen, ihre antifaschistische Überzeugung deutlich zu machen, hatten gewiß etwas zu verbergen, oder nicht?

Ärzte reden mit ihren jugendlichen Patientinnen kaum je über Politik. Und ich fragte mich bis hin zur Phobie, ob dieser Hausarzt oder jener Hautarzt sich immer so an den hippokratischen Eid gehalten hatte, wie es jetzt schien.

Es fällt mir immer noch schwer, Polizisten zu trauen. Selbst englischen Polizisten. Selbst wenn sie jünger sind als ich, dann sogar besonders. Aber das ist eine andere Geschichte. Es ist die Geschichte einer schwarzen Frau, der in ihrer eigenen Wohnung in den Rücken geschossen wurde. Schwarze Jugendliche, die in »Polizeigewahrsam« sterben oder auf der Straße erschossen werden.

Ich mußte einfach weg, weil ich mir ein Leben des ständigen Zusammenzuckens auf die Dauer nicht vorstellen konnte.

Der Judenmord war in die Sprache gekrochen. Ich wurde vorsichtig im Umgang mit Wörtern, seit ich im Alter von sechs Jahren die Formulierung »bis zur Vergasung« aufgeschnappt hatte und mir meine Mutter erklärte, was das bedeutete. Das hinterließ einen bleibenden Eindruck. Ich fand, ich müßte jeden Ausdruck genau besehen, jedem umgangssprachlichen Modeworte bis zu seinen Ursprüngen nachgehen, bevor ich es benutze. Nicht unbedingt zur Spontanität verleitend und auch ganz unmöglich, da fast kein Wort, kein Ausdruck der deutschen Sprache verschont geblieben war. Nun könnte ja behauptet werden, Sprache sei neutral. Daß Kinder sie aufnehmen, wenn sie sprechen lernen und sie so neu definieren. Aber Sprache wird nicht nur durch die Sprechenden bestimmt, entwickelt ein Eigenleben durch die Hörenden. Und so wird sie ein äußerst schwieriges Hindernis zwischen den Nachkommen der Täter und denen der Überlebenden bleiben.

Erwachsenwerden ist überall schwer. Alle haben Probleme mit den Eltern, und die Pubertät braucht die intensive Nabelschau, in manchen Fällen eine Beschäftigung rund um die Uhr. Wenn nun aber das grundlegendste Mittel der Selbstverständigung – die Sprache – mit so viel Bedacht benutzt werden muß, daß sie selbst zum Gegenstand eines nicht minder grundsätzlichen Mißtrauens wird, welches jede Unmittelbarkeit erstickt und abwürgt – was dann? Beim imperativen »Sei spontan!« wird daraus ein Widerspruch in sich. Irgendwie war es verdreht; obwohl ich sicher nicht weniger von mir selbst besessen war als andere auch, achtete ich kaum auf mich als Heranwachsende oder auf eine positive Bestimmung von Identität. Ich achtete statt dessen auf die alltäglichen Faschismen, wie sie sich unter anderem in der Sprache manifestierten. Achtete auf die ständigen Grenzverletzungen eines Anspruchs, der nicht nur unmöglich zu erfüllen war, sondern eine Ehrlichkeit erforderte, die ich nicht zu beanspruchen wagte.

Was mir – ironischerweise – am meisten Sorgen machte, bevor ich nach England ging, war die Sprache. Ich war mehrmals in Amsterdam gewesen und hatte dort erfahren, wie sich Deutschlands Würgegriff lockerte. Ich hatte auch versucht, nach Israel auszuwandern. Ein Versuch, der spätestens an dem Tag scheiterte, als meine beste Freundin und ich, mit einem jungen Palästinenser im Schlepptau, daran gehindert wurden, in einen Bus zu steigen, weil er »arabisch« aussah und als Sicherheitsrisiko betrachtet wurde. Das war 1971, einen Tag, nachdem wir die Gedenkstätte Yad Vashem besucht hatten. Was auch immer es sonst noch war, was mir in Israel mißfiel, so war es dieses Aha-Erlebnis, welches die Bundesrepublik der siebziger Jahre beinahe idyllisch anmuten ließ. Ich brauchte sechs Jahre, um mich von diesem Auswanderungsversuch zu erholen. Außerdem hatte ich endlich meine eigene Sprache gefunden, bis hin zu selbsterfundenen Neologismen, welche amüsierten und die Fallgruben der Alltagsgespräche vermieden. Aber ich hatte meinen Traum zu schreiben aufgegeben. Und der Gedanke, mich auf die Ungewißheit einer zweiten Sprache einzulassen, die mich meiner verbalen Fähigkeiten berauben könnte, ängstigte mich beinahe zu Tode.

Die Unverdorbenheit der englischen Sprache traf mich völlig unvorbereitet. Worte waren einfach Worte und keine verborgenen Todesurteile, durch Leugnung verschleiert. Keines führte zur »Endlösung«, und »Befehlsnotstand« gilt hier als schlechter Witz, nicht als die Beschreibung eines juristischen Tatbestandes. Ich wurde zu einem Schwamm, der Sprache aufsog. Ich saß vor dem Fernseher, laß Groschenromane, sang die Texte der Popmusik mit, tauchte unter in einem Meer aus Worten, ohne sie zu unterscheiden, und träumte bereits drei Monate nach meiner Ankunft in Englisch. Als ich wieder auftauchte, war aus mir eine Juwelendiebin geworden. Es war nicht meine Muttersprache, gerade deshalb diese diebische, subversive Freude der Aneignung. Geschmückt mit glitzernden Edelsteinen der Ausdrücke, Idiome, Worte und Sprichwörter, war ich endlich in der Lage, ernsthaft meine Pubertät nachzuholen.

Bin ich ihr jemals entwachsen? Trotz verzeihlicher Zweifel weiß ich im Grunde, daß ich in Deutschland ganz anders herangereift wäre. Es ist nicht möglich, ohne Pubertät erwachsen zu werden, auch wenn sie ein Ärgernis ist. Aber noch weit unmöglicher ist es in der Defensive.

Antisemitische Bemerkungen in Deutschland mitanhören zu müssen, zog einen Rattenschwanz psychosomatischer Reaktionen nach sich. Wie auch nicht? Es ist ja bekannt, wohin das vor nur wenigen Jahrzehnten geführt hat. Die Vergangenheit läßt sich eben nicht ändern, und sie ist immer gegenwärtig. In diesem Licht gehst du täglich mit Mördern um. Beigekommen bin ich ihnen, indem ich die Berichte, die den Fortschritt der »Endlösung« dokumentieren, las.

Hier zeugt es von nichts anderem als von Beschränktheit, wenn jemand antisemitische oder rassistische Bemerkungen macht. Du hast die Wahl: Es entweder, je nach Aussicht auf Erfolg, auf einen Aufklärungsversuch ankommen zu lassen oder den Wortwechsel so unangenehm zu gestalten, daß der oder die Entsprechende es sich bei der nächsten Gelegenheit zweimal überlegt, sich so zu entblößen.

England hat sein eigenes Maß an Grausamkeiten vorzuweisen. Zwölf Jahre konservativer Zerstörungswut sorgten dafür, daß Menschenrechte nur soweit mit den Füßen getreten werden dürfen, daß keine nachweisbaren Sohlenabdrücke bleiben. Trotz allem kann England die verschiedensten Bedeutungen für unterschiedliche Menschen haben. Am auffallendsten ist in diesem Zusammenhang die unkritische Hochachtung, mit der manche Juden dieses Land sehen, und der gallige Zynismus der durchschnittlichen Cockneys.

Falls ihr ein kritisches Wort über Englands Verhalten im Krieg hören wollt, müßt ihr mit den Cockneys reden. Sie werden euch alles erzählen: über den Klassendünkel in der Armee, über die Weigerung der britischen Regierung, die Wahrheit über die Vorgänge in den KZs öffentlich zu machen, obwohl sie schon früh davon wußte und diesem Wissen zum Trotz eine restriktive Einwanderungspolitik betrieb, die Tausende von Juden ihrem Verhängnis auslieferte. Und immer diese zögerliche Frage, ob sie sich anders als die Deutschen verhalten hätten, wäre ihnen durch die Umstände eine faschistische Regierung beschert worden.

Die Leute in England haben ein tiefverwurzeltes Mißtrauen in die eigene Rechtschaffenheit, was mich, aus Deutschland kommend, immer wieder von neuem überrascht. Es gehört zu diesem Mangel an Selbstmitleid, wenn sie über den Krieg reden.

Ich bin mit deutschen Kriegsgeschichten aufgewachsen. Der Krieg war der allgegenwärtige Stoff für Rechtfertigungen, glorreichen Heroismus verlorener Jugend und den unerschütterlichen Glauben an die eigene Opferschaft. In meinen Ohren klingen die Bombenangriffe, der russische Winter, der Nachkriegshunger und der Gipfel allen Unrechts – die deutsche Teilung. Kein Gedanke wurde an solche »rhetorischen« Fragen verschwendet, wer denn eigentlich den

Krieg begonnen hatte, wer davon profitierte und welche Ungeheuerlichkeiten im Gefolge des Vormarschs der Wehrmacht verübt wurden. Das schlimmste Mißgeschick bestand darin, den Krieg verloren zu haben.

Hier dagegen findet sich weder Selbstmitleid noch besonderes Ressentiment gegen jene, die den Krieg vom Zaun gebrochen haben. Wer weiß? Vielleicht hätten wir unter den gleichen Umständen das Gleiche getan. Auch wenn Lebensmittel noch bis 1950 rationiert waren – was tut's. Die Wohnsituation war äußerst problematisch, Tausende von Frauen fanden sich um die Chance einer besseren Ausbildung gebracht, alles Folgen der Evakuierungen vor deutschen Bomben. Und die zum Krüppel geschossenen Kriegsveteranen – an einem Tag im November mit Mohnblumen geehrt –, die auf die Almosen christlicher Nächstenliebe angewiesen sind, um ihren Grundbedarf zu decken. Na und!

Unterdessen genossen ihre deutschen Gegenstücke das Wirtschaftswunder. Ein Wunder in der Tat. Denn nichts als ein Wunder konnte solch bundesweiten Gedächtnisschwund hervorrufen. Jahrzehntelang blieb der größte Judenmord der Geschichte vergessen – vergessen von einem ganzen Volk –, bis eine peinliche amerikanische Seifenoper sie dazu zwang, sich zu erinnern...

Für die meisten Menschen, mit denen ich durch meine Arbeit Kontakt habe, ist Empörung etwas, das sich gegen die Tories, die Aufsteiger oder die Polizei richtet, nicht gegen ein anderes Land, selbst wenn es einen Krieg anfängt. »Was ist mit den Falkland-Inseln...« oder, neuerdings, »...mit dem Golfkrieg?«, fragen sie lakonisch. Den meisten war klar, daß es hierbei um Öl ging. Es gab zwar eine vage Vorstellung, Saddam irgendwie aufhalten zu müssen (»so wie Hitler aufgehalten werden mußte«), aber die Überzeugung, daß Sanktionen ausgereicht hätten, überwog bei weitem. Nur die allerwenigsten waren bereit, ihren angestammten Zynismus weit genug hinter sich zu lassen, um bei der Antikriegsdemonstration unter einem Pro-Saddam-Banner zu laufen. Die, welche es taten, wurden freundlich aber bestimmt angewiesen, doch mal auf ein Wort beim kurdischen Block weiter vorn vorzusprechen.

Wie sollte ich nicht darüber erfreut sein zu erfahren, daß Jiddisch die offizielle Sprache der Schneidergewerkschaft im Londoner East End war? Ich fand es erst vor kurzem durch eine Fernsehsendung über Juden in England heraus. Dies löste auch ein zwei Jahre altes persönliches Rätsel: Warum sprach der Cockney-Großvater meiner Geliebten fließend Jiddisch? Als Schneider und Gewerkschaftsmitglied mußte er halt die Sprache lernen.

Wie sollte ich nicht ernüchtert sein, als ich, nur wenige Wochen später, im Fernsehen eine Podiumsdiskussion über schwarze Jugendliche und ihre Identität verfolgte? Es überrascht wohl kaum, daß sie Probleme mit diesem Land, seinen weißen Eingeborenen, seiner Geschichte und seiner Sprache haben. Eine Erinnerung, nicht länger verschwommen, sondern scharf und kristallklar, hielt meine Aufmerksamkeit gefangen. Die sprachlose Qual der Wahl, ob sie sich nun schwarze Afrikaner, Afrobritisch oder einfach Schwarz nennen sollten, kam mir bekannt vor. Jede Selbstdefinition das Maß des Rückzugs von einer Gesellschaft angebend, die nach wie vor vom Rassismus profitiert. Oder ein Barometer für Grade der Hoffnung, dies Land könne sich vielleicht doch noch so verändern lassen, daß es zu einem bewohnbaren Ort für sie wird. Was immer die gewählte Identität ist, jede war das Ergebnis endloser Diskussion und erbitterter Auseinandersetzungen. Wie gut erinnere ich mich an die verzweifelte Frage, ob man/frau sich nun »deutsche Juden« oder »Juden in Deutschland« nennen solle... Und fragte mich jemand, ob ich Berlinerin sei, antwortete ich vorsichtig: »Ich wohne hier.« Nicht meine Worte, sondern übernommen von jüdischen Freundinnen und Freunden, die genauso zögerten wie ich, sich zu mehr als dieser Tatsache zu bekennen. Das Gerangel um den Charakter jüdischer Identität ist allerdings älter als das Nachkriegsdeutschland meiner Kindheit und Jugend. In den zwanziger Jahren spöttelte Kurt Tucholsky über den »Centralverein deutscher Staatsbürger jüdischen Glaubens«, er sei in Wirklichkeit ein »Centralverein deutscher Staatsjuden bürgerlichen Glaubens«.

Wie sollten Juden sich nicht sicher in einem Land fühlen, in dem bei wiederum einer anderen Fernsehdiskussion über das Massaker von York sich ein britischer Historiker nicht davon abbringen ließ, daß die Engländer den europäischen Antisemitismus erfunden hätten. Er führte die Ritualmordlegende, die Vertreibung der Juden aus England um 1190 und die schändliche Beschuldigung des Wuchers gegen Juden als ethnische Gruppe an. Er verwies auf Dokumente, um seine Argumentation abzustützen, und es schien, als würde seine Auffassung von einer ganzen Schule innerhalb seiner Zunft geteilt. Ein jüdischer Historiker deutete dagegen dezent an, daß die Wurzeln des Antisemitismus sich wohl überall in Europa finden ließen, nicht nur an den Ufern dieser kleinen Insel. Definitiv schwang da ein Unterton mit, als wolle er sagen: »Mach dich nicht so wichtig, alter Knabe.«

1938, am neunten November, wütete ein Pogrom in allen deutschen Städten (inklusive »Ostmark«). Es verkündete den offiziellen Anfang der »Endlösung« für alle, die es noch nicht wußten oder wissen wollten. Ein halbes Jahrhundert später redet kaum jemand in Deutschland mehr davon, sie sind zu beschäftigt, denn am neunten November 1989 fielen die innerdeutschen Grenzen. Einige besonders Fixe überklebten das Emailleschild, das die Aufschrift »Straße des 17. Juni« trägt, mit einem zum Verwechseln ähnlichen: »Straße des 9. November«.

Karen Margolis
This November

November full of promise
the fog hides our secrets well
the rain falls mainly at night

in the dark afternoons
masses gather in squares
with empty spaces where the idols stood
the faces hostile, right hands
raised to heaven calling up the demons
that lurk behind the chimney-stacks
and crawl in beds of trodden leaves

November full of hate and fear
the wind bites ears on shaven heads
the sun kills memories of the past July
the stars shade their light
the moon has trouble getting out of bed
the nights are colder, she shivers on rising

November full of heavy hope
hedgehogs in holes hugging
bodies lying iced on winter's slab
awaiting nature's equinoctal sacrifice

in the inner temple of the century's tomb
two leopards lick blood from shallow stone dishes
men and women dissolve with desire
into the carved womb, its walls

a globe from within, sheltering the scorpion
the mountain goat, the snail, lizards, sea turtles
& snakes coiled in cold blood

we climb the spiral staircase. From the roof
of the world we see the smoke of Novenber
vanish up its own dark hole
leaving only a wisp of stardust
to sprinkle on the cities' sunless balconies
and the wavetips at the gusty eastern shores

November true season of the north
breeds brown conspiracies
behind embroidered tapestries
a wild despair strangles the day at birth
at dusk we eat chocolate heart cakes
relight the tiled stove; practise hoping

November smells of musk and caraway
and tastes of nutmeg roughly grated
and promises small comforts

Berlin-Mitte November 1991

Jessica Jacoby
Nicht nur vor fünfzig Jahren

Die Zustände haben mich vertrieben
Umgetrieben auf den Bahnhöfen Europas
Warten in trüb beleuchteten Hallen
Auf Züge, die vielleicht schon abgefahren sind
Auf Züge, die vielleicht nie mehr kommen
Auch die nächste Station wird
nur ein Hafen sein – und dann?
Erneutes Warten auf Schiffe
die ohne mich auslaufen irgendwohin...
Konsulate, Bahnhöfe, Häfen, Pensionen
sind mein Zuhause – wie lange noch?

Mit der Zeit ist das Exil zur Heimat geworden
Ich trage den Paß eines anderen Landes
Und nicht des Landes in dem ich geboren bin
Dort wird feierlich der Tag begangen
an dem ich flüchten mußte
Fünfzig Jahre danach
Zu spät –

1988
Für meinen Vater

Erica Fischer
Zum ersten Mal öffentlich
»Ich bin Jüdin« sagen

»In welchem Sinne hätte ich euch erziehen sollen?« fragt meine zweiundachtzigjährige Mutter mit hilfloser Geste. »Ich habe euch das gesagt, was ich selber geglaubt habe. Ich habe mich nie als Jüdin gefühlt, nicht im religiösen Sinne, nicht im Sinne eines nationalen Judentums, weil ich an den Zionismus und den Staat Israel nicht glaube. Wo hätte sich mein Judentum zeigen sollen? So viele Leute haben sich schon gefragt, was eigentlich ein Jude ist. Es ist schwer zu sagen...«

Als einzige von drei Geschwistern verließ meine Mutter Irena Kaftal mit siebzehn Jahren Warschau und damit die Geborgenheit ihrer weitläufigen liberalen und nicht unbegüterten jüdischen Familie. Um dem polnischen Antisemitismus und Provinzialismus zu entkommen, ging sie nach Wien, wo sie an der Kunstgewerbeschule studierte. Eigentlich wäre ihr Traumziel Paris gewesen, doch die Gefahren der Stadt an der Donau erschienen meinen Großeltern wohl weniger bedrohlich als jene, denen ein jüdisches Mädchen in der Seinemetropole begegnen würde. In Wien, wo damals 9,4 Prozent der Bevölkerung Juden waren, gab es zu allem Überdruß auch noch eine Tante. 1933 lernte Irena den nichtjüdischen Österreicher Emmerich Fischer kennen und arbeitete mit ihm in der kommunistischen Gewerkschaftsbewegung, ab deren Verbot im Februar 1934 im Untergrund. Der »Anschluß« Österreichs an Hitlerdeutschland zwang sie Ende Oktober 1938 zur Emigration nach England, wo ich 1943 und mein Bruder 1947 geboren wurden. 1948 kehrte die Familie – unter Protest meiner Mutter – nach Wien zurück.

Der alte Freundeskreis, darunter viele Juden und Kommunisten, war tot, aus dem Ausland nicht zurückgekehrt, hatte sich verlaufen. Aus Angst vor Repressionen verbot mein Vater der Mutter den Umgang mit den Kommunisten, die sie aus der Zeit vor der Emigration kannte, und schnitt sie damit von den wenigen jüdischen Bezugspersonen ab, mit denen sie sich wohlgefühlt hätte. Die Eltern waren im Vernichtungslager Treblinka ermordet worden, die beiden Geschwister nach Australien ausgewandert, Wiedergutmachungszahlungen kamen spät und spärlich, die Familie mußte sich nach der Decke strecken.

Also begann meine Mutter ihr viertes Leben: voller Ressentiments gegen ihre Hausfrauenrolle ebenso wie gegen das sie umgebende, größtenteils feindselig gestimmte österreichische »Wirtsvolk«. Die Zeitungen *Wiener Samstag* und *Wiener Montag* bezeichneten die EmigrantInnen als »Übel« und sprachen ihnen das Recht ab, über Österreich zu urteilen[1]. In der Ministerratssitzung vom 9. November 1948 sagte Innenminister Oskar Helmer, er sehe überall nur jüdische Ausbreitung, vor allem in Wien: »Auch den Nazis ist im Jahre 1945 alles weggenommen worden, und wir sehen jetzt Verhältnisse, daß sogar der nationalsozialistische Akademiker auf dem Oberbau arbeiten muß.«[2]

Im klerikalen Polen ihrer Kindheit mußte meine Mutter, da es Konfessionslosigkeit nicht gab, »mosaisch« sein. Am Tag nach der »Reichskristallnacht« stand in Wien die Gestapo vor der Tür, um die Jüdin abzuholen, die als Hausmädchen nach England geflüchtete war. Doch als Jüdin will sich meine Mutter auch heute nicht fühlen. So erfuhren mein Bruder und ich nichts über das Judentum. Wir sollten als österreichische Kinder aufwachsen, was angesichts des ungebrochenen Antisemitismus der Österreicher eine durchaus verständliche Schutzreaktion war. Doch vergebens: Unsere Biographien – der Geburtsort, die wie ein kostbarer Schatz gehegten englischen Pässe, das Englisch, das wir zu Hause sprachen, das Fernbleiben vom Religionsunterricht – unterschieden uns von den anderen Kindern im damals mehr als monolithischen Wien.

Für mich bedeutete das Gefühl, »irgendwie anders« zu sein, immer eine Gratwanderung zwischen der Arroganz, etwas »Besseres« zu sein als die anderen, und einer nie gestillten Sehnsucht nach Zugehörigkeit. In meiner Erinnerung ist meine Jugend trostlos gewesen, geprägt von einem starken Gefühl der Einsamkeit. Da ich keine Schulprobleme hatte, als »apartes« Mädchen galt, der Vater mich intellektuell förderte und die Mutter mich modisch kleidete, kann ich mir diese Trauer der späten fünfziger Jahre nur mit einer grundlegenden Unsicherheit und Verlorenheit in der Welt erklären, die mich von äußerer Anerkennung extrem abhängig gemacht hat. So wurden später auch die heterosexuellen Liebesbeziehungen zu einer ständigen Suche nach Antwort auf mein existentielles Unbehagen. Österreichern ging ich – mit wenigen Ausnahmen – ein ganzes Jahrzehnt aus dem Weg. Eine lange Reihe ausländischer Liebhaber aus vielerlei Ländern, darunter auch Juden, hielt mir das »Vaterland« vom Leib. England, das Exil meiner Eltern, in dem ich die ersten fünf Jahre meines Lebens verbracht hatte, war für mich stets ein mutwillig zerstörtes Paradies. Wären meine Eltern in England geblieben, wäre alles gut gegangen. Mein Bruder, so erfahre ich heute, hatte ähnliche Sehnsüchte.

Erst im Alter von dreißig Jahren, mit der ersten stabilen Beziehung zu einem heimischen Freund und dem Beginn der Frauenbewegung Anfang der siebziger Jahre, faßte ich Fuß. Das emanzipatorische Anliegen der Frauen wurde zu meiner »Heimat«. Plötzlich hatte mein Leben einen deutlich erkennbaren Sinn. Eine kurze Zeitspanne, zehn Jahre vielleicht, war ich »eingebettet«, hatte Freundinnen, wurde Journalistin, erhielt Anerkennung, führte ein reges gesellschaftliches Leben.

Die Jüdin in mir war kein Thema. Antisemitismus habe ich nie zu spüren bekommen, es wußte ja niemand. Und wenn, dann hörte ich weg. »Was ist mit einem Juden?« fragte eine wackere Kampfgefährtin, als wir uns überlegten, wie wir für unser Frauenzentrum Geld auftreiben könnten. »Wieso Jude?« fragte ich zurück, scheinbar ohne Gemütsregung. Diese Unterhaltung habe ich nie vergessen und ihr nie verziehen. Aber ich habe auch nicht mit ihr darüber gesprochen. Während der Feminismus mich lehrte, beredt sexistische Anfechtungen zurückzuweisen, löste Antisemitismus statt Empörung nur eine Art Totstellreflex aus, einen Mangel an Zivilcourage, für den ich mich schämte.

Journalistin wurde ich wohl, um geschützt durch Mikrophon und Schreibblock am Leben anderer teilzunehmen, da mir mein eigenes so seltsam unwirklich vorkam. Die Themen, denen ich mich als Journalistin annahm und annehme, verweisen auf mich selbst: Schwarze in Südafrika, Slowenen in Kärnten, Ausländer in Deutschland, Frauen in aller Welt. Rassismus und Sexismus die Konstanten, das Leben von Menschen außerhalb der herrschenden Kultur. Erst spät wurde mir klar: In einer spiralartigen Bewegung habe ich mich mir selbst angenähert. Allmählich, im Alter von beinah fünfzig und geschützt durch die Geborgenheit einer Ehe, taste ich mich an das bislang Unaussprechliche heran.

Mag sein, daß die Auswanderung nach Deutschland mir dabei geholfen hat. Fünfzig Jahre nach der Flucht meiner Mutter übersiedelten Martin und ich Anfang 1988 nach Köln. Seither liegt Wien in meiner Erinnerung wie hinter einem Schleier. Ich weiß nur, daß es immer stickiger wurde, meine politische Ausgrenzung als linke Feministin in der Ära Waldheim immer beklemmender, die beruflichen Perspektiven für eine freie Journalistin immer düsterer. Dabei hatte ich mich davor gedrückt, mich gegen Waldheim und den erneut hochschwappenden Antisemitismus zu engagieren. Da war wieder diese Lähmung, diese Angst, mit dem, was mir auf den Straßen Wiens begegnen würde, nicht umgehen zu können. Meine alte Mutter hingegen ging Sonntag für Sonntag auf den Stephansplatz und diskutierte mit den Wienern, als hätte das Ganze nichts mit ihr selbst zu tun. Was mich hingegen am Waldheim-Trauma mit voller Wucht traf – ein Zustand, der mittlerweile auch hierzulande alltäglich geworden ist –, war die Wende in der linken Politik. Die Opposition gegen die Lebensverhältnisse in Österreich wurde auf den kleinsten gemeinsamen Nenner zusammengedrückt. Angesichts von grassierendem Antisemitismus und Rassismus blieb kein Platz für politische Differenzierung. Männer, die ich als miese Sexisten verachtete und als Feministin bekämpfte hatte, wurden plötzlich zu politischen Helden. Sie engagierten sich gegen Antisemitismus, aber sie konnten meine Bündnispartner dennoch nicht sein. Frauen lernten, wie schon so oft, ihre eigene Lage geflissentlich zu übersehen.

Die Bundesrepublik erschien uns damals als ein zwar kulinarisch unerfreuliches, aber dennoch erstrebenswertes Auswanderungsziel, gab es doch dort neben Notstandsgesetzen, Berufsverbot und deutschem Herbst auch ein liberales Bürgertum, das Andersdenkenden – heute immer kleiner werdende – Freiräume und Nischen bot, in denen es sich beruflich überleben ließ. Und Fremdsein im Exil erschien mir allemal erträglicher als Fremdsein in der vorgeblichen »Heimat«. Jedes andere Land hätte mir freilich mehr Spaß gemacht, aber deutschsprachig mußte es nun einmal meines Berufs wegen sein. Und hier werde ich in der Tat auf ganz andere Weise mit der Vergangenheit konfrontiert. Ein Gedenkjahr jagt das andere. Jüdinnen und Juden sind Thema in den Medien, die Vergangenheit wird – fünfzig Jahre danach – nicht mehr verdrängt. Und wahrscheinlich ist es kein Zufall, daß auch ich mich erstmals als Autorin ernsthaft mit der Nazizeit auseinandersetze. Mit der Zeit, die mich schließlich erst zur Jüdin gemacht hat. »Was ist ein Jude?« fragt meine Mutter. In Ermangelung von Religion und Tradition kann dieses Jüdische für mich nichts anderes sein als die Teilhabe an einem kollektiven Schicksal, das in mir Spuren von Trauer und Verlust hinterlassen hat, die spürbar, wenn auch weniger sichtbar sind als meine Zugehörigkeit zum unterdrückten Geschlecht.

Nun lebe ich also in Deutschland, das 1988 noch Bundesrepublik hieß. Die Eintrittskarte, die mich und mit mir meinen österreichischen Mann vom »Ausländerpöbel« unterscheidet, ist mein britischer Paß, der mir EG-Zugehörigkeit bescheinigt und den ich dem Exil meiner Eltern zu verdanken habe. Eine späte Wiedergutmachung an der zweiten Generation. Ende 1992 läuft meine erste Fünfjahresperiode aus. Danach kann ich wohl mit einer unbefristeten Aufenthaltserlaubnis rechnen. Kürzlich habe ich mich dennoch bei meiner Mutter erkundigt, ob aus ihren Personaldokumenten hervorgeht, daß sie Jüdin ist. Eine jüdische Mutter kann praktisch sein, wer weiß.

Am neunten November 1989 war ich in Berlin. Mit Halina Bendkowski (warum ist sie, die Jüdin, in meinem fünften deutschen Jahr immer noch meine einzige wirkliche Freundin in diesem Land?) ging ich nachts zum Checkpoint Charlie. War es mangelndes Wissen um die Geschichte der geteilten Stadt, ein Gefühl grundsätzlicher Fremdheit den Deutschen gegenüber, meine Unfähigkeit zur Empathie oder eine unbewußte Vorahnung, daß ich in jener Nacht das beklommene Gefühl hatte, wieder einmal restlos daneben zu stehen, um nichts in der Welt teilhaben zu können an jener Freude, die alle, auch Halina, erfaßt hatte.

Einen Monat später, als ich an einer Frauenreise nach Leipzig teilnahm und die Menschen im Aufbruch erlebte, wurde auch ich mitgerissen. Aber es war nicht die Freude über die bevorstehende »Wiedervereinigung« und »Normalisierung« des deutsch-deutschen Verhältnisses, sondern die Aufregung, mich in einer revolutionären Situation mit offenem Ausgang zu befinden. Begeistert erlebte ich zum ersten Mal Deutsche in großer Zahl, die *sympathisch* waren, offen, kommunikativ, witzig und ebenso aufgeregt wie ich. Menschen ganz einfach, ohne Großmaul und Imponiergehabe. Ja, es gab schon die ersten schwarzrotgoldenen Fahnen ohne das DDR-Emblem, feiste Männer zwischen vierzig und fünfzig mit vulgären Stimmen, die von Vaterland und Volk brüllten. Aber es gab auch die wunderbaren Mädchen und Jungen am Straßenrand mit ihren bunten Struwwelhaaren, die noch genügend Phantasie hatten, sich etwas anderes vorzustellen, als das abgewirtschaftete sozialistische Vaterland durch ein kapitalistisches Kohlscher Prägung zu ersetzen.

Während meiner Interviews für ein Buch über Frauen in der DDR gewann ich viele Menschen im »anderen Deutschland« richtig lieb, ihre Bescheidenheit, ihre Nachdenklichkeit, ihre Gastfreundschaft, Eigenschaften, die mir im westlichen Teil bitter fehlen. Als Österreicherin empfinde ich Sympathie für den Groll der Ossis gegen ihre Kolonisatoren, treten deutsche Touristen und Geschäftsleute in Österreich doch ähnlich arrogant auf, und ist doch die Alpenrepublik, auch ohne »Beitrittsgebiet« zu sein, ökonomisch und kulturell längst dem mächtigen Nachbarn angegliedert, einschließlich der selbstverständlichen Einverleibung österreichischer KünstlerInnen und SchriftstellerInnen. Der Groll darüber macht sich dann – ähnlich wie heute in Ostdeutschland – oftmals Luft in dumpf-aggressiven chauvinistischen Ressentiments gegen den »Piefke«-Import und richtet sich gerade gegen jene, deren Wirken ein liberales Lüftchen ins Land bringt, in Wien jedoch schon einen Sturm entfacht, wie im Fall von Burgtheaterdirektor Peymann.

Doch die Auseinandersetzung mit der schaurigen Denunziationsbereitschaft von Millionen DDR-Bürger läßt mich ahnen, daß das andere Deutschland so anders auch wieder nicht war. Im Osten hatte ich unangenehme Déja-vu-Erlebnisse. Die schwarzrotgoldenen Fahnen an den verfallenden Leipziger Häuserfassaden, die die autoleeren Kopfsteinpflasterstraßen im Februar 1990 säumten, wurden für mich einen Augenblick lang rot, mit schwarzen Hakenkreuzen auf weißem Grund. »Ich rufe an!« drohte im Sommer des nämlichen Jahres die Tankstellenwartin in der Kittelschürze, als ich mit dem Auto im Einfahrtsbereich ihrer Tankstelle stehenblieb, um meinen Kaffee aus der Thermosflasche zu trinken. Ein solcher Anruf hat vielen »jüdischen Mitbürgern« das Leben gekostet.

Einmal noch spürte ich große Sympathie und Nähe, ja sogar so etwas wie Stolz, als junge deutsche Menschen in Massen auf die Straße gingen, um gegen den Golfkrieg zu demonstrieren. Und ich entfernte mich weit vom Rassismus jener Jüdinnen und Juden, für die hunderttausendfaches irakisches Sterben läßlich war und ist. Freilich, der Stolz auf die deutschen Kinder war nur eine politische Abstraktion. Im einzelnen entsprechen viele gewiß dem Negativbild der »Bellizisten«. Es besteht kein Zweifel, daß hinter dem Palästinensertuch, das auch ich mir selbstverständlich in den siebziger Jahren um den Hals schlang, so manch umgeleiteter, von Großeltern und Eltern übernommener, antisemitischer Gefühlsstau steckt. Ich bin deshalb auch nicht mehr bereit, den aufgebrochenen Fremdenhaß überwiegend im Osten des Landes anzusiedeln. Wenn ich durch die Kölner Innenstadt flaniere und mich über das scheinbar friedliche Nebeneinander vielfältiger Ethnien unter dem gemeinsamen Dach des Konsums freue, denke ich schaudernd daran, daß die versiegende deutsche Toleranz eng an die Zufriedenheit und Selbstgefälligkeit gebunden ist, die der materielle Wohlstand mit sich gebracht hat.

Als Jüdin fühle ich mich nicht bedroht. Im Gegenteil. Wahrscheinlich ist Deutschland für Juden heute das sicherste Land der Welt – solange man es ihnen nicht anmerkt. Doch das allgemeine Klima von zunehmender Heimatseligkeit und Ausschlußgelüsten zieht mich zu den Fremden hin, deren Haar- und Hautfarbe es ihnen unmöglich macht, ihr Fremdsein als privates Geheimnis für sich zu behalten. (Ich hingegen bin dreifach privilegiert: Der englische Paß überwindet die Hürden des Ausländergesetzes, die Österreicherin wird völkisch eingemeindet, die Jüdin ist durch die deutsche Vergangenheit geschützt.) Natürlich bin ich nicht die einzige, die bestürzt ist über den wachsenden Rassismus, und doch vermisse ich eine wirkliche Bewegung der Solidarität für die 5,6 Millionen »Ausländer« in diesem Land, eine Bewegung, die fordert, endlich Abschied zu nehmen vom fortgesetzten Beharren auf dem Blut im neuen Ausländerrecht, das ohne maßgeblichen innenpolitischen Widerspruch beschlossen wurde. Ich vermisse eine persönliche Verantwortung, die mehr ist als eine hohle Geste à la »Ich bin Ausländer«. Ich vermisse die physische und geistige Anwesenheit von Menschen anderer Kulturen und Ethnien, etwa bei den Grünen und dem, was von der linken und der feministischen Bewegung übriggeblieben ist. Auch dort ist die Unfähigkeit groß, mit »Fremdem« – und seien es nur Gedanken – zurechtzukommen, und die Bereitschaft, sich auch mal in einer Fremdsprache auszudrücken, provinziell gering. Meine Vermutung ist, daß auch »progressive« Deutsche das Gefühl von Unsicherheit nicht ertragen, das sich einstellen würde, wenn sie ihrem Gegenüber sprachlich unterlegen wären.

Die Arbeit an der im Anschluß an den DDR-Beitritt anscheinend als notwendig erachteten Herstellung eines neuen Nationalgefühls, das gerne »Identität« genannt wird, bewirkt einen solipsistischen Blick auf das deutsche Selbst. Schwer können es Deutsche ertragen, wenn Fremde ihre Sicht der Dinge offensiv äußern, ohne gleich wieder von den Deutschen als zentrales Thema zu reden. Besonders Jüdinnen und Juden werden für die Auseinandersetzung mit der eigenen deutschen Kultur gern mißbraucht, zumal diese ja durch das Verschwinden der Juden kläglich verstümmelt zurückgeblieben ist.

So wurde ich in den Novembertagen 1991 von einer »Europäischen Frauen-Aktion« nach Berlin eingeladen, um zusammen mit zwei weiteren aus dem Ausland eingeflogenen Jüdinnen deutschen Frauen zu ihrer Identität zu verhelfen: »Notwendiges besseres Verständnis der jüdischen Kultur zum Verständnis der eigenen«, hieß es im provisorischen Programm. Unverständnis, ja Aggressivität, schlug mir von Seiten der Veranstalterin entgegen, als ich darauf hinwies, daß ich bei meiner Suche nach »Identität« das verständnisvolle Gespräch mit Jüdinnen und Juden benötige und deshalb nicht verstehen könne, warum die Kinder der Täter ihre »Identität« mit den Kindern der Opfer abklären wollen. Warum tun sich die nichtjüdischen Deutschen, die es ja in großer Zahl gibt, nicht zusammen, um ihre »Betroffenheit« als Nazinachfahren aufzuarbeiten? »Ich bin nach wie vor daran interessiert«, wurde mir trotzig entgegengehalten, als ob es zwischen uns Gleichheit gäbe. Eine Gleichheit und fiktive Gemeinsamkeit, die immer wieder beschworen wird: »Wir haben dieselben Lücken zu beklagen.« – »Ihre Lücke ist die Verarmung der deutschen Kultur, ich aber habe meine Großeltern verloren«, brachte Nea Weissberg-Bob den Unterschied auf den Punkt. Als daraufhin zwei von uns die Tränen nicht unterdrücken konnten, machte eine Österreicherin darauf aufmerksam, daß es immer nur die Kinder der Opfer sind, die bei solchen Begegnungen weinen, wo doch die Kinder und Kindeskinder der Täter weitaus mehr Grund dazu hätten.

Gerne hätte ich eine Debatte darüber geführt, was die deutsche Identitätssuche eigentlich bezweckt und bewirkt. Als ich meine Identität als Frau entdeckte, erfolgte das in Abgrenzung zu den Unterdrückern meines Geschlechts. Es löste bei mir und Millionen anderen Frauen einen weltweiten Kampf gegen eine uns feindlich gesinnte männliche Monokultur aus. Jetzt, da ich die Scherben einer möglichen jüdischen Identität aus der Asche klaube, geschieht es wieder in Abgrenzung und Opposition zu einer rassistischen, deutschnationalen Monokultur, die mich bedroht. Nur so ist »Identität« für mich annehmbar – als aggressive Antriebskraft zur Veränderung politischer und kultureller Verhältnisse. Wie sollte nun das deutsche Mehrheitsvolk eine Identität entwickeln, wenn nicht ebenso durch Abgrenzung? Was das bedeutet, erleben wir derzeit fast täglich vor den Flüchtlingswohnheimen. Laut Bundeskriminalamt wurden im Jahre 1991 2 370 Straftaten »mit ausländerfeindlichem Hintergrund« begangen. Was Ex-Achtundsechziger und Jüngere in Talkshows über deutsche Identität sinnieren, wird von den Skins auf der Straße in die Tat umgesetzt.

Wenn deutsches antirassistisches Engagement erlahmt, wird die Solidarität der Opfer eingefordert. Mit Rufen wie »Aufhören, die Juden sind tot, aber die Roma leben« wurde 1989 im Kölner Schauspielhaus eine Gedenkveranstaltung zur Reichspogromnacht von deutschen UnterstützerInnen im Namen der um ihr Bleiberecht ringenden Roma gestört. Und ein Jahr darauf kam ein Roma-Unterstützer auf die famose Idee, die Kölner Synagoge besetzen zu wollen.

Das Reden mit Deutschen über Juden ist schon allein deshalb mühsam, weil die meisten das Wort schwer über die Lippen bringen. »Bist du...?« fragen sie, wenn der Verdacht unabwendbar geworden ist und überlassen den Rest des Satzes dem hilfsbereit einspringenden Gegenüber. Oder aber sie behelfen sich mit »jüdischer Herkunft« oder »jüdischer Abstammung« und merken nicht, daß das Denken in »Stämmen« eine Fortsetzung nationalsozialistischen Gedankenguts ist. Ganz zu schweigen von der Frechheit des »jüdischen Mitbürgers«. »Jude« und »Jüdin« sind in ihren Ohren wohl immer noch Schimpfwörter.

Aber auch mich kostete es Überwindung, zum ersten Mal öffentlich »Ich bin Jüdin« zu sagen. Ist »es« einmal ausgesprochen, entsteht selten ein unverkrampftes Gespräch. Das Weihevolle ist dabei genauso unangenehm wie die obligatorische Frage nach Israel. Nur jene, für die Beziehungen mit Jüdinnen und Juden Teil ihres Lebens sind, können »normal« damit umgehen. Und das sind naturgemäß wenige. Die Älteren sind immer noch stumm. Das Getöse über Stasi- und SED-Schuld läßt die kaum begonnene Debatte über die Schuld der Deutschen an den Juden endgültig versiegen.

Eine gut besuchte Veranstaltung an der Volkshochschule der nordrhein-westfälischen Stadt Marl, in der die jüdische Amerikanerin

Deborah Lefkowitz ihren Film *Intervals of Silence* vorführte, der jüdische und nichtjüdische Marler Bürger und Bürgerinnen in einer dichten Ton- und Bildcollage so zusammenführte, wie es im wirklichen Leben niemals möglich wäre, ergab nur eine einzige Debatte: Was kann man tun, um das Image der Deutschen in den Vereinigten Staaten zu verbessern?

Wenn ich an Wien zurückdenke, will mir scheinen, als wäre dort so manches anders gewesen. Viele meiner Freunde und Bekannten waren Juden. Die anderen gingen nicht so beklommen und gewichtig damit um. Vielleicht kann ich in Wien einfach die kulturellen Signale besser erkennen und werde deshalb von den anderen besser verstanden. Vielleicht ist die jüdische Kultur so sehr mit der Wiener Kaffeehauskultur verwachsen, daß der Unterschied zwischen »Österreichern« und »Juden« in Wien weniger ausgeprägt ist als hierzulande. Vielleicht haben die Wiener, deren Staat die Lüge vom ersten Opfer Hitlers nie revidiert hat, schlicht kein Problembewußtsein, was sie unbefangener macht. Bestimmt ist im fünften Jahr meines Lebens in Deutschland meine Distanz zur deutschen Kultur mit ihrem selbstgerechten Universalitätsanspruch eher größer als kleiner geworden. Ich kann den Gegensatz zwischen meiner Fremdheit hier und der sich spontan einstellenden Vertrautheit im schlampigen Wien nicht leugnen. Daß viele Deutsche Österreicher ungebeten einbürgern, ihnen aber gleichzeitig die Kenntnis der deutschen Sprache absprechen (»Dialekt!«), trägt dazu bei.

Was mir hierzulande in erster Linie fehlt, ist Leichtigkeit, womit ich weder moralische Beliebigkeit noch mangelnden politischen Ernst meine. Leichtigkeit aber ist unvereinbar mit dem deutschen Anspruch, in buchstäblich allen Dingen Weltmeister zu sein. Sogar die – historisch unbestrittene – Bemerkung in einem Artikel, daß Österreicher unverhältnismäßig stark an den Nazigreueln beteiligt waren, veranlaßte die *taz*-Kulturchefin zu einer Berichtigung, in der sie sich für die »Peinlichkeit der Woche« entschuldigte. Das Unbehagen am gründlichen deutschen Wesen teile ich allerdings mit Millionen. »Ich würde mich schon gerne in eure inneren Angelegenheiten einmischen«, schreibt der Ulmer Kabarettist und Satiriker

Sinasi Dikmen, »und euch sagen: ›Kinder höret auf, liebet eure Nächsten wie euch selbst!‹ Was soll ich aber machen, wenn die Deutschen sich selber hassen?«[3]

Köln, März 1992

1 Ruth Beckermann: Unzugehörig, Österreicher und Juden nach 1945,
  Löcker Verlag, Wien 1989, S. 94.
2 Robert Knight: »Ich bin dafür, die Sache in die Länge zu ziehen«.
  Die Wortprotokolle der österreichischen Bundesregierung von 1945–1952
  über die Entschädigung der Juden, Frankfurt 1988, zitiert in: Beckermann, S. 93.
3 Sinasi Dikmen: »Getürkte Türken«, in: tageszeitung, 11.2.1992, S. 19.

Belinda Cooper und Andrea Dunai
Es ist leichter, jüdisch zu sein, wo viele es sind

Andrea, deine Eltern sind ungarische KZ-Überlebende. Haben sie zu Hause darüber gesprochen?

Andrea Dunai: Fast nur, wenn ich konkrete Fragen gestellt habe, aber andererseits haben sie es nicht vor mir verheimlicht. Sie hatten auch Freunde aus der KZ-Zeit, mit denen sie sich oft trafen, unter anderem zum Jahrestreffen der KZ-Überlebenden. Ich hatte ein paar Freundinnen und Freunde in der Klasse, deren Eltern ebenfalls Überlebende waren, die das aber ihren Kindern nie gesagt haben. Das war in Ungarn damals nicht untypisch. Das Thema gehört der Vergangenheit an, jetzt sind wir alle gleich, hieß es. Mein Vater – und auch der Vater meiner Mutter – hat nach dem Krieg sogar seinen Namen magyarisiert, weil er nicht mehr auffallen wollte.

Mein Vater hieß früher Deutsch, ein typisch jüdischer Name. Am Ende des letzten Jahrhunderts hatte der ungarische König angeordnet, daß die Juden andere, auffällige Nachnamen bekommen sollten. Seit dieser Zeit hatten sie also Namen, die als jüdisch identifiziert wurden.

Als Kind war ich sehr oft mit meiner Mutter in der Synagoge, und wir haben die Feiertage eingehalten. Aber man hat über das Jüdischsein nicht gesprochen, weil man befürchtete, daß es gefährlich sein könnte. Eine meiner besten Schulfreundinnen war auch jüdisch. Ihre Eltern hatten ihr sogar verboten, an den jüdischen Feiern teilzunehmen, die an ihrer Schule veranstaltet wurden, weil ihr Vater Kommunist und Fabrikleiter war und er sich nicht exponieren wollte. Ihre Oma, die an diesem Gymnasium unterrichtet hat, war dann immer ganz traurig; alle kamen zu den Feiern, nur ihre Enkelin nicht.

Du hast 1980 in Budapest einen Deutschen kennengelernt und bist 1989, nachdem ihr geheiratet hattet, zu Falk nach Ost-Berlin gezogen. Hatten deine Eltern Vorbehalte gegen Deutsche oder Deutschland?

Andrea Dunai: Überhaupt nicht. Mein Vater war Kaufmann, er war bei einer staatlichen Außenhandelsfirma im Teppichexport tätig. Sein Geschäftspartner aus Frankfurt war natürlich ein Deutscher, ein sehr sympathischer Mann, der oft mit seiner Familie bei uns zu Besuch war. Sie hatten eine gute Beziehung zu meinen Eltern. Soweit ich mich erinnern kann, wurde bei uns zu Hause immer positiv von den Deutschen gesprochen.

Du hast erzählt, daß deine Eltern sich gefreut hätten, daß du mit einem Nichtjuden zusammen bist. Das habe ich sonst nie von Überlebenden gehört.

Andrea Dunai: Meinen Eltern war Falk gleich sympathisch; ihnen war es egal, welcher Religion er angehörte und ob er Deutscher oder beispielsweise Franzose war. Meine Mutter fand es sogar gut, daß ich einen Nichtjuden geheiratet habe. Warum sollen die Juden in einem Ghetto, das heißt immer unter sich, bleiben? Man muß da raus, meinte sie. Ich finde, das ist eine ungesunde Einstellung, oder zumindest keine normale. Ich habe das vorher nie von einem Juden oder einer Jüdin gehört. Ich kenne nur Fälle, wo die Eltern gegen solche Beziehungen waren. Einerseits war meine Mutter auch gegen diese Beziehung, aber nicht, weil Falk kein Jude ist, sondern weil ich seinetwegen von zu Hause wegging und wir nicht gleich geheiratet haben. Manchmal, wenn meine Mutter mit Falk unzufrieden war, konnte man von ihr Bemerkungen wie »Ach, so ein Faschist« hören, was sie sonst nie sagte.

Belinda, sind deine Eltern auch KZ-Überlebende?

Belinda Cooper: Mein Vater ja; meine Mutter nicht. Ich bin in New York aufgewachsen und vor vier Jahren nach Deutschland gekommen; ein Jahr habe ich in Bonn gewohnt. Andrea und ich haben einige Gemeinsamkeiten in bezug auf unsere Eltern festgestellt, zum Beispiel haben wir größere Schuldgefühle unseren Eltern gegenüber als andere Kinder, oder dieses Überbeschütztwerden. Du, Andrea, wuchst vielleicht noch etwas beschützter auf als ich, weil du keine Geschwister hast. Ich hatte Gottseidank noch einen Bruder, und meine Mutter ist keine Überlebende.

Als *eine* Auswirkung dieses Überbeschütztwerdens sehe ich, daß wir uns nichts zutrauen. Andrea hatte anfangs in Berlin zum Beispiel weniger Selbstvertrauen als jetzt. Seitdem hat sich viel verändert. Ich denke, die Trennung von den Eltern ist sehr wichtig.

Andrea Dunai: Am Anfang kommt mir das meiste fast immer recht schwierig vor. Auch meine Mutter sieht überall nur Probleme und Hindernisse; das habe ich leider von ihr übernommen. Oder diese Ängste, daß beispielsweise die Wohnung ausgeräumt oder das Auto auf der Straße geklaut wird. Meine Eltern haben zwei Alarmanlagen in der Wohnung und ungefähr vier Sicherheitsschlösser...

Belinda Cooper: Wir Kinder durften nie etwas machen, obwohl mein Vater auf der andern Seite viele Probleme damit hatte, daß wir so unselbständig waren. Er hatte diese Angst der Holocaust-Überlebenden, daß die Kinder in Gefahr kommen, und er wollte immer alles im Griff haben.

Andrea Dunai: Das war bei mir ähnlich: Ich durfte zum Beispiel nicht schwimmen gehen oder Fahrradfahren, weil es angeblich gefährlich sei. Andererseits ins Ausland zu reisen oder nach dem Studium abends Sprachstunden zu geben, das war möglich. Hierbei spielte sicher auch eine gewisse Konventionalität meiner Mutter eine Rolle. Was von der Gesellschaft akzeptiert wurde, mußte ich sogar machen, und was nicht, das war ausgeschlossen.

Ist Ungarn für dich immer noch deine Heimat?

Andrea Dunai: Ja. Aber ich hab mich eigentlich mit dieser großen Frage – Heimat oder nicht Heimat – nie richtig beschäftigt. Wenn ich hier bin, fühle ich mich hier wohl und zu Hause, und wenn ich in Ungarn bin, wo mir alles so vertraut ist, kann ich mir nicht recht vorstellen, nicht mehr dort zu leben.

Andrea, du bekommst bald ein Kind. Wirst du es jüdisch erziehen, und hast du Probleme damit, daß es in Deutschland groß wird?

Andrea Dunai: Konkrete Vorstellungen über die Erziehung habe ich noch nicht, aber daß es ein großes Problem wird, das ahne ich schon, weil ich mich sicher nicht durchsetzen kann. Ich kann mir allerdings vorstellen, daß ich beispielsweise beides feiere, Chanukka und Weihnachten; das fände ich eine gute Lösung.

Hat sich in deinem Selbstverständnis als Jüdin etwas geändert, seitdem du in Deutschland bist? Hast du hier – du bist meist in Ostdeutschland gewesen – Antisemitismus gespürt?

Andrea Dunai: Ich glaube, daß sich mein Selbstverständnis als Jüdin nicht besonders geändert hat. Jüdin zu sein heißt für mich, daß ich diese Religion und Tradition so weit wie möglich weiterpflege und weitergebe.

Das war in Ungarn so und ist jetzt auch so. Früher hat man allerdings in Ungarn nicht viel über diese Themen – Juden oder Nichtjuden – geredet. In Budapest leben fast 90 000 Juden, das sind etwa 90 Prozent der ungarischen Juden, aber es gab früher zum Beispiel nur eine einzige jüdische Zeitung, eine Wochenzeitung, die überhaupt keine Bedeutung hatte. Jetzt gibt's schon fünf oder sechs jüdische Zeitungen und viele neue Organisationen. Geredet hat man beispielsweise auch nicht über die ehemaligen ungarischen Faschisten, die sich nach dem Krieg zu Scheinkommunisten gewandelt hatten. Weil sehr viele Kommunisten Juden waren, sind in Ungarn heute, wo plötzlich niemand mehr Kommunist gewesen sein will, auch wieder antisemitische Sprüche zu hören.

In Deutschland habe ich Gleichgültigkeit, aber keinen direkten Antisemitismus gespürt. Daß man über die Vergangenheit nicht mehr sprechen will, es für langweilig oder unwichtig hält. Andererseits haben wir einen Freund, der garantiert irgendwann in jedem Gespräch sagt: »Juden in Deutschland? Soll ich jetzt mit einem Schuldgefühl rumlaufen?« Und das, obwohl er mich persönlich sehr gern hat. Neulich fragte er mich, wieso die russischen Juden ausgerechnet nach Deutschland kommen, wenn sie mit den Deutschen so unzufrieden seien? Ich versuchte es ihm zu erklären, aber wenn er immer wieder dasselbe sagt, glaube ich nicht, daß es viel hilft.

Belinda, in was für einer Familie bist du großgeworden, und bist du jüdisch aufgewachsen?

Belinda Cooper: Mein Vater stammt aus Oberschlesien, einer Gegend, die stark deutsch geprägt war; vor dem Krieg hatte er in Krakau studiert. Er war im KZ und ist nach dem Krieg fünf Jahre in Deutschland geblieben, bevor er nach Amerika ging. Meine Mutter ist Amerikanerin, achtzehn Jahre jünger als mein Vater. Ihre Eltern kamen aus Ungarn, dem heutigen Rumänien.

Solange ich nicht hier wohnte, hat mein Vater eigentlich keine Probleme mit Deutschland gehabt, das heißt er hat zumindest keine Vorurteile verbreitet wie die meisten amerikanischen Juden, für die Deutschland absolut tabu ist. Er hat mich nicht davon abgehalten, nach Deutschland zu gehen, aber er hat mich davor gewarnt, mich mit deutschen Männern einzulassen. Er sagte immer wieder zu mir: »Du sollst nicht vergessen, wer du bist, Belinda.« Ein deutscher Mann, das wäre das Ende.

Mein Vater war in Polen Bundist[1] und ist in der osteuropäischen jiddischen und sozialistischen Kultur aufgewachsen. Er hat mich zuerst in die jiddische Sonntagsschule geschickt, wo wir Jiddisch und jiddische Lieder lernten, und dann in ein bundistisches Sommerlager, wo es sehr antizionistisch zuging. Israel war dort tabu. Ich war dort fünf Jahre lang jeden Sommer, und mit sechzehn haben mich meine Eltern nach Israel geschickt, weil mein Vater eigentlich kein Antizionist war. Er will zwar nicht in Israel leben, aber auch für unsere Familie ist Israel ziemlich wichtig.

Wie war das für deinen Vater, als du zu einem Jiddisch-Festival nach Krakau gefahren bist? Ich kenne Juden, und gerade polnische Juden, die Polen gegenüber zum Teil noch heftigere Ressentiments haben als den Deutschen gegenüber.

Belinda Cooper: Ich habe als Kind wirklich viel mehr Negatives über Polen gehört als über Deutschland. Vielleicht bin ich deshalb relativ unbeschwert nach Deutschland gekommen. Als ich das erste Mal mit meinem Vater vor vier Jahren in Polen war, war ich sehr erstaunt, daß die Leute eigentlich normal, nett und freundlich waren. Irgendwie hatte ich es nicht erwartet, weil mein Vater wirklich viel Schlechtes erzählt hatte.

Das Komische war, daß ich in Polen merkte, daß er eigentlich sehr polnisch ist; anders als viele Juden kann er die Sprache perfekt, obwohl Jiddisch seine Muttersprache war. Jetzt hat er eine gute Beziehung zu Polen, weil er nette Leute dort kennengelernt hat. Gleichzeitig hat er alle möglichen Eigenschaften, wie Ordentlichkeit, Sauberkeit und Pünktlichkeit, die sehr deutsch sind. Und wie viele Juden hat er eine bestimmte Achtung vor Deutschland.

Du hast bisher hauptsächlich über deinen Vater geredet, weil er Überlebender ist. Aber welche Rolle hat deine Mutter in deiner Familie gespielt, zum Beispiel bei deiner Entscheidung, nach Deutschland zu gehen?

Belinda Cooper: Meine Mutter hatte nichts dagegen, daß ich nach Deutschland ging. Ich rede weniger von ihr, wir haben ein wunderbares Verhältnis, aber sie ist einfach kein Problem für mich, wie es Holocaust-Überlebende sind. Wenn es meine Mutter nicht gäbe, wenn ich zwei Überlebende als Eltern hätte, wäre ich viel verrückter geworden.

Hat deine Mutter ihr ungarisches kulturelles Erbe weitergegeben?

Belinda Cooper: Eigentlich nicht. Als ich 1984 in Budapest war, habe ich zum ersten Mal etwas von diesem ungarischen Erbe mitgekriegt und war total begeistert! Die Eltern meiner Mutter waren typische Immigranten der Vorkriegszeit. Sie wollten sich von ihrer Vergangenheit loslösen, sie konnten kein richtiges Englisch sprechen, aber auch kein richtiges Ungarisch und Jiddisch mehr.

Bedeutet der Weg, den du eingeschlagen hast, daß du ein Stück zu deinen europäischen Wurzeln zurückgekehrt bist?

Belinda Cooper: Ich denke, das stimmt. Osteuropa hat mich immer fasziniert; deswegen bin ich auch in die DDR gegangen. Gut, ich bin in Amerika aufgewachsen, und wenn man dort groß wird, bist du wirklich Amerikanerin, aber die europäischen Wurzeln liegen nur eine Generation zurück. Ich kenne viele amerikanische Juden, die wie ich in Berlin leben. Ich bin froh, daß ich das alles gesehen habe, wovon mein Vater immer geredet hat. Und daß mein Vater sehr deutsch und sehr polnisch ist, hätte ich vorher nicht gewußt. Das hilft, um eine Identität zu bilden. Und dann versteht man die Eltern auch besser.

Haben sich dein jüdisches Selbstverständnis und deine Haltung zu Deutschland geändert, seitdem du hier lebst?

Belinda Cooper: In Deutschland ist man vielleicht etwas jüdischer als zu Hause. Natürlich weißt du auch in New York, was du bist, aber du denkst nicht so viel darüber nach. Dort – ähnlich wie in Budapest – gibt es überall Juden, es ist ganz normal. Es ist leichter, jüdisch zu sein, wenn viele andere es auch sind. Aber auch in den USA war meine Situation ein bißchen anders als bei andern Juden, weil mein Vater Überlebender ist. Man ist eine Ausnahme und wird immer wieder daran erinnert.

Wenn Deutsche mitkriegen, daß ich jüdisch bin, wollen sie erzählen, was ihre Großeltern im Krieg gemacht haben, wie sie darüber nachdenken und so weiter. Das finde ich eigentlich nicht schlecht.

Ich bin nicht hier aufgewachsen, deshalb kann ich vielleicht ein biß-chen unbeschwerter damit umgehen. Es ärgert mich nicht so sehr, um »Absolution« gebeten zu werden, wie es deutsche Juden zu ärgern scheint.

Ich finde es traurig, daß manche amerikanische Juden nicht bereit sind, genauer hinzugucken, wenn es um Deutschland geht. Deutsch-land hat einfach ein negatives Image. Dabei werden leicht Dinge übersehen, die anderswo möglicherweise viel schlimmer sind. Sicher, wenn man Deutschland kritisieren will, kann man ganz viel kritisie-ren, aber man soll wenigstens das Richtige kritisieren. Ich glaube wirklich, daß Antisemitismus in Deutschland gerade nicht das größte Problem ist. Man muß jetzt als Jude anerkennen, daß schwarze Men-schen nicht mehr ohne Gefahr auf die Straße gehen können; daß es im Moment hier viel mehr Rassismus als Antisemitismus gibt, gegen den man angehen muß. Wenn Schwarze angegriffen werden, ist es kein großer Schritt zu antisemitischer Gewalt. Intoleranz ist Into-leranz.

Dieses Interview wurde 1991 geführt.

1 Bundist: Anhänger des Allgemeinen jüdischen Arbeiterbundes für Litauen, Rußland und Polen, kurz »Bund« genannt. Der Bund wurde 1897 in Wilna von jüdischen Proletariern gegründet und war bis zum Ersten Weltkrieg die stärkste Arbeiterpartei in Osteuropa überhaupt. Die Bundisten setzten sich für politische, nationale und soziale Gleichberechtigung der Juden und gleich-zeitig für die Bewahrung der jüdischen Kultur ein.

Miccaela Potter-Dulva
und Jocelyn K. Anker
Kartoffelfresser

Als ich erwachte, war jeder Winkel der Wohnung noch immer erfüllt
vom Duft des vorabendlichen Apfelstrudels. Ich war förmlich in eine
Zimtdecke eingehüllt und sog das delikate Aroma mit jeder Pore ein.
Wir hatten ein richtiges Pessachmahl gehabt, den ersten Seder ohne
Mutter. Ich hätte nie erwartet, daß alles genauso gut gelingen würde
wie bei ihr.

   Der erste Gang bestand aus einer Matzeknödelsuppe: einer würzi-
gen klaren Brühe mit herzhaften Knödeln – nach einem besonderen
Rezept meiner Mutter, das sie wiederum von ihrer Mutter geerbt
hatte. Als zweiten Gang gab es »gefilte Fisch«. Mutter hatte sich
immer beklagt, daß die Zubereitung so schwierig sei. Nach stunden-
langem Hacken und Schneiden von glitschigen Fischteilen verstand
ich sie zum ersten Mal. Dann kam eine Kombination aschkenasischer
und sephardischer Hauptgerichte. Ein riesiger Truthahn mit knacki-
gem, grünem Salat, aber statt mit einer traditionellen Kartoffelbeilage
feierten wir Pessach mit den ach so köstlichen Reisgerichten. Mutter
kochte immer meine Lieblingsvariante: Artischockenstämme,
Knoblauch, frischen Oregano und Basilikum, alles zusammen in
einem großen Topf mit Reis gedünstet. (Eine Prise Salz nicht zu vergessen!)

   Mein Vater war ein sephardischer Jude, der jedoch kaum Interesse
an jüdischer Tradition zeigte. Ganz anders meine Mutter: Sie legte
immer Wert darauf, beide Traditionen, die sephardische und die
aschkenasische, zu pflegen – ich sollte nie vergessen, wer ich bin und
woher ich komme. Die Mutter meines Vaters hatte ihr beigebracht,
italienisch-sephardische Gerichte zu kochen, und mein Großvater
sang mit ihr sephardische Lieder. Mit ihrer tiefen, vollen Stimme ver-

wandelte sie selbst das Alltäglichste in etwas Magisches. Ich konnte ihr stundenlang zuhören, egal ob sie mir Lieder vorsang, Geschichten erzählte oder vorlas. Doch leider hatte ich dieses Vergnügen viel zu selten. An Pessach war das allerdings etwas anderes. Nach ein paar Gläsern Wein, die sie nur zu Festtagen trank, zerbrach ihr starrer, abwesender Blick, und mit einem strahlenden Lächeln schaute sie mich träumerisch an. Für mich war das wie ein unerwarteter Schauer im Hochsommer.

Ungefähr zehn Jahre war ich alt, als wir von Sizilien nach Berlin zogen. Vater hatte sein kleines Weingut verkaufen müssen, da nur noch Großgrund-(Mafia-)Winzer vom Weinanbau leben konnten. Einige seiner Freunde aus den Nachbardörfern lebten schon in Deutschland. Sie erzählten uns, daß im deutschen »Wirtschaftswunderland« Gastarbeiter gesucht würden, und daß man dort viel Geld verdienen könnte – jedenfalls mehr als in Italien. Vater wollte auch sein Glück versuchen. Mutter allerdings war alles andere als begeistert von der Idee. Obwohl sie die Vorteile und die Gründe, die dafür sprachen, kannte, wußte sie nicht, ob sie wieder in Deutschland würde leben können.

Auch ich hatte wenig Lust auf den Umzug. Ich wollte weder meine vertraute Umgebung verlassen noch die gewohnte Routine, die mein Leben in »Ordnung« hielt. Ordnung war für mich sehr wichtig. Mutter ließ sich von ihren Stimmungen treiben, und nie wußten wir, wann Vater nach Hause kommen würde. Wenn er kam, war er meistens kurz angebunden. Entweder wurden wir nicht besonders beachtet oder es gab Streit zwischen Mutter und ihm. Ich wußte nie, was mich zu Hause erwartete, wenn ich aus der Schule kam. Deswegen bedeutete Routine nicht nur Ordnung, sondern auch Trost. Routine war für mich wie ein Stück Sandpapier, mit dem man eine rauhe, unebene Holzfläche in eine glatte verwandeln konnte, die sich schön anfühlte.

Ich hatte Angst vor dem neuen Leben in Deutschland. Doch obwohl ich viel Schlimmes gehört hatte, wollte ich mir mein eigenes Bild machen. Ich wußte zwar nicht genau, was mit Mutter dort passiert war, nur so viel, daß es schrecklich gewesen sein mußte. Ich wußte auch, daß unsere Nachbarn die Deutschen nicht mochten. Darum bezeichnete sich Mutter immer als Israelin, aber für die Nachbarn war sie stets nur »die Deutsche«. Sie verstanden auch nicht, warum mein Vater sie überhaupt geheiratet hatte. Nicht nur war sie deutsch, sondern auch nicht gerade eine Schönheit. Sie konnten sich nicht vorstellen, warum ein so gutaussehender Mann wie mein Vater so ein blasses, mageres »Weib« zur Frau genommen hatte, wo er doch jederzeit die Wahl unter den schönsten und vielleicht reichsten Töchtern des Dorfes gehabt hätte.

Die Diskussionen über den Umzug schienen überhaupt kein Ende zu nehmen. Nachdem die Entscheidung endlich gefallen war, fuhr Vater nach Berlin, um Arbeit und eine Unterkunft zu finden. Etwa zwei Wochen vergingen, ehe wir von ihm hörten. Es war ein Mittwoch. Ich erinnere mich deswegen so genau daran, weil Mittwoch mein Lieblingstag war. Aufregende oder schöne Sachen schienen immer mittwochs zu passieren. In Italien war am Mittwochnachmittag schulfrei. Das bedeutete einen ganzen Nachmittag allein mit Mama. Ich liebte diese Zeit mit ihr, noch mehr als eine Portion Pistazieneis, die es nur ganz selten zum Nachtisch gab.

Manchmal saßen Mama und ich nur herum und redeten. Sie machte uns Zitronenlimonade und erzählte mir von ihrer Kindheit in Deutschland. Ich war immer neugierig und wollte alles ganz genau wissen. Ich dachte, eines Tages würde ich ein wandelndes Geschichtsbuch werden. Aber Mamas Geschichten brachen oft sehr unvermittelt ab, sie schien dann verstört, und das verwirrte mich wiederum. An einem dieser Nachmittage begannen wir mit unseren Hebräischstunden. (Bevor sie meinen Vater heiratete, hatte meine Mutter einige Jahre in Israel gelebt, wo sie Hebräisch lernte.) Eine dritte Sprache zu lernen brachte mich ziemlich durcheinander. Dennoch genoß ich jede Sekunde mit ihr.

An diesem speziellen Mittwoch fand unser Hebräischunterricht draußen statt, denn es war ein schöner, sonniger Frühlingstag. Der Kräutergarten gab sein Bestes, Oregano und Basilikum dufteten um die Wette und erinnerten mich an Mutters Kochkünste. Das Wasser lief mir im Mund zusammen. Wenn eine kleine Brise über den Garten strich, mischte sich der frische, herbe Kräuterduft mit dem süßeren der Jasminblüten.

Plötzlich machte eine laute, aufgeregte Männerstimme dem Frieden ein jähes Ende. Wir sahen, wie ein Mann vom anderen Ende des Gartens auf uns zukam. Es war der Besitzer der einzigen Wirtschaft im Dorf, wo sich die alten Männer zum Kartenspielen, Weintrinken und Fernsehen trafen. »Signora, Ihr Mann hat gerade aus Deutschland angerufen. Er hat eine Arbeit und ein Zimmer gefunden. Sie sollen so bald wie möglich nachkommen. Er versucht, in zwei Stunden nochmal anzurufen, aber es kann sein, daß er nicht durchkommt.« Mit diesen Worten verschwand er.

Wir nahmen die unterbrochene Hebräischlektion wieder auf, aber etwas hatte sich verändert: In Mutters Blick spiegelte sich eine unendliche Trauer, Ratlosigkeit und eine unbestimmte Sehnsucht wider. Mit ihrer Konzentration war es vorbei. Schließlich sagte sie, daß ihr kühl sei und sie sich eine Jacke holen wolle.

Während ich draußen auf sie wartete, hing ich meinen Träumen nach. Wie schon oft in der letzten Zeit fragte ich mich, wie das Leben in Deutschland wohl sein würde. Immer Deutsch zu sprechen und nicht nur wie jetzt mit Mama, zu Hause. Oh, mein Gott, eine deutsche Großstadt – wie sieht sie wohl aus? Viele Lichter, Autos und eine U-Bahn – ein Zug, der unter der Stadt fährt. Ich konnte mir das gar nicht vorstellen: eine Stadt mit Straßen oben und unten. Werde ich schnell Freunde finden? Wie wird die Schule sein? Tragen die Kinder auch Uniformen wie in Italien? Stimmt es, daß Jungen und Mädchen zusammen in die gleiche Klasse gehen? Und das Essen? Können wir Pasta kaufen? Meine Mutter erzählte mir, daß man in Deutschland zu allem Kartoffeln ißt. Also gibt es schon zum Frühstück Kartoffeln und Brot zusammen? Ach, geliebte Pasta, eines Tages treffen wir uns wieder!

Da ertönte die Stimme meiner Mutter vom Küchenfenster. Ich sollte mich bereitmachen, um mit ihr ins Dorf zu gehen und auf den Anruf meines Vaters zu warten. Jetzt erst fiel mir auf, wie lange es her war, seitdem sie aufgestanden war, um ihre Jacke zu holen.

Berlin war überhaupt nicht so, wie ich es mir vorgestellt hatte. Sicher, es war eine Großstadt, aber es gab viele Parks mit Bäumen, Rasenflächen, ordentlichen Blumenbeeten und kleinen Kanälen. Besonders hatte es mir der Tiergarten angetan. Da wir ziemlich weit weg vom Tiergarten wohnten, konnten wir nicht oft hingehen. Aber wenn wir dort waren, fand ich es herrlich. Es war eine Gelegenheit, der engen Wohnung in Haselhorst zu entkommen, und weil der Tiergarten so nah beim Kurfürstendamm ist, war manchmal ein Ku'dammbummel damit verbunden. Der Ku'damm allein hatte mehr Geschäfte als ganz Palermo.

Alles im Berliner Stadtzentrum erschien mir königlich. Neben den hohen Neubauten mit glänzenden, spiegelnden Fensterfassaden gab es Seitenstraßen mit Kopfsteinpflaster, das die Berliner daran erinnerte, daß die Stadt während des Krieges nicht ganz zerstört worden war. Mich faszinierte es, daß eine Stadt gleichzeitig so alt und so neu sein konnte.

Obwohl mir Berlin selbst gut gefiel, traf das auf mein Einleben in der Schule schon weniger zu. Keine Schuluniformen, gemischte Klassen – das ging ja einigermaßen, aber leider mußte ich Nachhilfeunterricht in Deutsch nehmen. Ich versuchte, mit meinen Mitschülern Freundschaft zu schließen, aber so kurz vor den großen Ferien redeten alle nur davon, wohin sie mit ihren Eltern fahren würden. Zu Hause war es auch nicht besser. Vater kam spät von Siemens heim, da er oft doppelte Schichten arbeitete. Seinen Feierabend verbrachte er statt mit uns lieber mit seinen italienischen Arbeitskollegen. Mir war das ziemlich egal, außer wenn meine Eltern sich deshalb stritten, und da wir in einer Einzimmerwohnung lebten, wachte ich fast jede Nacht davon auf. Am nächsten Morgen in der Schule war ich so müde und unkonzentriert, daß mir die Augen zufielen, was mich bei den Lehrern und Lehrerinnen nicht beliebter machte. Ich war erleichtert, als die Sommerferien anfingen.

Oft wünschte ich mir, wir wären nie nach Deutschland gezogen, denn mit jedem Tag wurde Mutter verschlossener und distanzierter. Als wir noch in Italien lebten, das mir auf einmal wie ein verlorenes Paradies erschien, war sie viel zugänglicher gewesen, und manchmal hatte ich sie sogar zum Lachen bringen können. Aber hier, im Land der Kälte, versuchte ich vergeblich, das Unmögliche möglich zu machen.

Das erste Ferienwochenende kam und es gelang mir, Mutter zu einem Picknick im Tiergarten zu überreden. Seit wir in Berlin waren, hatten wir unsere Hebräischstunden dem Alltagsstreß opfern müssen. Aber aus irgendeinem Grund beschlossen wir spontan, den Hebräischunterricht wieder aufzunehmen. Da waren wir also. Mama saß mir gegenüber und bat mich, italienische Wörter zu übersetzen, da eine Übersetzung vom Deutschen ins Hebräische noch zu schwer für mich war. Nach einer Weile fiel uns auf, daß eine andere Familie, die in unserer Nähe saß, ständig zu uns rüberguckte. Mutter wurde nervös, was ich daran merkte, daß sie alles um sich herum aufräumte. Nicht daß wir das Starren an sich als etwas Besonderes empfunden hätten. Eines hatte ich schon gelernt: Deutsche starren gerne, Erwachsene genauso wie Kinder. Aber dies hier war anders. Es fehlte diese unterschwellige Mißbilligung. Schließlich erhob sich der Mann und näherte sich uns – lächelnd, in freundlicher Absicht.

»Entschuldigen Sie die Störung, aber uns ist aufgefallen, daß Ihre Tochter etwa im gleichen Alter ist wie unsere. Sie beklagt sich, daß sie niemanden zum Spielen hat, und meine Frau und ich sind ihr zu langweilig. Deborah hat sich nur nicht getraut, selber zu fragen.« Mein Herz schlug schneller. Ich hatte nicht mehr richtig mit anderen Kindern gespielt, seitdem ich Italien verlassen hatte. Ich war so begeistert, daß mir mein freudiges »Oh ja« sogar im Halse stecken blieb. Als Mutter mich fragend anblickte, konnte ich gerade noch nicken. »Na, das wird unsere Deborah aber freuen«, sagte der Mann lächelnd und sein Grinsen wurde noch breiter. »Und Sie, darf ich Sie zu einem Kaffee einladen? Meine Frau und ich würden uns freuen.«

»Danke, gerne«, antwortete meine Mutter. Sie erhob sich langsam, und mit unseren Sachen folgten wir dem Mann zu einer Linde, wo seine Frau und seine Tochter uns bereits erwarteten. Anfangs war Mutter zwar immer noch nervös, aber ich wollte die Gelegenheit nutzen. Deborah hatte ein Federballspiel von zu Hause mitgebracht, und wir verschwanden, um zu spielen. Mutter konnte schließlich auf sich selbst aufpassen! Als wir nach einer Weile zurückkamen, fand ich Mutter so vergnügt und entspannt wie schon lange nicht mehr. Sie und Deborahs Eltern lachten, daß es schon von weitem zu hören war. Einen Grund für ihre Heiterkeit konnte ich zwar nicht erkennen, aber ich freute mich, daß sie solchen Spaß hatte. Es war das erste Mal, daß ich Mama in Berlin so lachen sah.

Später erzählte sie mir, was passiert war. In ihrer Nervosität hatte sie dem Mann aus Versehen eine Tasse Kaffee über das Hemd geschüttet. Während sie sich bemühte, das Malheur zu beseitigen, stieß sie noch eine zweite Tasse um und tränkte die Decke mit Kaffee. Mutter war das Ganze natürlich sehr unangenehm und sie haßte sich für ihre Tolpatschigkeit. Aber die beiden nahmen es mit Gelassenheit und waren weiterhin freundlich. Als der Mann sein Hemd auszog, sah Mutter die Nummer auf seinem Arm – genau wie bei ihr.

Deborah und ich freundeten uns schnell an, und Mutter mochte Deborahs Eltern. Die Cohens waren die erste jüdische Familie in Deutschland, die ich kennenlernte. Bislang hatte ich immer angenommen, alle jüdischen Familien seien wie wir. Jetzt merkte ich allerdings, daß wir nicht der Regel entsprachen. Das fing schon beim Essen an. In Frau Cohens Kochtöpfen ging es sehr deutsch zu. Mir tat Deborah fast ein bißchen leid, daß sie immer diese mehligen, halb zerfallenen Salzkartoffeln essen mußte und ihre Mutter nicht wußte, wie man leckere Reisgerichte kocht. Andererseits beneidete ich sie darum, daß sich ihre Eltern so gut verstanden.

Wenn wir uns mit den Cohens trafen, besuchten wir sie in ihrer Wohnung, denn bei uns war es zu eng. Die Cohens wohnten ganz in der Nähe des Tiergartens. Deborah und ich gingen oft in den Park und überließen unsere Eltern ihren Erwachsenengesprächen. Im Park trafen wir auch andere Kinder, mit denen wir »Cowboy und Indianer« oder Fangen spielten. Sobald es dunkel wurde, kehrten wir zu den Cohens zurück, wo es Abendbrot gab.

Vater ging fast nie mit zu den Cohens. Seiner Meinung nach waren sie sowohl zu jüdisch als auch zu deutsch, und außerdem hatte er wenig Lust, herumzusitzen und in deutscher Sprache jüdische »Weltpolitik« zu diskutieren. An einem Tag kam er jedoch mit. Frau Cohen hatte sich alle Mühe gegeben: Es gab Kaffee und selbstgebackenen Apfelkuchen. Vater war aber nicht aus der Reserve zu locken. Er beteiligte sich kaum am Gespräch und saß mit einer demonstrativ gelangweilten Miene da. Als Deborah und ich in den Park gehen wollten, ergriff er die Gelegenheit sich abzusetzen und schloß sich uns an. Ich war zuerst nicht sehr begeistert. Als wir unsere Freunde trafen, stellte ich ihn vor, und sie fragten ihn, ob er mitspielen wolle. »Er kann ja Schiedsrichter sein«, schlug ein Junge vor. Mein Vater hatte nicht richtig verstanden, und ich wiederholte auf italienisch, was der Junge gesagt hatte. Vater war damit einverstanden. An diesem Nachmittag hatte ich mehr Spaß mit ihm als jemals zuvor. Zum ersten Mal war ich stolz auf ihn.

Beim nächsten Mal im Tiergarten bestürmten mich die Kinder mit Fragen. »Wo kommt dein Vater her?« »Was für eine Sprache hast du mit ihm gesprochen? Versteht der kein Deutsch oder was?« »Ist der doof?« Schließlich hatte ich die Schnauze voll und brüllte: »Nein, mein Vater ist nicht doof, der versteht bloß nicht immer eure blöde Sprache!« »Und welche blöde Sprache versteht er dann?« »Italienisch«, sagte ich ganz laut. »Ach, so'n Itaker – ein Spaghettifresser«, sagte der Junge, der meinen Vater gefragt hatte, ob er Schiedsrichter sein wolle. Und alle Kinder schrien im Chor: »Spaghettifresser, Spaghettifresser, geh doch raus! Spaghettifresser, Spaghettifresser, geh endlich nach Haus!« Sie lachten und johlten.

Hilfesuchend wandte ich mich an Deborah. Aber sie stand nur mit hängenden Armen da und starrte betreten auf ihre Schuhe. Ein Bild der Ratlosigkeit. Ich wußte auch nicht weiter. Irgendwie wollte ich die Beleidigung zurückgeben, bevor ich einen Abgang machte. »Kartoffelfresser« war das einzige, was mir einfiel, aber das reichte irgendwie nicht. Also schrie ich »Scheiß Kartoffelfresser« und verließ dann fluchtartig den Park. Deborah lief hinterher. Heulend vor Wut traf ich mit ihr bei den Cohens ein, fest entschlossen, nie wieder in den Tiergarten zu gehen. Auf die Fragen der Erwachsenen erzählte ich, was vorgefallen war. Ein Augenblick des Schweigens folgte. Meine Mutter sagte voller Bitterkeit: »Tja, so ist das halt in Deutschland.« In diesem Moment konnte ich sie wirklich nicht leiden. »Wenn das in Deutschland so ist, warum habt ihr mich dann hierher geschleppt?« Ich schluckte. Frau Cohen sah deutlich, daß Mutters Kommentar und ihr Schweigen nicht geeignet waren, mich zu beruhigen. Sie nahm mich bei der Hand und setzte sich neben mich auf die Couch.

»Ich will dir mal was erzählen«, begann sie. »Etwa vor einem Jahr ist unserer Deborah etwas Ähnliches passiert. Ein Klassenkamerad hat sie gefragt, warum sie nicht in die Religionsstunde gehe, und sie hat ihm geantwortet: Weil sie Jüdin sei und anderen Religionsunterricht habe. Daraufhin sagte er: ›Ach so, du gehörst auch zu den Leuten, die Jesus umgebracht haben.‹ Wütend antwortete Deorah: ›Bis jetzt habe ich noch niemanden umgebracht.‹ Danach kam sie auch heulend nach Hause. So etwas hatte sie bis dahin noch nie erlebt. Ich erklärte ihr, daß manche Menschen sie nicht mögen oder über sie lachen und spotten werden, sei es, weil sie jüdisch ist oder aus irgendeinem andern Grund. Die Leute finden immer einen Anlaß, um gemein zu sein. Nun zu dir, Giovanna. Heute wurdest du angegriffen, weil du italienisch bist, und morgen kann dir das passieren, weil du Jüdin bist, und übermorgen vielleicht, weil du zwei linke Hände hast. Was immer sie auch finden mögen, sei stolz auf dich und das was du bist. Glaub mir, es gibt eine Menge, worauf du stolz sein kannst. Ich gebe dir einen Rat: Halte trotz allem deinen Kopf hoch und zeig deinen Schmerz auf keinen Fall, denn es gefällt ihnen, dich leiden zu sehen. Sie wollen dich zerbrechen. Laß das nicht zu!« Frau Cohen nahm mich tröstend in die Arme. Es tat gut, von jemandem verstanden zu werden.

In meiner Freizeit, die ich meist mit Deborah verbrachte, probierten wir viele Eisdielen aus. Mit der Zeit gab es immer mehr italienische Eisdielen, und dort ließ ich mein spärliches Taschengeld. Bald fanden wir ein Eiscafé, ganz in der Nähe des Kurfürstendamms, wo es das beste Pistazieneis in Berlin gab. Und auch einen süßen italienischen Kellner, der immer richtige italienische Musik spielte und nicht diese »eingedeutschten« Schlager wie »Caprifischer« oder »Zwei kleine Italiener«. Wenn unser netter Italiener da war, bestellte ich unser Eis auf italienisch. Er gab uns immer extragroße Portionen.

Als wir eines Tages hinkamen, platzten wir mitten in einen heftigen Streit zwischen dem deutschen Besitzer und unserem Kellner. Während wir uns hinsetzten, wurden die Stimmen immer lauter. Schließlich beendete der Italiener die Szene, indem er seine Schürze abriß, sie seinem Chef vor die Füße warf und an uns vorbei aus dem Laden stürmte. Der Deutsche bückte sich mechanisch, hob die Schürze auf und stand einen Moment lang nachdenklich da. »Verfluchter Itaker – diese Scheiß Spaghettifresser«, murmelte er vor sich hin. Dann drehte er sich herum und fragte uns ganz freundlich: »Na, was kann ich für euch junge Damen tun?« »Nichts mehr, vielen Dank.« Wir standen auf und gingen. Trotz des hervorragenden Pistazieneis gingen wir niemals wieder hin.

Die Zeit verging, und es gab einige Veränderungen. Durch die Cohens bekam Mama eine Stelle bei der Jüdischen Gemeinde, und wir zogen in eine größere Wohnung in Charlottenburg. Wegen Mamas neuer Arbeit besuchten wir die Cohens leider nicht mehr so oft, allerdings sah ich Deborah jeden Tag, da meine Mutter mich in der gleichen Schule angemeldet hatte, die auch Deborah besuchte. Was mir dort nicht gefiel war, daß wir nach den Sommerferien einen Aufsatz über unsere Ferienerlebnisse schreiben mußten, und viele Kinder schrieben über ihre tollen Reisen. Einige aus meiner Klasse waren mit ihren Eltern sogar in Italien gewesen. Auch ich wäre gerne hingefahren, aber wir hatten nicht genug Geld dafür. Meine Mitschüler schrieben begeistert über die schöne Adriaküste und die schicke italienische Mode. Sie dachten, nur weil sie an irgendeinem Strand gelegen hatten, würden sie Italien kennen! Ich fand, sie hatten einfach keine Ahnung. Aber wenn sie in Italien alles so toll fanden, wieso redeten sie dann hier immer von »Itakern« und »Spaghettifressern«? Diese »Logik« würde ich niemals verstehen.

Florence Levy
Ich bin von meinen Großeltern
sehr moralisch erzogen worden
und habe heute noch Probleme damit

Ich muß sagen, daß ich gegenüber den Deutschen sehr voreinge-
nommen war, bis zu meinen siebzehnten oder achtzehnten Lebensjahr. Ich haßte Deutschland und die Deutschen und hatte Angst vor
ihnen. Die deutsche Sprache mochte ich nicht; ich fand, sie klang
gräßlich. Ich dachte: Wie kann man als Jude in Deutschland leben,
nach allem, was hier passiert ist. Ich bin in Toulouse, in Frankreich,
aufgewachsen und bin kein Kind von Holocaust-Überlebenden, aber
mein Leben lang habe ich mich mit dieser Problematik beschäftigt
und sehr viel über die NS-Zeit gelesen. Schon mit vier oder fünf
Jahren bekam ich Bücher über Konzentrationslager; ich erinnere
mich immer wieder an Bilder von diesen Leichenbergen.
   Trotzdem habe ich mich schließlich entschieden, Deutsch zu lernen. Sicherlich, um meine Familie zu provozieren, aber auch, um mir
die Deutschen einmal selbst anschauen zu können. Schließlich ging
ich als Au-pair-Mädchen für drei Monate nach Deutschland. Ich traf
viele junge Menschen in meinem Alter, die mir gefielen und mit
denen ich Diskussionen führen konnte. Sie hatten oftmals Schuldgefühle wegen der nationalsozialistischen Vergangenheit und wußten
zum Beispiel über Kollaboration besser Bescheid als viele junge
Franzosen, für die die Ermordung von sechs Millionen Juden zumeist
etwas ist, das weit weg liegt.
   Dagegen kann man sich mit Deutschen nicht ernsthaft über Israel
unterhalten. Entweder kommen diese latenten Schuldgefühle hoch,
oder sie wollen unbedingt etwas Schlechtes an Israel herausstellen.
Dann ereifern sie sich und verteidigen die Palästinenser, während sie
keinen Finger gerührt haben, als beispielsweise die Kurden im Irak

massakriert wurden. Manchmal meine ich, man sollte sich gar nicht mehr auf ein Gespräch einlassen, denn sie haben überhaupt keine Ahnung von der Situation in Israel. Und dann kommen immer wieder diese Sprüche: Wie können gerade Juden so etwas machen, sie mit ihrer Geschichte. Das finde ich einfach unakzeptabel. Juden haben eine andere Geschichte, eine strenge Moral und eine Religion, die sehr humanistisch orientiert ist, aber sie sind keine besseren Menschen.

Nach der Au-pair-Zeit kehrte ich nach Frankreich zurück, spürte aber bald, daß ich nach Deutschland zurück wollte, um die Sprache richtig zu lernen und mich ernsthaft mit diesem Land auseinanderzusetzen. So kam ich wieder hierher und fing an, in Tübingen Romanistik und Germanistik zu studieren. Ich habe sehr gern in Tübingen gelebt, fast lieber als in Berlin. Allerdings kannte ich dort überhaupt keine Juden, während ich hier über meinen Arbeitgeber viele russische Juden kennenlernte.

Ich bin in Toulouse bei meinen Großeltern aufgewachsen. Meine Mutter ist Jüdin; mein Vater war Katholik. Aber ich wurde jüdisch erzogen, sogar ziemlich religiös. Alle Fastentage, Feste und der Schabbat wurden strikt eingehalten, ebenso Kaschrut und so weiter. Mein Großvater kam ursprünglich aus Polen und meine Großmutter aus Marokko. Allein eine solche Ehe zwischen Aschkenasim und Sephardim war schon schwierig in Frankreich; eine Ehe mit einem Goj war fast akzeptabler. Daher war das Verhältnis zur jüdischen Gemeinde nicht unproblematisch. Als Kind einer solchen Verbindung hatte man es immer schwer, weil man nicht wußte, wohin man gehörte.

Die Familie meines Großvaters ist vor antisemitischen Pogromen aus Polen geflohen und Ende des neunzehnten Jahrhunderts nach Algerien emigriert. Sie wollten urprünglich nach Frankreich, hörten dann aber, daß sie in Algerien sehr gute Chancen hätten und es dort eine große jüdische Gemeinde gebe. Dort waren sie dann eine sehr angesehene, bekannte Familie. In Ushta, in Marokko, haben sich meine Großeltern kennengelernt; dort wurde auch meine Mutter geboren.

Mein Großvater war ein sehr gelehrter und gütiger Mensch. Er las in der Bibel und diskutierte mit Freunden über jüdische Fragen. Er haßte Rassismus; er hat Deutsche oder Araber nie stereotypisiert. Vor dem Pakt zwischen Stalin und Hitler war er Kommunist. Als die Nachricht von diesem Pakt bekannt wurde, hätte er sich fast umgebracht. Danach wollte er vom Kommunismus nichts mehr wissen, aber er ist Sozialist französischer Tradition geblieben. Er war also, im Gegensatz zu meiner Großmutter, einer einfachen Frau, die fünfundzwanzig Jahre jünger war als er, politisch engagiert.

Meine Großmutter kommt aus einer armen marokkanischen Familie. Sie hat nie etwas reflektiert, hat immer nur schwarz oder weiß gedacht; dazwischen gab es nichts. Zu Hause wurde entweder französisch oder arabisch gesprochen; meine Großeltern haben untereinander Arabisch gesprochen, weil meine Großmutter ja kein Jiddisch konnte.

1962, während des Algerienkrieges, gab es Pogrome gegen Juden, und auch mein Großvater, der ein Geschäft hatte, wurde inhaftiert. Er ist gefoltert und geblendet worden. Einem arabischen Freund, der Kommissar war, verdankt er sein Leben, was er später immer wieder betonte. Danach gingen sie nach Frankreich, mein Großvater blind, er konnte nicht mehr arbeiten. Ich kann mir vorstellen, daß diese plötzliche Armut für meine Mutter, die an einen gewissen Luxus gewöhnt war, ein ziemlicher Schock war. Ich wurde 1963 geboren, kurz nachdem sie nach Frankreich gekommen waren.

Da meine Großeltern selbst sehr religiös waren, konnten sie nicht damit umgehen, daß ihre Tochter ein uneheliches Kind hatte, und das auch noch von einem Nichtjuden. Sie haben sich also geschämt und hatten ein sehr ambivalentes Verhalten mir gegenüber, meine Großmutter noch mehr als mein Großvater. Ich durfte zum Beispiel nicht mit meiner Cousine spielen. Es war wirklich schwierig für mich. Als ich zwölf war, habe ich versucht, mich irgendeiner anderen Religion oder Sekte anzuschließen, weil ich diese Religiosität, die in mir war, nicht richtig leben konnte. Ich fühlte mich durch meine Abstammung ausgeschlossen und hatte Angst, nie eine gute Jüdin zu sein oder daß keiner mich heiraten würde.

Mein Großvater starb, als ich zwölf Jahre alt war. Nach seinem Tod blieb ich allein bei meiner Großmutter. Als sie vor zwei Jahren starb, war das wie eine Erlösung für mich, weil sie mich über ein schlechtes Gewissen an sich gebunden hatte; sie habe mich erzogen, deshalb müsse ich ihr dankbar sein. Sie war sehr tyrannisch und besitzergreifend, gleichzeitig selbstaufopfernd, was auch nicht unbedingt gut ist. Wenn sie mir etwas Schlechtes antat, waren das die Auswüchse ihrer Moral, ihrer Prinzipien.

Als ich bei meiner Großmutter lebte, habe ich meine Mutter vielleicht zweimal im Jahr gesehen, und sie hat jede Woche mal angerufen. Wenn es ihr nicht gut ging, hat sie uns immer sehr schlecht behandelt. Ich habe mich von meiner Mutter regelrecht terrorisiert und psychisch mißhandelt gefühlt, so sehr, daß ich wahrscheinlich noch mein Leben lang damit zu kämpfen haben werde. Auch wurde ich sowohl von ihr als auch von meiner Großmutter geschlagen. Ihre schwere Jugend rechtfertigt nicht, daß sie andere dafür leiden ließen. Als ich geboren wurde, hat meine Mutter zehn Tage lang überlegt, ob sie mich behalten oder weggeben soll. Leider, das sage ich jetzt, hat sie mich behalten. Ich habe mir manchmal gewünscht, sie hätte mich in eine andere Familie gegeben, dann hätte ich vielleicht bessere Voraussetzungen gehabt.

Meine Mutter tat überhaupt nichts für mich oder meine Großmutter. Wir besuchten sie immer einmal im Jahr in Paris. Diese Begegnungen waren ganz schlimm. Ich war dann nur dazu da, um einkaufen zu gehen oder für sie zu putzen. Sie war sehr reich, sie hat als Modell gearbeitet und sehr gut gelebt, während ich wirklich arm aufwuchs. Sie hatte studiert, sprach vier Sprachen fließend, hatte aber ihr Studium abgebrochen. Sie war eine sehr schöne Frau. Ich habe ihr dagegen nicht besonders gefallen. Leider hat sie dann auch nur noch für den Kult der Schönheit gelebt.

Sie schämte sich, ein Kind zu haben. Sie sah sehr jung aus und gab mich in der Öffentlichkeit oft als ihre Schwester oder Nichte aus. Ich bin von meinen Großeltern sehr moralisch erzogen worden, und es war für mich schrecklich, lügen zu müssen. Ich habe heute noch Probleme damit.

Ich habe mein Abitur gemacht und mich danach an der Pariser Uni immatrikuliert. Ich war überzeugt, daß aus mir nichts werden würde, wenn ich bei meiner Großmutter bliebe. Ich wollte weg von dieser Familie, die mich verachtete und von der ich mich immer ausgestoßen fühlte, weshalb ich auch mit etwa fünfzehn Jahren mit dem Judentum brach, beziehungsweise mich nicht mehr so damit identifizierte. Dennoch hat die religöse Seite des Judentums mich sehr stark beeinflußt; dazu kommt eine Identität aufgrund der Geschichte. Heute versuche ich, wieder zur Religion und zur jüdischen Moral zurückzukehren und darin eine Stütze zu finden.

In Frankreich mag man deutsche Juden nicht sonderlich. Ich finde, daß viele nicht würdig mit ihrer Vergangenheit umgehen. Die meisten haben irgendjemanden in der Familie, der Opfer des Nationalsozialismus wurde. Deshalb halten sie sich für etwas besseres als die Deutschen. Sie wollen sich von den Deutschen abgrenzen. Sie lieben zwar die deutsche Kultur und würden nie nach Israel auswandern, aber sie unterstützen die israelische Regierung mit ihrem Geld. Was nicht heißen soll, daß die französischen Juden der israelischen Politik kritischer gegenüber stehen. Aber sie fühlen sich nicht als etwas besseres als die Franzosen.

Andererseits habe ich in Israel deutsche oder russische Juden getroffen, die selbst im Konzentrationslager gewesen sind und ihre Familien verloren haben und die sehr anständig damit umgegangen sind. Sie hatten viel Kontakt mit den deutschen Kibbuz-Volontären. Nur wenn einer von den Volontären direkt gefragt hat, haben sie von ihrem Leid erzählt, aber sie haben nicht immer gleich das Opfer herausgekehrt. Ich habe wirklich etwas von ihnen gelernt. Ich habe kein Recht dazu, jemanden zu verurteilen, der nicht so denkt und zum Beispiel die Deutschen haßt, aber mir imponiert es immer wieder, wenn ein Mensch trotz allem tolerant bleibt. Daß die Schuldigen auch als Schuldige benannt werden, das finde ich richtig, aber man sollte doch versuchen zu differenzieren. Es ist wichtig, die Wahrheit zu sagen und die Sachen anzuprangern, mit denen man sich nicht einverstanden erklären kann, auch wenn es Juden oder den Staat Israel betrifft. Es ist eine Stärke der Juden in der Diaspora und in

Israel, daß sie die verschiedensten Meinungen verkörpern, und sie haben ein Recht dazu, diese auch zu formulieren. Ich finde diesen Pluralismus sehr wichtig.

Was jetzt in Deutschland an rechtsradikaler Gewalt passiert, ist scheußlich. Man hat den Eindruck, die Deutschen wollen nichts dazulernen. Jetzt kommt man mit der Entschuldigung, daß die Ostdeutschen nicht gelernt hätten, mit Rassismus umzugehen. Ich finde, daß es nirgendwo auf der Welt eine Rechtfertigung dafür gibt, rassistisch zu sein, und am allerwenigsten rechtfertigt es Gewaltanwendung. Ich habe für diejenigen, die nach der Wiedervereinigung den Nationalismus entdeckt haben, kein Verständnis. Ich bin enttäuscht und wütend auf die deutsche Regierung. Für mich ist es undemokratisch, wenn Gewalt von staats wegen toleriert wird. Was macht man als Jude oder als jemand, der diese Politik nicht billigt? Anstatt nur stolz darauf zu sein, daß man Jude in Deutschland ist, sollte man beispielsweise versuchen, den Deutschen zu zeigen, daß wir nicht die Fremden sind. Das heißt nicht, die Gesellschaft zu judaisieren, sondern zu humanisieren.

Wenn man das alles sieht, taucht natürlich die Frage auf, ob man hierbleiben oder weggehen sollte. Aber wohin? Nach Israel? Oder nach Frankreich? Mit meinem Magister in Deutsch kann ich dort wirklich nichts anfangen. Meine Freunde sind hier, meine Arbeit ist hier, und ich habe langsam gelernt, die deutsche Sprache zu akzeptieren. Ich liebe die deutsche Literatur und die deutsche Kultur inzwischen mehr als die französische. Ich mache jetzt einen Unterschied zwischen der deutschen Sprache und den Nazis.

Dieser von den Herausgeberinnen verfaßte Text basiert auf einem 1991 geführten Interview.

Wendy Zena-Henry
Bilder einer Ausstellung

Schwarz und Weiß
Schatten aus Grau
Knochen aus Weiß
Aschen
aus Schwarz, Grau, Weiß

Leichen
sind die Bilder einer Ausstellung
Ihr schaudert
Sie läuft
hinunter zur nächsten Ausstellung
»Jüdische Lebenswelten«

Im vergoldeten Rahmen
eine Frau mit Revolver
In der Menge von Aufständischen
erfrischt sie
»In fünf Minuten wird geschlossen«

Jemand geht ihr nach
Sie schreit
greift zum Revolver
und erschießt den Verfolger

Olga Taranczewski
berlin, fragment

als ob es so ginge/Geistesdrogen/die Herzkammer mit Staub ge-
füllt/in der Zigarettenschachtel Geld/eine ganze Existenz/die Miete
gezahlt/30 Tage Staub im Herzen/ein Auge, das sich rotblutet wie ita-
lienischer Bitter/ein Glas noch mit Eis/vielleicht nur die falsche
Seite/vom Leben.

Kein Weiter/stattdessen noch einmal einmal einmal mehr/
Orientierung, die falsche Richtungen wählt/trotz allem die Freiheit,
eine Straße einfach hinabzugehen/daß man alles sehen könnte/und
die Unmöglichkeit damit zu leben/Finger auf Papier/Kopfbilder/und
Tage wie Kaffee/ das Auge/rotgebluteter Filter/im Sommer ist die
Welt schließlich rosa/doch Sommer ist nie das Ende/in Berlin ist
Leben wie Husten, weil Lungenbläschen platzen/wie Schalen die
Straßen, die man hinauf- und hinabschwimmt/jemand redet von
Dreharbeiten in Marseille/das bedeutet soviel wie/einen Flaschen-
öffner nervös in der Hand zu halten/und am Ende eines langen Tages
den Abend zu betrachten/wie er mit schmutzigen Fingern in der
Nacht ankommt/und Fragen/Antworten, die wie Vorwürfe zu Boden
fallen/Zettel schreiben, die keiner Wirklichkeit ähneln/ meine
Kniekehlen und die Zunge, die es abzuschlagen gilt/ mein Kopf/
Adreßbuch für Demonstrationen/Zigaretten, sicher/letztendlich
tötet in Berlin/nur der Husten/das Vorhaben, in genau vier Minuten
aus diesem Café zu treten und sich der Welt zu stellen/so wie Prince
Charles in der Zeitung/auf der falschen Seite.

Polen, dieses leichte Mädchen

Polen, dieses leichte Mädchen, alternde Hure,
schwarz-weiß.
Keiner will sie, mehr
und doch: ihr Preis ist hoch.
Gewachsen mit jeder dieser Falten,
die in Wahrheit Grenzen sind.
Da steht sie nun, weiß nicht recht was tun,
kratzt sich im feuchten Schamkraut:
trägt Höfe Wiesen Felder und Grau,
Sommer wird's dort nie.
Schweiß und Kohlen ihr Parfum,
Wodka ihre Freudentränen.
Polen, dieses leichte Mädchen, alternde Hure,
weiß nicht, was tun.
Ihr weiß-rot-gescheiteltes Haar
stolz zur Seite gestrichen. (Das blieb.)
Schuhe trägt sie, die sind aus Volk,
darauf läuft sich's bequem:
daß sie nicht drücken
kreuzt sie die Arme und betet.
Seufzend schlägt sie die Augen nieder,
redet vom Frieden
und spottet.
Da quillt ihr aus der Brust milchig
ein Tropfen Hoffnung.
Darauf nun steht sie, länger schon
auf völkernen Schuhn
und keiner zieht sie am Rock.
Ach Polen, leichtes Mädchen!
Alternde Hure, weißt nicht
was tun?

Anna Vinogradova
Russische Juden wurden von der Gemeinde
nicht mit offenen Armen aufgenommen

Schwer für mich zu sagen, warum ich eigentlich 1989 aus der Sowjetunion ausgereist bin. Ein wichtiger Grund war, daß ich in
Moskau einen Deutschen traf, der mich heiraten wollte. Aber das war
nicht der einzige Grund. Die Situation in der Sowjetunion war 1989
schon ganz furchtbar; ich fühlte, daß sich sehr bald alles ändern und
schlimm werden würde. Ich hatte Angst davor. Viele Leute sind damals ausgereist, und auch ich wollte irgendwohin gehen, nur weg aus
der Sowjetunion. Ich konnte auch nicht länger bei meinen Eltern
bleiben, bei denen ich bis zu meiner Ausreise wohnen mußte, weil es
so wenige Wohnungen gibt in der Sowjetunion. Aber wenn ich diesen Mann nicht getroffen hätte, wäre ich kaum nach Deutschland
gekommen. Nur mit einem Reisevisum wäre ich wohl nicht emigriert.

Hier habe ich viel über jüdisches Leben und jüdische Traditionen
erfahren, wovon ich in der Sowjetunion überhaupt keine Ahnung
hatte. Ich bin als Russin erzogen worden. Meine Mutter ist Jüdin,
mein Vater Russe, und meine Großeltern, bei denen ich lange gelebt
habe, sind Juden. Aber auch sie waren jüdischer Kultur sehr ent-
fremdet. Wir haben keine jüdischen Feiertage gefeiert, und ich war
nie in einer Synagoge. Jetzt genieße ich es, daß ich mit jüdischen
Leuten reden und die Feiertage feiern kann. Ich fühle mich jüdischer
Kultur sehr verbunden, zugleich aber auch der russischen. Ich würde
nie behaupten, daß ich jetzt keine Russin mehr bin; Rußland war
meine Heimat.

Meine Eltern und ein Teil meiner Familie leben noch in Moskau;
andere Verwandte sind nach Amerika ausgereist. Im Herbst 1992 war
meine Mutter zwei Monate hier zu Besuch, und obwohl sie fand, daß

man hier gut leben kann, fühlte sie sich total fremd und meinte, es wäre sehr schwer für sie, sich hier einzugewöhnen, die Sprache zu lernen. Meine Mutter hatte großes Heimweh. Auch ich hatte in den ersten zwei Wochen nach meiner Ankunft furchtbares Heimweh. Ich hätte nie gedacht, daß ich einmal solches Heimweh haben würde. Auch heute sehne ich mich manchmal danach, Russisch zu reden, meine Verwandten zu treffen und wieder mal zu Hause zu sein.

Gesamtgesellschaftlich ist der Antisemitismus in der Sowjetunion noch schlimmer als hier, weil die Sowjetunion kulturell so weit entfernt von anderen Ländern ist. Die Leute wissen überhaupt nichts über andere Kulturen im allgemeinen und über jüdische Kultur im besonderen. Jüdisch ist für sie gleichbedeutend mit »Sarah« und anderen Stereotypen. Zum Beispiel habe ich einmal den englischen Film »Die Geliebte des französischen Leutnants« im Kino gesehen. An einer Stelle fragt der Held die Heldin »Wie heißt du?«, und sie sagt: »Sarah«. Er: »Was für ein schöner Name«, und der ganze Saal brüllte vor Lachen. »Sarah« ist ein richtiges Schimpfwort für eine jüdische Frau.

Viele russische Juden haben deshalb ihren Namen geändert. Im Alter von sechzehn Jahren konnte man in der Sowjetunion seine Nationalität wählen. Da ich wußte, daß ich als Jüdin Schwierigkeiten mit den Behörden oder der Hochschule haben würde, habe ich natürlich »Russin« gewählt; so machten es alle Leute, die die Möglichkeit dazu hatten. Wenn man zwei jüdische Eltern hatte, war das nicht möglich. Dann stand »Jude« im Paß.

In letzter Zeit haben sich bestimmte antisemitische Tendenzen in der Öffentlichkeit verstärkt; antisemitische Organisationen wie die reaktionäre Pamjat-Bewegung wurden von den Behörden erlaubt. Während es früher verboten war, antisemitisch zu reden, gab es in den letzten Jahren antisemitische Sitzungen und Meetings, und am letzten Chanukka fanden jetzt antisemitische Demonstrationen am Alten Arbat und am Puschkinskaya-Platz statt, bei denen judenfeindliche Lieder und Gedichte vorgetragen wurden.

Die Pamjat-Bewegung richtet sich besonders gegen die Juden, die ganz assimiliert sind. Sie mögen keine Juden, die sich Russen nennen, die am russischen Geschehen aktiv teilnehmen, sagen sie. Aber Pamjat ist generell gegen Juden. Jetzt behaupten sie zum Beispiel, daß überdurchschnittlich viele Juden an der Revolution 1917 teilgenommen hätten, daß es ihr Ziel gewesen sei, Rußland kaputtzumachen, und daß die Juden schuld seien, daß die Zustände in der Sowjetunion jetzt so schlimm sind.

Die Ausreise nach Deutschland und dieses neue Leben hier war natürlich anfangs sehr schwer für mich. Bis heute fühle ich mich manchmal hilflos. Mir war klar, daß ich selbst etwas machen und unabhängig werden muß. Ich habe mich sehr bald von meinem Freund getrennt und bin nach Berlin gekommen. Ich konnte unmöglich in dem kleinen Dorf bleiben, wo er lebte. Ich kam ja aus Moskau, einer Großstadt, die zwar arm, aber kulturell interessant ist.

Am Anfang hatte ich Kontakt zur Jüdischen Gemeinde, aber mein erster Eindruck war nicht so positiv, denn ich hatte nicht das Gefühl, daß russische Juden willkommen sind. Dort sagte man mir, daß ich nicht wie eine Jüdin aussehe; solche Bemerkungen finde ich ärgerlich. Auch mein russischer Name und mein russischer Vater waren nicht von Vorteil. Die Gemeinde in Berlin ist sehr konservativ. Ich finde es auch schlecht, daß nicht alle Leute in die Gemeinde aufgenommen werden, zum Beispiel diejenigen, die keine jüdische Mutter, sondern nur einen jüdischen Vater haben.

Ich kam hierher, bevor viele Juden aufgrund des politischen Geschehens als Flüchtlinge aufgenommen wurden. Damals war ich kein Flüchtling, und ich hatte keine Privilegien als Flüchtling. Ich habe auch keine Hilfe erwartet. Jetzt hat sich in der Gemeinde wohl die Einsicht durchgesetzt, daß es in ihrem eigenen Interesse ist, etwas für die russischen Juden zu tun, weil das Leute sind, die bei den Gemeindewahlen auch wählen.

Andererseits sollten die russischen Juden versuchen, sich zu integrieren, Deutsch zu lernen und sich nicht abzukapseln. Schließlich leben wir in Deutschland!

Inzwischen fühle ich mich hier nicht mehr so fremd. Das liegt natürlich auch daran, daß ich schnell eine Wohnung und eine Arbeit gefunden habe und schon ganz gut Deutsch spreche. Das ist das wichtigste überhaupt, wenn man irgendwo einreist. Man muß die Sprache sprechen. Deutsch war die dritte Sprache, die ich gelernt habe, und ich hatte keine großen Schwierigkeiten damit. Es macht mir immer Spaß, eine neue Sprache zu lernen.

Welche Perspektiven ich hier habe? Die Arbeitssituation in Berlin ist sehr schlecht. Es gibt viele Dinge, die mir nicht gefallen; zum Beispiel nutzen viele Firmen die Unwissenheit der Ostdeutschen aus. Zur Zeit bin ich an der Fachhochschule für Wirtschaft, studiere Wirtschaft und lerne Französisch. Vieles von meinen Plänen klappt nicht, weil ich gleichzeitig studieren und Geld verdienen muß. Ich würde gern eines Tages in die USA gehen, wo viele meiner Freundinnen und Verwandten leben, aber auch dort ist es schwer und es gibt viele Probleme. Aber ich habe gehört, daß es dort nicht so viel Rassismus und Diskriminierung geben soll. In Amerika ist ein Mensch ein Mensch, egal welcher Nationalität er ist. Oder?

Dieser von den Herausgeberinnen verfaßte Text basiert auf einem 1992 geführten Interview.

Mona Yahia
Irakische Revolutionen

Ein Luftballon landet auf meiner Nase und küßt sie. Ich muß ungefähr fünf oder sechs sein. Ich erinnere mich gut an den Nachmittag im Hof, als ich den Ballon immer wieder in die Luft stieß. Es war ein gelber. Was das Schwarzweißfoto nicht zeigt, ist Abd al-Karims Gesicht auf dem Ballon. Dieser »Unterschlagung« verdankt das Foto wahrscheinlich sein Überleben. Ich sehe sein Gesicht, das am blauen Himmel auf und nieder hüpft. Es erreicht mich wieder, und diesmal küsse ich seine Wange, kichere und schubse ihn zurück in die Luft, drohe mit einem Wiederholungskuß, sollte er mir noch einmal in die Hände fallen. Ich erinnere mich nicht, wer die Szene aufgenommen hat. Um ehrlich zu sein, bin ich mir nicht mehr sicher, ob meine Erinnerung tatsächlich bis zu jenem Moment zurückreicht oder ob sie nur durch das aufgenommene Bild genährt wird.

Wie dem auch sei, das Gesicht des Generals hat seine Spuren in meiner Kindheit hinterlassen. Oder sein Bild, um genau zu sein. In den frühen sechziger Jahren hing es in jedem Laden oder Café der Hauptstadt. Es zierte Briefmarken, Banknoten, Schulhefte und Kaugummi-Bildchen, eine Art moderne Ikone in einer Kultur, die auf die religiöse Ikonographie verzichtet hat.

Jede Ecke Bagdads nötigte mich, ihn zu lieben. Er hatte die Monarchie abgeschafft, das korrupte alte Regime, welches eher den Engländern gedient hatte als unserem Volk. In der Schule spielten wir das Stühle-Spiel, das hier »Die Reise nach Jerusalem« heißt, und sangen dazu: »Lang lebe Al-Zaim[1], lang lebe Abd al-Karim. Steht auf, steht auf und grüßt ihn. Alle setzen außer dem, der keinen Stuhl abkriegt, ha, ha, ha.«

Aber auf deutsch klingt das nicht so richtig.

Im Klasssenzimmer, über der Tafel, lächelt Abd al-Karim in seiner Uniform und winkt uns zu.

Ich hatte eine Verbindung mit ihm, die keine der Mitschülerinnen besaß. Al-Zaim war ein Schüler meines Vaters gewesen, erzählte ich allen voller Stolz.

»Wie war Abd al-Karim in der Schule?«

»Ziemlich mässig, milde ausgedrückt. Besonders in Englisch«, antwortet mein Vater. Aber wer brauchte schon Englisch, wenn es um die Revolution ging. Ganz im Gegenteil, er hatte es geschafft, die Engländer ganz und gar loszuwerden.

Vater hatte schon seit langem sein Herz an die Briten verloren. Trotzdem behielt auch er eine Schwäche für Abd al-Karim, das häßliche Entlein, den Betteljungen, der gegen den Prinzen antrat und gewann.

»Laßt uns ihn besuchen gehen!«

»Nein, das lassen wir lieber bleiben. Wie lange wird der General wohl noch ein Held sein?« erklärt er. »Eines Tages wird auch er gehen, wird man ihn einen Verräter nennen. Ich würde sie am liebsten alle vergessen – alle meine ehemaligen Schüler«, sagte Vater einmal.

Aber sie erinnerten sich an ihn, ihren ernsten Englischlehrer.

Wie der Polizist in Zivil, der zu seiner Beschattung abgestellt war, Jahre vor dem Putsch. Wochenlang war er ihm mit nur wenigen Metern Abstand gefolgt; zur Arbeit, in den Club, zu seiner Braut und zu seinen Freunden. Bis er einmal auf ihn zuging und ihn ansprach: »Bitte verstehen Sie mich, Mr. Y. Es ist nicht so, daß ich etwas gegen Sie hätte, aber es ist eben meine Aufgabe. Ich muß Sie im Auge behalten.« Er nannte ihn nicht Ustad, sondern Mister. Mit diesem englischen Mister gaben sie sich auf indirekte Art als ehemalige Schüler zu erkennen. Selbst jener, der ihn Jahre später stundenlang verhörte, redete ihn nichtsdestotrotz mit Mister an.

Spielten sie letzten Endes alle Revolution?

Nicht alle. Aber Abd al-Karim sicherlich. Und er hatte es weit gebracht in jenem Juli, bis zum nächsten Coup.

Es ist Februar, in diesem Jahr der Monat des Ramadan. Gegen neun Uhr morgens, zu Beginn der zweiten Schulstunde, sind Explosionen und Granatenbeschuß zu hören. Sie kommen aus mehr als einer Richtung. Im Nu sind die Schulbusse da, und wir werden nach Hause gefahren. Auch Vater kommt vorzeitig von der Arbeit. Wir schalten das Radio ein. Der Sender ist an die Rebellen gefallen. Eine rauhe Stimme verliest die Verlautbarungen des Nationalrats des revolutionären Kommandos. Nein, sie bellt sie – eine Stimme so laut wie die Bomben. Abd al-Karim ist angeklagt, die Revolution verraten zu haben.

Eine Ausgangssperre wird verhängt. In den nächsten Tagen können wir garantiert nicht zur Schule gehen. So lernte ich die Revolution zu lieben. Nachbarn schlendern über die Straße – Männer in Schlafanzügen –, ein Transistorradio in der Hand, und besuchen sich unangemeldet. Auch Kinder spielen draußen. Solange ein Fahrverbot für Autos herrscht, beschränkt sich niemand auf die Benutzung der Gehwege. Ich male Quadrate zum Hopsen auf die Fahrbahn. Nur wenige Kilometer entfernt werden blutige Straßenkämpfe zwischen den Truppen der Julirevolution und den Kontrasoldaten der Ramadanrevolution ausgefochten.

Der Blitzkrieg wird bis zum Sonnenuntergang fortgesetzt, der Zeit des Fastenbrechens. Das Radio behauptet den Sieg des Guten über das Böse, und daß mit Gottes Hilfe Abd al-Karims Widerstand zusammengebrochen sei.

Am nächsten Morgen wache ich spät auf. Das Artilleriefeuer gibt kund, daß die letzte Schlacht noch nicht geschlagen ist. Meine Eltern und mein Bruder haben schon gefrühstückt, hören jetzt im Wohnzimmer Radio. Der Anblick meines unrasierten Vaters im Pyjama irritiert mich. Er pflegt sich als erstes morgens zu rasieren und bleibt nie im Schlafanzug, wenn er einmal aufgestanden ist. Nicht mal an Feiertagen. Das war sein elftes Gebot. Nur die Revolution konnte ihn dazu verführen, es zu brechen.

Nachbarn gehen ein und aus. Der Freund von jemandes Bruder hat Panzer und gepanzerte Fahrzeuge in der Raschidstraße gesehen. Jemandes Schwiegervater kann Luftangriffe auf das Verteidigungsministerium bezeugen, in dem Al-Zaims Hauptquartier untergebracht ist.

»Abd al-Karim hat zuviel Macht in seinen Händen konzentriert. Soviel Korruption kann nicht ewig halten.«

»Aber wer sind die neuen Jungs? Können wir sicher sein, daß sie es besser machen?«

»Ihre Proklamationen wiederholen das Übliche: der Kampf gegen den Imperialismus, demokratische Freiheiten, die Vorherrschaft von Recht und Gesetz, arabisch-kurdische Einigkeit, Rechte für Minderheiten.«

»Haben wir dieses Lied nicht schon mal gehört?«

»Ist das gut oder schlecht für Juden?« flüstert Mutter, nachdem die Nachbarn gegangen sind.

Nachmittags hört das Schießen auf. Abd al-Karim hat sich ergeben. Der Nationalrat der Revolution ernennt Abd al-Salam zum Präsidenten. Abd al-Salam, Abd al-Karims Offizier und ehemaliger Mitarbeiter, hat ihn gestürzt. Er hat ihm die Revolution gestohlen.

Abends schaue ich nur widerwillig dem Fernsehen zu. Die Vorstellung von Abd al-Karim in Schmerzen, die Augen gesenkt, sein Gesicht vielleicht verschwollen und blutunterlaufen, bedrückt mich. Mit dem Blick des Fackelträgers, der mit jungenhaftem Erstaunen in die Kamera schaut, ist es vorbei. Ich befürchte das Schlimmste für ihn, das Straßenschleifen nämlich, das Schicksal des Kronprinzen vor Jahren. So hatte man mir erzählt. Nachdem der Mob die Straßen mit seiner Leiche förmlich gefegt hatte, zerrte man ihn die Brücke entlang zum Ostufer des Tigris und hängte ihn – oder was davon noch übrig war – an die Pforte des Verteidigungsministeriums. An dieselbe Pforte hatte der Kronprinz vor Jahren einen Armeeoffizier, der sich des Putschversuchs schuldig gemacht hatte, aufhängen lassen.

Abd al-Karim wurde weder gefoltert noch gehängt. Szenen öffentlicher Hinrichtungen wurden für kommende Jahre aufgespart. Am Tag seiner Niederlage verurteilte ihn ein Standgericht zum Tode. Kurze Zeit später wurde er in einen kleinen Raum geführt und erschossen.

Wir kehren in unsere jüdische Schule zurück. Über der Tafel hebt sich ein blasser Fleck von der Wand ab. Am oberen Rand ragt ein schwarzer Nagel hervor. Fünf Jahre lang war die Wand hinter Abd al-

Karims Bild nicht gestrichen worden. Das erinnert mich an meinen Rücken mit den blassen und gebräunten Stellen, die der Badeanzug gezeichnet hat.

In der Pause zieht mich Selma in den hinteren Garten. Mit der wichtigtuerischen Selbstgefälligkeit eines Touristenführers, der auf eine Sehenswürdigkeit aufmerksam macht, zeigt sie auf ein Fenster, das Einsicht in den dahinterliegenden Kellerraum erlaubt. Ich spähe hinein. Ein Stapel gerahmter Bilder lehnt gegen die Wand. Auf jedem lächelt Abd al-Karim hinter Glas und winkt wie zum Abschied.

Ich verkneife mir zu erzählen, daß er ein Schüler meines Vaters gewesen ist.

Ein neuer Feiertag wird dem Kalender hinzugefügt. Jahrelang werden Hubschrauber an diesem Tag Flugblätter über der ganzen Stadt abwerfen, die das Siegesjubiläum der Konterrevolution feiern. Flugblätter in allen Farben regnen vom Himmel über Bagdad. Auch kleine Plastiktüten voller Süßigkeiten purzeln auf unsere Köpfe. Vom Dach spähen wir aus, wo sie wohl landen werden, um sie dann später in unserer Nachbarschaft finden zu können. Papier fällt ja so langsam! Der kleinste Windstoß kann es kilometerweit von seinem Ausgangspunkt wegtragen. Es schwebt, segelt durch die Luft, ahnungslos oder vielleicht nur gleichgültig gegenüber dem Gesetz der Schwerkraft.

Ich jage nach einer Bonbontüte. Sie wird schätzungsweise neben dem Fluß landen. Aus einer Seitenstraße spurtet ein gestreiftes Dischdascha, ein Beduinengewand, in dieselbe Richtung. Ein Serifamädchen[2]. Sie überholt mich. Sie rennt barfuß. Ich ziehe meine Schuhe aus. Doch die Steine zerschrammen sofort meine Fußsohlen. Meine Chancen sind merklich gesunken. Ich kehre um, gehe nach Hause, die Schuhe in der Hand. Und wie im Märchen erwartet mich eine Karamellentüte im Garten. Ich sitze auf unserer Haustürschwelle und koste das erste Bonbon. Es stellt sich heraus, daß es von der denkbar miesesten Qualität ist. Das Serifamädchen geht vorbei, eine ähnliche Tüte in der Hand. Sie lächelt stolz. Durch die Nase trägt sie einen goldenen Ring. Ich lächle zurück. Sie rafft ihr Gewand zusammen und setzt sich neben mich. Ihre Fußsohlen sind schwielig und dunkel wie Asphalt. Ein silbriges Kettchen schmückt ihr linkes Fuß-gelenk. Ich biete meine Schuhe zum Tausch gegen ihr Fußkettchen. Sie schüttelt den Kopf. Das waren die einzigen Worte, die ich je mit einem Serifamädchen gewechselt habe. Schweigend stopfen wir die Süßigkeiten in uns hinein, die an Abd al-Karims Begräbnis ausge-streut worden waren.

Im folgenden Jahr wurde das Klassenzimmer dem jährlichen fri-schen Anstrich unterzogen. Der blasse Fleck verschwand, aber da ihm die fünf Farbschichten der Abd al-Karim-Zeit fehlten, konnte er noch immer als leichte Vertiefung an der Wand ausgemacht werden. Der schwarze Nagel blieb an seinem Platz. Sei es aus Nachlässigkeit oder um für den nächsten General bereit zu sein.

Nationalhymnen, Flaggen, Briefmarken, Währungen, Straßen-namen und andere Embleme des Staates hielten sich nicht lange in Bagdad. Bemerkenswerter als ihre kurze Dauer war jedoch der Ein-druck, daß sie dem ewigen Kreislauf des Lebens enthoben schienen. Sie alterten nicht, nutzten sich nicht ab und fielen auch nicht aus-einander. Schlagartig platzten sie herein oder heraus aus der Ge-schichte, ohne der Nachwelt Spuren zu hinterlassen, an die sie sich hätte halten können. Und das in einem Tempo, mit dem keine indi-viduelle Erinnerung Schritt halten konnte.

Bis heute bezeichnet Mutter eine bestimmte Brücke als »Maude-Brücke«, benannt nach dem englischen General, der Bagdad wäh-rend des ersten Weltkrieges erobert hatte. Diese Brücke war die Grenze gewesen, die zu überschreiten ihr ohne männliche Begleitung von ihrer Familie verboten worden war. Zu der Zeit, als meine Mut-ter, die vor Einbruch der Dunkelheit zu Hause sein mußte, an den Ufern des Tigris entlangschlenderte, hatte die britische Armee schon lange den Irak verlassen und die Brücke war nach König Ghazi umbenannt worden. Als die Monarchie gestürzt und Abd al-Ilah von einer Seite der Hauptstadt zur anderen vermutlich über diese Brücke geschleift worden war, verwandelte sie sich in die Brücke der Schu-hada, der Märtyrer. Eben jene, an deren Pfeiler ich mich Jahre spä-ter im Sommer kurz nach Sonnenaufgang auf der Suche nach einer Verschnaufpause klammern sollte, während Selma weiterschwamm.

Ihr Name treibt im Strom der Revolutionen. Wie ein Sprachchamäleon wird er sich immerfort dem Vokabular der aktuellen Machthaber anpassen.

Drei Jahre nach dem Ramadanstaatsstreich werden wir wieder nach Hause geschickt. Wir fangen gar nicht erst mit dem Unterricht an. Die Busse werden zurückgeschickt, sobald sie die Schule erreichen. Ein neuer Held wurde geopfert, frisches Blut der unersättlichen Erde dargebracht. Jetzt ist es an Abd al-Salam, sein Leben für einen schulfreien Tag zu lassen. Auf dem Weg von Qurna nach Basra explodierte sein Flugzeug. Selbstredend mit ihm an Bord. Das Ereignis wird als Unfall dargestellt. Niemand glaubt hier solchen Berichten. Abd, unser Busfahrer, ist hocherfreut über die Nachricht. Sie regt seine Phantasie an, und die äußert er seiner Gewohnheit entsprechend laut. An jedem Tor, an dem er hält, um ein Kind aussteigen zu lassen. Seine Freude erneuert sich jedesmal, wenn er einer besorgten Mutter nach der anderen seine Geschichte in den grellsten Farben erzählt.

»Abd al-Salam ist in der Luft explodiert, peng, wie ein Ballon! Da oben die schwarze Wolke – das ist der Sieger von zwei Revolutionen! Hat zu lange mit dem Feuer gespielt und nun ist er verkokelt! Diesmal müssen sie Kohlepapier vom Himmel werfen; genau das richtige Trauerflugblatt für unseren verkohlenden Helden, meinen Sie nicht?«

Komik und Brutalität flirten nicht nur in Abds Phantasien miteinander, sie wandern Hand in Hand auf den Wegen der irakischen Geschichte. Die farbenprächtigste Frucht dieses Liebeswerbens ist Oberst Mahdawi, der in der Ära Abd al-Karims Vorsitzender des Volksgerichts war. Seine Aufgabe war es, den Volksfeinden den Prozeß zu machen, ein flüchtiger Begriff, da »das Volk« mal mit dem Staat, zeitweise mit der Revolution und dann wieder mit dem Regime gleichgesetzt wurde. Die Prozesse wurden im Radio und im Fernsehen übertragen und erfreuten sich nicht nur im Inland, sondern auch im Ausland großer Beliebtheit.

Mahdawi hält an der Spitze eines Gefolges von Offizieren Einzug in den Gerichtssaal. Das Publikum begrüßt ihn mit lautem Applaus. Er eröffnet die Sitzung mit einer Rede, wobei er seine Meinung zu tagespolitischen Angelegenheiten zum Besten gibt. Dann wendet er sich an die auf der Anklagebank Sitzenden und überhäuft sie mit Beleidigungen. Angeklagte und Verteidiger gleichermaßen. Ein unwillkürliches Schmunzeln entfährt meiner Mutter. Doch gleich fängt sie sich wieder und nennt ihn vulgär und grausam. Die Zuschauer erbitten ein Gedicht, mit dem die Verhandlung eingeleitet werden soll. Mahdawi rezitiert. Seine Stimme, die durch die Eloquenz seines Vortrags noch tiefer klingt, beeindruckt mich. Die Moral von der Geschicht verstehe ich allerdings nicht. »Wenn seine Leistungen an der Militärakademie nur halb so gut wären wie seine Kenntnisse der arabischen Literatur«, kommentiert unser Nachbar. Aus dem vor Ehrfurcht wie versteinerten Publikum erheben sich einige Zuschauer, um mitten im Gerichtssaal eine Dabka, einen arabischen Volkstanz, aufzuführen. Mahdawi sieht zufrieden mit sich aus. Das Publikum klatscht jetzt im Rythmus des Tanzes. Der Oberst setzt dem mit einer weisen Sentenz ein Ende und fährt mit dem Prozeß fort. Trotz solcher theatralischen Momente konnten diese Prozesse mit der Verhängung der Todesstrafe enden. Dennoch wurden – ähnlich wie bei einer Theatervorstellung – die Angeklagten in Wirklichkeit nicht hingerichtet. Oder sagen wir selten, um genau zu sein. Von wenigen Ausnahmen abgesehen wurden die meisten nach kurzen Gefängnisstrafen freigelassen. Mahdawi selbst wurde nach kurzem Kriegsgericht hingerichtet. Erschossen an der Seite Abd al-Karims, während der Ramadanrevolution.

Bei der verfrühten Rückkehr nach Hause hörten wir im Schulbus Nachrichten in voller Lautstärke, begleitet von Abds Stimme, die das Schicksal von Abd al-Illah, Abd al-Karim, Abd al-Salam oder Abd al-Rahman kommentierte und so zwangsläufig zum aufregenderen Teil meiner Schulzeit wurde. Es war der Ausgleich für die strenge und anspruchsvolle Schulung, der wir unterworfen wurden, obwohl die Umstände andererseits dafür mitverantwortlich waren. Eine gute Ausbildung war neben Reichtum für Auswanderer von größtem Vorteil, so suggerierte uns der überfrachtete Lehrplan. Was jedoch unsere Sicherheit anbelangte, ging die Schulleitung kein Risiko ein. Bei der kleinsten Unruhe wurden wir heimgeschickt. Selbst eine

Demonstration, die innenpolitische Ursachen hatte, konnte schnell zu einer aufgeregten Unterstützung der palästinensischen Sache aufgeblasen werden. Doch soweit ich mich erinnern kann, fand sich die wutschnaubende Menge nur einmal vor unserem Schultor ein, nachdem das Gebäude zwei Stunden zuvor geräumt worden war. Neugierig suchten wir am nächsten Tag nach Schäden, aber eine zerbrochene Fensterscheibe zur Straße hin war alles, was wir finden konnten. Ihre Lage im zweiten Stock forderte einen Geschicklichkeitswettbewerb heraus: Im Nachvollzug der ursprünglichen Handlung einen Stein durch das Loch in der Scheibe zu werfen, ohne den Rest des Glases zu zerbrechen.

Als der Krieg ausbrach, unternahm mein Bewußtsein den angestrengten Versuch, die Nachrichten in das vertraute Muster innenpolitischer Unruhen einzupassen, irgendwo zwischen Aufständen und Regierungszusammenbrüchen. Aber der Begriff rutschte immer wieder heraus, bis er auf unberührten Boden fiel, auf dem er den Grundstein für ein Feld ganz eigener Art legte: die Kriege mit Israel. Israel selbst war damals eine abstrakte Vorstellung, obwohl die meisten meiner Verwandten dort lebten. Aber auch sie waren abstrakte Figuren, Namen ohne Gesichter, die schon Anfang der fünfziger Jahre ausgewandert waren, bevor ich geboren wurde. Da postalische und telefonische Verbindungen zwischen Israel und der arabischen Welt undenkbar und auch tatsächlich verboten waren, hielten die getrennten Familien den Kontakt durch Dritte, für gewöhnlich in einem neutralen Land wohnende Verwandte, aufrecht. Trotzdem wurden Briefe zensiert und häufig geöffnet, und Vater, der ganz sichergehen wollte, entschied sich gegen eine solche Korrespondenz. Als weitere Sicherheitsmaßnahme entfernte er alle Photographien des in Israel lebenden Familienzweiges. Israel – ein Wort, das man besser flüsterte, es sei denn, es wurde von einem Schwall schmähender Attribute begleitet.

Die Morgenpause scheint kein Ende nehmen zu wollen, obwohl die Schulleitung doch für strikteste Pünktlichkeit bekannt ist, wenn es um die Pausen geht. Die Lehrer sind im Büro des Schuldirektors versammelt. Die Tür ist verschlossen. Die freudige Aufregung, die solche Gelegenheiten sonst hervorrufen, fehlt diesmal. Aufregung macht mich leicht. Diese Spannung dagegen sitzt wie eine schwere Last auf meiner Brust. Sie erinnert mich an die Sorgen, die sich meine Eltern regelmäßig machen. Sind wir nun einer konkreteren Bedrohung ausgesetzt, oder bin ich einfach älter geworden, frage ich mich. Der Direktor sitzt immer noch wie angeklebt auf seinem Drehstuhl, als hätte er einen Sonnenstich. Als ich durch den Spalt zwischen den Gardinen spähe, fällt mir auf, daß der Versammlung insgesamt die Worte fehlen. Ein Jahr später wird sich der Lehrkörper sehr verändert haben. Die ausländischen Lehrkräfte werden das Land und ein oder zwei nichtjüdische Lehrer die Schule verlassen haben. Sie werden durch ehemalige Schüler ersetzt, die dann arbeitslose Universitätsabsolventen sein werden.

Abd fährt uns zurück. Wir sollen zu Hause bleiben, bis der Krieg vorbei ist. Ich bin nicht undankbar für diese unbegrenzte Pause. Das Radio läuft mit ohrenbetäubender Lautstärke. Nationale Lieder, Kriegslieder, Siegeslieder werden gesendet. Abd ist still. Was immer er auch denken mag, diesmal behält er es für sich. Ein Junge auf der Straße folgt der Marschmusik, als der Bus vorbei fährt. Er singt mit und schüttelt die Faust. Ich sehe die Wut in seinem Gesicht. Meine Besorgnis schlägt in Angst um. Ich befürchte, wir werden die Rechnung bezahlen, egal ob Israel verliert oder gewinnt.

Die Treibhausatmosphäre, die meine Eltern kultiviert haben, ist endlich durchbrochen. »Endlich«, schreibe ich jetzt. Aber zu jener Zeit waren die Kosten weit höher als der Gewinn. Die Brutalität kriecht von der Mattscheibe unseres Fernsehers ins Wohnzimmer. Die Tage des Spielens auf der Fahrbahn sind vorbei. Meine Beine zittern. Sie wollen rennen. »Es ist Zeit für uns zu gehen«, sagt Vater. »Es gibt hier keinen Platz mehr für uns.«

Eine verspätete Einsicht, weiß Gott. Wir können nicht einfach packen und gehen. Juden ist schon vor Jahren, als ich noch nach vom Himmel fallenden Süßigkeiten jagte, die Ausreisegenehmigung entzogen worden. Die Sicherheitsschlösser, mit denen ich aufwuchs, funktionieren nicht mehr. Die Tür öffnet sich hin zu einer zweiten Tür, die von außen verriegelt ist.

Vater geht nicht zur Arbeit. In seinem zugeknöpften Anzug sitzt er beim Radio. Der Lokalsender prahlt mit Siegen. Die Zionistenbande wird ins Meer geworfen. Mit nur etwas mehr Geduld, Glaube und Entschlossenheit wird das Krebsgeschwür am Leib der arabischen Welt von der Landkarte gewischt werden. Die »Stimme Israels« sendet zurückhaltende Berichte auf arabisch. Jüdische Freunde schauen vorbei, die genauso verstört sind. Noch einmal zählt Mutter all unsere männlichen Verwandten in Israel auf, die wahrscheinlich eingezogen wurden.

Ich verbringe die Junitage auf dem Sofa liegend, völlig in »Nous deux« vergraben, französischen Liebesromanheften. Der Kitsch bewahrt mich vor der Destruktivität des Kriegsgeschehens, die mich gefangen und verschlungen hätte, so wie der Geruch der Fleischerei den Hund verschlingt.

Noch bevor der Stapel »Nous deux« ganz durchgelesen ist, ist der Krieg vorbei. Israel hat um seine Existenz gekämpft und gewonnen. Die arabischen Armeen wurden geschlagen, haben an allen Fronten Gebietsverluste hinnehmen müssen. Ich seufze vor Erleichterung. Ein Hubschrauber dröhnt in meinen Ohren. Süßigkeiten werden nicht mehr an unsereins fallen, während andere sich abschlachten, sagt mir das Dröhnen. Ich laufe zum Fenster. Der Hubschrauber fliegt weg. Er wird nicht auf unserem Dach landen, wird mich nicht in die Luft mitnehmen, unbeschwert, entlassen von Mutter Erde, weit entfernt von verletztem, arabischem Stolz.

Januar 1991, Deutschland

Ein schnauzbärtiger Araber in Blue Jeans und einer um seinen Hals geschlungenen, schwarzweiß bestickten Keffiyeh, deren Enden bis zur Taille reichen, kreuzt meinen Weg. Unsere dunklen Augen begegnen einander. Er mustert mich von Kopf bis Fuß. Meine Hand tastet nach meinem Hals. Ein Seufzer der Erleichterung. Ich habe meinen Davidstern zu Hause im Bad vergessen.

Ich werfe ihm einen eisigen Blick zu.

Ein haßerfüllter hätte mich preisgegeben, hätte mein hitziges nahöstliches Temperament verraten. Kälte schützt. Sie macht mich undurchschaubar, gibt mir Sicherheit.

Er reiht sich ein in den Demonstrationszug. Seine stattliche Keffiyeh bahnt sich ihren Weg durch die Schar der anderen, billigen Varianten des arabischen Symbols. Mit roten oder schwarzen karoartigen Mustern bedruckte und mit Fransen besetzte Baumwolltücher. Horden blonder Sarahs und Esthers, Jakobs, Daniels und Davids brüllen Antikriegs- und Anti-USA-Parolen, schütteln Fäuste, halten Hände, haben Spaß, wie es die Art von Jugendlichen bei Straßentumulten ist. Die revolutionären Senioren in Lederjacken, Jeans und Turnschuhen stehen dabei und grinsen, ergraute Gläubige, stolz auf ihre Saat.

Ein Bekannter mit stoppeligem Dreitagebart klopft mir lächelnd auf die Schulter. Er drückt tiefes Bedauern über den Bombenhagel auf meine Geburtsstadt aus. Hatte er in all diesen Jahren seine Augen vor dem Davidstern verschlossen, der um meinen Hals hing?

»Scher dich zum Teufel«, antworte ich. »Und vergiß nicht, Bagdad gleich mitzunehmen.«

Sein Lächeln wird durch eine schockierten Gesichtsausdruck ersetzt, der sich zu einem wütenden zusammenzieht und schließlich den Rückzug in ein kaltes Starren antritt. Die Kälte macht ihn zweifelhaft, unberechenbar. Ohne ein weiteres Wort dreht er mir den Rücken zu und geht weg.

Noch ein Freund, den ich streichen kann.

Ein kalter Regentropfen fällt in mein Ohr. Die bestickte Keffiyeh drängelt sich durch die Menge hindurch. Ich sehe zum Himmel auf. Jeden Moment wird es anfangen zu gießen.

Mein Araber schickt sich an, in die Straßenbahn zu steigen. Bin ich denn meschugge? Der Nahe Osten geht in Rauch auf, und ich habe nichts Besseres zu tun, als mir die Nerven auf den Ersatzschlachtfeldern dieser geschützten, weit ab vom Schuß gelegenen Straßen Deutschlands zu verschleißen.

Ich verziehe mich, überlasse die Arena und den Regen den Deutschen. Sollen sie naß werden, hoffentlich holen sie sich auch eine

Lungenentzündung zum Sondersparpreis, falls sie doch auf der richtigen Seite des Himmels landen.

Tel Aviv wird am selben Abend zum fünften Mal bombardiert. Ich rufe meine Familie an. Alles in Ordnung. Die Stimmung ist ziemlich gedrückt. Nein, ich soll bleiben, wo ich bin. Kein Grund zur Sorge. Die Scudraketen sind lausiger als erwartet. Die »Patriots« ebenso. Die Gasmasken taugen zu nichts als Hautausschlag. Die Kinder sind noch nicht wieder in der Schule. Meine kleine Nichte lernt sprechen. Ihr erstes Wort ist ... ʿaddam.

Ich lege den Hörer auf, kichere, wische mir die Augen. Gott sei Dank sind wir so rabiat drangsaliert worden, daß wir Jahre vor Saddams Machtergreifung aus Bagdad fliehen mußten. Aber ich bin auch froh und dankbar, nicht mehr in Tel Aviv zu leben. Nichtsdestotrotz sind mir die Illusionen ausgegangen. Wenn im Nahen Osten ein Krieg ausbricht, werde ich immer am falschen Platz sein, egal wo ich auch bin.

Aus dem Englischen von Jessica Jacoby
und Claudia Schoppmann

1 Titel für Abd al-Karim.
2 Serifa sind die Lehmhütten, in denen die Migranten aus dem südlichen Irak leben.

Judith Kessler
Modilog

Erez Israel – siehst du, Mame, jetzt bin ich doch hier. Hab' es immer wieder hinausgeschoben. Angst, enttäuscht zu werden, mir oder dir zu nahe zu kommen.

Gehe über einen alten lichtüberfluteten Friedhof. Die Steinchen auf den weißen Gräbern erinnern mich daran, was mir von dir geblieben ist: eine Handvoll Fotos mit deinem schönen orientalischen Gesicht, mandelförmigen Augen und eine Chanukkia, fünfzig Jahre alt, ein zusammengeschweißtes Provisorium – der Schammasch eine Schraube, Fingerhüte als Lichthalter. Fragen. Fragen, die ich dir nie gestellt habe. Zu spät. Es drückt mir die Kehle zu, ich weiß so wenig.

Du warst hier nie, und ich bin mir nicht einmal sicher, ob du es hättest sein wollen. Ich werde das nie erfahren und nicht, wer die Steine hier hingelegt hat und für wen.

Aber wenn ich durch diese Straßen gehe, hier und da Jiddisch und Polnisch höre, Gerüche aus meiner Kindheit wahrnehme, in Augen schaue, die deinen gleichen, glaube ich fast, du bist hier irgendwo, bei mir und nicht begraben in diesem kalten Deutschland, von dem ich bis heute nicht weiß, ob ich es mögen soll, und wo ich so oft das Bedürfnis habe, den Koffer zu packen, wegzulaufen. Aber irgendwie möchte ich wohl nie sein, wo ich gerade bin. Ist schon gut, nicht schon wieder! Trotzdem, die Unruhe bleibt, das kennst du ja.

Weißt du, meine siamesischen Zwillinge, dieses Angezogen- und Abgestoßen-Sein, verlassen mich auch hier nicht. Kann nicht soviel von »alter Welt« entdecken, wie ich gerne möchte. Es sind Mosaiksteinchen, die ich finde, ohne noch so recht zu wissen, wonach ich eigentlich suche – ein Klavierkonzert, das allabendlich leise aus einem heruntergekommenen Haus klingt, ein kleiner Alter hinter einer Unmenge verstaubter Bücher verschanzt, eine ehemalige Krakauerin, die duftende Challot verkauft, die verschwommenen Augenblicke des Zuhause-Angekommen-Seins. Doch dann wieder – das Gefühl, in einem riesigen Harem herumzulaufen, in dem ständig irgendein Pascha mit dem Finger schnippst, das uniformierte Mädchen, das kaum größer ist als die Waffe, die es mit sich herumschleppt, der Orthodoxe, der Steine auf ein am Schabbat fahrendes Auto wirft, die russischen Olim, die neben mir sitzen und über Wohnungskauf und greencards für die USA debattieren. Was soll ich dir aufzählen, was kann ich für mich überhaupt abwägen, vergleichen und womit, vor allem: mit welcher Konsequenz? Bin ich nicht eigentlich zu feige, zu bequem, trotz Blaskapelle am Tag der deutschen Einheit, Umbenennung einer Heinrich-Heine-Straße und dem x-ten Überfall auf ein Asylbewerberheim. Das masochistische Bohren in den Wunden bleibt mir überall. Und, verdammt noch mal, ich will mich auch nicht verhalten oder entscheiden müssen. Und sicher hast du Recht, daß da noch einiges ist zwischen schwarz und weiß. Nu, Weisheit und Milde sollen ja mit dem Alter kommen.

Also sitze ich jetzt hier mit einem Paß in der Tasche, in dem auf der ersten Seite steht: »Der Inhaber dieses Passes ist Deutscher.« Gänsehaut. Baruch Haschem bin ich kein Mann. Du lachst. Ich weiß, du magst die dunklen Gedanken nicht.

Doch sag selbst, wäre es dir nicht auch absurd vorgekommen, hätten sie dich bei der Kontrolle auf dem Flughafen, wie bei einem Verhör, eingehendst danach befragt, was du in Israel willst. Aber vermutlich wärst du darüber gar nicht ins Grübeln gekommen, du hast viel zu gern gelebt und gelacht, trotz alldem oder gerade deshalb.

Hör mal, kannst du dich an die Geschichte von Manger erinnern? Manchmal stelle ich mir vor, du sitzt da oben mit Simon Bär in der Schenke »Zum Zaddik Noah«, schaust auf mich hinunter und lächelst über meine Meschugas, während ihr ein Gläschen vom köstlichen Messiaswein probiert. Also dann: Lechajm!

Daniela Thau
Warum ich in England
Rabbinerin wurde

Warum ich Rabbinerin geworden bin? Ich werde das sehr oft gefragt
– es gibt mehrere Antworten darauf. Ich wurde in eine Familie
hineingeboren, in der Judentum zwar gepflegt wurde, aber keine
Hauptrolle gespielt hat, das heißt wir haben beispielsweise keine
Schabbeskerzen zu Hause angezündet, und wir haben auch keine
Challa und keinen Kiddusch gehabt. Mein Vater kam aus einer orthodoxen Berliner Familie und hatte mit dieser Orthodoxie gebrochen.
Er ist nach Palästina ausgewandert und dort ein säkularer Jude geworden, wie es heutzutage viele in Israel gibt. Das hat seiner Lebensauf-
fassung entsprochen. Man mußte nicht in die Synagoge gehen, und
vor allen Dingen keine koscheren Gesetze einhalten oder Schabbes feiern. Meine Mutter kam aus einer süddeutschen, schon damals liberalen Familie, in der man zwar die hohen Feiertage einhielt und in die
Synagoge ging, aber nicht mehr strikt koscher gelebt hat, obwohl
natürlich kein Schweinefleisch gegessen wurde. Ich habe also auf der
einen Seite von meinem Vater diese antireligiöse Haltung mitbekom-
men und auf der anderen Seite von meiner Mutter, daß man Juden
unterstützt, wenn es welche in der Stadt gibt, das heißt man geht beispielsweise im jüdischen Laden einkaufen oder man geht zum jüdischen Zahnarzt.

Ich wurde in Südafrika geboren, bin zum Teil in Israel aufgewachsen und kam mit sechs Jahren nach Deutschland, nach Koblenz. Die
Jüdische Gemeinde dort war sehr klein; es gab sechzig Juden im
Umkreis von hundert Kilometern. Mein Vater war zwar ein total
unreligiöser Jude, aber einer der wenigen von diesen sechzig, die
Hebräisch konnten, die überhaupt eine Torarolle richtig herum halten und auch identifizieren konnten, was drin steht. Deshalb hat man

ihn gefragt, ob er Gemeindevorstand werden wolle. Und dieser nicht-religiöse Mensch wurde auf einmal in gewisser Weise ein religiöses Vorbild; was meiner Mutter wiederum sehr gepaßt hat, denn sie hatte in ihrer liberalen jüdischen Erziehung doch sehr viel Religiosität mit-bekommen. Für sie waren Religiosität und Spiritualität sehr wichtig. Sie hat auch in ihren jungen Jahren – damals hatte sie in Berlin Säug-lingspflege gelernt – eine orthodoxe Phase durchgemacht, wo sie jeden Schabbat in die Synagoge ging, also tatsächlich *gelaufen* ist. Sie hat im Jüdischen Krankenhaus in der Iranischen Straße im Wedding gearbeitet und gewohnt und ist vom Wedding bis in die Oranien-burger Straße marschiert.

Ich wurde wie viele jüdische Kinder in Deutschland in die jüdi-schen Kinderheime nach Wembach und nach Bad Sobernheim ver-schickt, und dort erlebte ich zum ersten Mal, was es eigentlich in jeder jüdischen Familie geben sollte: einen familiären Schabbes. Ich kam also mit sieben Jahren nach Hause und sagte: »Mammi, warum zün-den wir keine Schabbeskerzen an, warum haben wir keine Challe?« Daraufhin hat meine Mutter Schabbeskerzen angezündet und hat dem Bäcker beigebracht, wie man Challa bäckt. So bekam ich mei-nen Schabbes. In diesen Heimen habe ich auch gelernt, daß Speck etwas ist, was Juden nicht essen. Mein Vater, der in der Royal Air Force in Palästina gedient hatte, aß natürlich sehr gerne *egg and bacon*; und diesem armen Vater wurde dann zu Hause von seiner Tochter *egg and bacon* verboten!

1967 fuhr ich mit der hannoveranischen Jüdischen Gemeinde nach Israel und habe dort drei Monate in einem Kibbuz verbracht. Das hat mir und meinem Judentum sehr gut getan, vor allen Dingen meinem politischen Zugehörigkeitsgefühl zu Israel. Mein Vater hatte Israel 1956 verlassen, weil er vom Zionismus und von Israel ent-täuscht war. Er war seinerzeit wegen Hitler, aber auch aus Überzeu-gung nach Palästina ausgewandert, um Erez Israel zu besiedeln, ist dann aber in den zwanzig Jahren, in denen er dort gelebt hat, sehr enttäuscht worden und verbittert nach Deutschland zurückgekehrt. Diese Israel-Reise hat mir den Antizionismus meines Vaters, den ich die ganzen Jahre eingedrillt bekommen hatte, wieder ausgetrieben.

1968 zogen wir nach Berlin, schon damals die größte Jüdische Gemeinde Deutschlands. Hier habe ich zum ersten Mal eine Identität als jüdische Jugendliche gefunden. Es fing mit dem jüdischen Jugendzentrum an, das damals von Fredi Schulze geleitet wurde, der sich mit mir auseinandergesetzt, mich gefordert und meine Stärken erkannt hat. Da ich bereits von meiner Mutter und vom Religionsunterricht her ein sehr großes jüdisches Wissen hatte, wurde ich innerhalb dieser Jugendgruppe so eine Art wandelnde Enzyklopädie; irgendwie wußte ich automatisch immer die richtigen Antworten. Es war für mich ganz logisch, daß ich mich weiterbilden mußte, denn es wäre sehr peinlich gewesen, wenn ich auf eine Frage einmal keine Antwort gewußt hätte. Dadurch bin ich sozusagen in diese Rolle gedrängt worden: daß ich weiter lesen, weiter lernen mußte. Aber es hat mich ja auch interessiert. Ich habe in Berlin an verschiedenen Projekten mitgearbeitet, zum Beispiel bei der zweisprachigen Jugendzeitung *Schalom Dialoge*, und mich mit jüdischer Identität, politischem Engagement in Deutschland et cetera auseinandergesetzt. Als ich dann mein Abitur gemacht hatte und mich entscheiden mußte, was ich studieren wollte, war für mich ganz klar, daß ich Judaistik studiere.

1975 starb mein Vater. Ich hielt es in Berlin nicht mehr aus, ging im Sommer 1976 nach Israel und besuchte dort zunächst einmal ein vierzehntägiges Seminar, das von WUPJYS (World Union of Progressive Judaism Youth Section) über verschiedene Aspekte des Judentums veranstaltet wurde. Die Frauen, mit denen ich auf einem Zimmer wohnte, sahen mich bereits als eine Führungsperson an und benutzten mich genau wie damals in der Jugendgruppe in Berlin als wandelnde Enzyklopädie. Nicht so sehr für jüdische Fragen, sondern eher als Lebensberatung. Die haben damals schon zu mir gesagt: »Ist doch ganz klar, daß du auf ein Rabbinercollege gehen und Rabbinerin werden mußt.« Von selbst wäre ich wohl nicht darauf gekommen. Ich dachte auch: Es ist vielleicht eine gute Idee, aber wie kann ich denn als Frau in Deutschland damit überhaupt Geld verdienen? Aber diese Frauen haben das als eine Ausrede betrachtet und gesagt, ich sei dafür berufen, also müsse ich das machen.

Ich bin mit dieser Idee – wie man so schön sagt – lange schwanger gegangen. Dann fing ich an, konkrete Schritte zu unternehmen und mich in Jerusalem umzuschauen, denn was ich in Berlin in Judaistik studiert hatte, war alles Mumpitz; in der richtigen Welt des Judentums galt das nichts. In Jerusalem gibt es einen Zweig des Hebrew Union College, eines amerikanischen Rabbinercolleges, das alle Leute, die auf ihr College gehen wollen, für ein Jahr nach Jerusalem schickt. Nun war ich ja bereits in Jerusalem; ich war sozusagen zur richtigen Zeit an der richtigen Stelle. Ich fragte also beim Hebrew Union College, ob sie mich als Europäerin auch aufnehmen würden. Sie meinten, daß ich ein Jahr bei ihnen studieren und dann entweder in Amerika weiterstudieren könne, wenn ich das Geld zusammenbrächte, oder ich müsse auf das äquivalente europäische College, das Leo Baeck College in London gehen.

Nach einem Jahr auf dem Hebrew Union College in Jerusalem bewarb ich mich beim Leo Baeck College in England, wurde angenommen und fing im Herbst 1978 dort an zu studieren. Ich mußte natürlich auch für das Londoner College das Geld zusammenkriegen, aber die Gebühren waren nicht so hoch wie für das amerikanische. Ich denke, daß ich einmal darauf eingehen sollte, wie eine Bewerbung für ein solches Rabbiner College überhaupt vor sich geht. Man hat ja nicht automatisch einen Anspruch auf einen Studienplatz wie in Deutschland, denn sämtliche Colleges sind Privatinstitutionen, das heißt sie werden von deinen Studiengebühren bezahlt. Man muß sich also bewerben, ein abgeschlossenes Universitätsstudium ist Voraussetzung, und wird dann zu einem Gespräch eingeladen. Es waren fast ausschließlich Männer bei diesem Interview anwesend, bis auf zwei Psychologinnen. Eine von ihnen, Irene Bloomfield, war deutscher Herkunft, übrigens eine sehr interessante Frau, eine Erich-Fromm-Schülerin.

Wenn das Gremium nach dem Gespräch meint, daß man geeignet ist, bekommt man ein paar Wochen später Bescheid, daß man angenommen wurde. Dann muß man sich aber um Gelder bemühen. Ich habe verschiedene Stipendien bekommen, vom Zentralrat der Juden in Deutschland, von der Berliner Jüdischen Gemeinde, von der

Temple Sisterhoods, einer jüdisch-amerikanischen Organisation, und schließlich habe ich Geld verdient, indem ich eine Gemeinde betreute. In meiner Klasse waren übrigens nicht nur junge Leute; es gab auch viele, die erst mit fünfzig oder sechzig beschlossen, Rabbiner zu werden. In meinem Alter gab es eigentlich niemanden, und Frauen gabs zu meiner Zeit im gesamten College nur noch zwei außer mir.

Das erste Jahr war ein Probejahr, an dessen Ende du bestimmte akademische Leistungen vollbringen mußtest, sonst mußtest du wieder gehen. Und immer wieder mußtest du deine Zahlungsfähigkeit beweisen. Das war eine völlig neue Erfahrung für mich. Drittens war ich natürlich auch von der Einschätzung meiner Gemeinde abhängig, denn die schrieb einen Report über mich.

Am Anfang der Ausbildung lernten wir Hebräisch, hebräische Grammatik und die Grundlagen des Judentums, Gebete, Geschichte, Tradition und Ritus, Vergleich zwischen orthodoxem und liberalem Ritus und so weiter. Man hat Responsaliteratur gelesen und Liturgie formal gelernt. Wir hatten Stimmbildung, Artikulation, Rhetorik und Homiletik[1] sowie psychologische Betreuung durch die beiden Psychologinnen, die auch in dem Bewerbungsgremium gesessen hatten. Sie haben uns beigebracht, wie man Leute in schwierigen Situationen und mit den unterschiedlichsten Problemen berät, zum Beispiel bei Krankheit oder Tod, Selbstmord, Mord, Unfällen, Mischehen, Homosexualität oder Scheidung.

Später kamen im Unterricht noch Mischna und Gemara, also Talmud, Midrasch, Maimonides, Raschi, Ibn Esra, Kimchi dazu sowie Reformliteratur und andere Literatur und das Fach vergleichende Religionswissenschaften. Anders als an einer deutschen Universität ging es hier sehr schulmäßig zu. Du gehst jeden Tag von neun bis vier Uhr in die Schule, nur am Freitag mußten wir nicht mehr ins College, sondern sind dann in unsere Gemeinden gefahren, die wir gleich vom ersten Jahr an betreuen mußten. Wir sind also sofort, ohne schwimmen zu können, ins kalte Wasser geschubst worden.

Meine erste Gemeinde war ungefähr zweihundert Meilen von London entfernt. Man hielt am Freitagabend und Samstagmorgen Gottesdienst und hat am Sonntagmorgen Cheder unterrichtet. Das heißt, du mußtest für Freitagabend und Samstagmorgen deine Predigt bereits vorbereitet haben, mußtest deine Toralesung geübt haben, mußtest deine gesamte Liturgie kennen. Wenn man noch Pech hatte und niemand zum Singen da war, mußte man auch noch Kantor spielen. Für mich war es doppelt schwierig, weil ich keine englisch-jüdische Erziehung genossen hatte und Englisch ja nicht meine Muttersprache war, obwohl ich es sehr gut sprach.

Außerdem mußte man auch noch den Unterricht für die Kinder vorbereitet haben. Man war nicht nur Rabbi, man war auch Direktor der Sonntagsschule, das heißt man mußte das Curriculum für das gesamte Jahr vorbereitet haben. Darüber hinaus hattest du auch Bar und Bat Mizwa-Kinder, und du mußtest ein Curriculum erstellen, das die Kinder mit dir und ohne dich lernen konnten. Und dann bist du Sonntagabend wieder Richtung London abgefahren.

Nun hatte ich das Glück, daß ich in eine Gemeinde geschubst wurde, die ausschließlich aus deutschen Flüchtlingen bestand, so daß diese Leute zumindest verstanden, was ich lernen mußte und was sie mir beibringen mußten, weil sie als deutsche *refugees* die englische Lebensweise auch erst hatten lernen müssen. Wir haben Deutsch miteinander gesprochen, aber sie haben mir nach und nach die englische Lebensart beigebracht. Sachen, die mir sehr fremd waren, aber die man natürlich lernen muß, wenn man erstens Rabbi sein will, zweitens Kinder unterrichtet und drittens zum Lernen hier ins College geht.

Die fünf Jahre Leo Baeck College in London waren eine Tretmühle; ich fühlte mich wie ein Hamster in einem Rad. Diese Collegejahre haben alles, was ich an Spiritualität oder an Enthusiasmus hatte, abgetötet. Es war ein Härtetest. Wenn du den bestehst, kannst du zum Schluß sagen, o. k., ich habe das Zeug zum Rabbi. Nicht nur vom akademischen, sondern auch vom menschlichen Pensum her war es sehr hart, denn ich mußte mich ja auch in eine ganz andere Gesellschaft eingewöhnen. Die Engländer sind zwar sehr nette Menschen, aber sie dulden keine Ausländer in ihren Reihen. Wenn man sich dennoch als Ausländerin hier reindrängt, wird man – auch wenn man sehr gut Englisch spricht – von allen Seiten immer wieder darauf hingewiesen, daß man ja eigentlich nicht englisch ist und überhaupt nicht weiß, was hier läuft.

Ich habe nach der Ordination den Kolossalfehler begannen, daß ich gleichzeitig nicht nur einen neuen Job in einer neuen Stadt anfing, sondern auch eine Ehe. Also einen dreifachen Salto vom hohen Turm gemacht habe. Die Familie meines Mannes war außerdem total anti-deutsch eingestellt, obwohl auch sie jüdisch-deutscher Herkunft und erst in den dreißiger Jahren nach England geflohen sind. Für mich wäre es schön gewesen, wenn ich einmal irgendwo hätte Deutsch reden können. Statt dessen mußte ich immer mehr die englische Dame spielen, bis sie mir selbst zur zweiten Natur geworden ist. In-zwischen hat mein Deutsch auch rapide nachgelassen.

Ich denke, daß ich nicht mehr nach Deutschland gehöre, und manche deutsche Angewohnheiten sind mir inzwischen richtig zuwi-der. Ich würde den deutschen Juden wohl viel Bauchschmerzen berei-ten; ich würde vieles hinterfragen, ihre bequeme Existenz, ihre Rolle im politischen Leben und so weiter. 1978, als ich am College anfing, war ich noch bereit, diese Berliner Jüdische Gemeinde als Heraus-forderung anzunehmen. Aber nach den fünf Jahren College hatte ich 1983 keine Kraft mehr, mich noch einmal auf die Hinterbeine zu stel-len und darum zu kämpfen, in der Berliner Gemeinde angestellt zu werden. Wenn ich ein Mann gewesen wäre, hätte mir die Gemeinde vermutlich einen Prozeß gemacht, wenn ich nach der Ausbildung nicht nach Berlin zurückgekommen wäre, aber da ich eine Frau bin, haben sie das klammheimlich unter den Tisch fallen lassen.

Zur Wiedervereinigung Deutschlands habe ich ein sehr ambiva-lentes Gefühl, aber Berlin – die einzige deutsche Stadt, in der ich leben könnte – wird dadurch sicherlich noch interessanter. Dieses Gesamt-Berlin ist das Berlin, das ich aus den Erzählungen meiner Eltern her kannte. Wenn meine Mutter mir erzählte, daß sie von der Iranischen Straße in die Oranienburger Straße gelaufen ist, dann konnte ich das natürlich früher nicht so nachvollziehen wie heute. Daß beispielsweise die Wiege des Reformjudentums, die Hochschule für die Wissenschaft des Judentums, im Osten Berlins stand, in der heutigen Tucholskystraße und damaligen Artilleriestraße, und daß das Leo Baeck College die Nachfolgeorganisation dieser Schule ist – das ist natürlich interessant und auch wichtig für das Leo Baeck College hier. Leo Baeck hat an dieser Hochschule für die Wissenschaft des Judentums unterrichtet beziehungsweise war ihr Direktor. Heute ist von der alten Hochschule nur eine Hausfassade übrig und eine kleine Marmortafel, die davon erzählt.

An der Hochschule für die Wissenschaft des Judentums ist auch Regina Jonas[2], die erste Rabbinerin in Deutschland, also meine unmittelbare Vorgängerin, ausgebildet worden. Sie hat übrigens auch meinen Onkel unterrichtet, der in Amerika lebt, und außerdem Dr. Pnina Navé Levinson, die mit anderen sehr stark daran interessiert war, daß ich Rabbinerin werde, weil sie meinte, es sei an der Zeit, daß sich diese Tradition in Deutschland wieder fortsetze. Für viele Leute bin ich sicher eine Enttäuschung, weil ich nicht wieder zurück nach Deutschland gegangen bin.

Die progressiven jüdischen Ansätze sind in Deutschland durch die Schoa ja völlig ausgelöscht worden. Es wäre eine irrsinnige Arbeit, dieses Judentum wieder so pluralistisch zu gestalten, wie es einmal war. Man muß den heute in Deutschland lebenden Juden zuerst einmal beibringen, daß sie in dem Land leben, das einst die Wiege des Reformjudentums gewesen ist, denn von diesen Juden sind die allerwenigsten deutsche Juden; es sind Juden, die zugewandert sind. Von den Juden, die das Judentum von damals kannten und aus der Emigration zurückkamen, lebt kaum noch jemand. Ich kann mir nicht vorstellen, daß ich mich in Berlin hinstelle und den Leuten erkläre, daß ein reform-liberales Judentum nach Berlin gehört, und warum wir neue, dezentralisierte Gemeinden aufmachen müssen, nach dem Vorbild der Gemeinden in England und Amerika: eigenständige Gemeinden. Das wäre den meisten heute in Deutschland lebenden Juden total fremd.

Dieser von den Herausgeberinnen verfaßte Text basiert auf einem 1991 geführten Interview.

1 Homiletik: Geschichte und Theorie der Predigt.
2 Regina Jonas war die erste Rabbinerin – nicht nur in Deutschland, sondern überhaupt in der neueren jüdischen Geschichte. Sie studierte an der Berliner Hochschule für die Wissenschaft des Judentums, wurde dort aber nicht zur Rabbinerin ordiniert. Die Weihe erhielt sie 1928 von dem Offenbacher Rabbi Max Dienemann. Sie wirkte als Rabbinerin, wenn auch ohne eigene Gemeinde, bis sie 1940 nach Theresienstadt deportiert und dort ermordet wurde.

Adalia Mussawi
und Deborah Rachman
*Wenig Möglichkeit,
jüdisch zu leben*

Die persisch-jüdische Gemeinde in Hamburg ist eine der größten Europas. Wieviele persische Juden leben dort ungefähr?

Adalia Mussawi: Insgesamt etwa vierzig Familien, mit Kindern ungefähr hundertvierzig Personen. Sie war früher größer; in den letzten Jahren, nach der islamischen Revolution 1979, sind ungefähr die Hälfte der Juden von hier weitergewandert, viele nach Israel, andere nach New York und nach Los Angeles.

Die Revolution hat mir persönlich nichts getan, mir keine Vor- oder Nachteile gebracht. Ich bin lange vor der Revolution nach Hamburg gezogen und habe einen Mann geheiratet, der in Hamburg aufgewachsen ist. Seine Familie ist schon seit fast vierzig Jahren hier. Sie waren die ersten, die 1953 nach Hamburg zogen; sie und die anderen persischen Familien haben mir sehr viel geholfen. Ich habe, nachdem meine eigene Familie nach der Revolution nach New York ausgewandert ist, überhaupt keine Beziehung mehr zu meinem Heimatland. Gefühlsmäßig schon, aber sonst gibt es nichts, was mich zurückziehen würde.

Ich bin in Teheran geboren und aufgewachsen. Aber meine Familie stammt eigentlich aus einer anderen Stadt, aus Meschet, wo es eine sehr große jüdische Kolonie gab, die sich von den anderen persischen Juden abgespalten hatte. Meschetische Perser sind vor ungefähr fünfzig Jahren nach Teheran gezogen und auch dort zusammengeblieben. Es gibt noch heute zweierlei Juden: solche, die aus verschiedenen Städten stammen, und die meschetische Kolonie.

Gab es religiöse Differenzen zwischen ihnen?

Adalia Mussawi: Traditionelle Differenzen. Die meschetischen Juden haben sehr viele eigene Traditionen. Sie haben wie gesagt in Meschet gelebt, einer islamischen, sehr religiösen Stadt, und die Juden haben in dieser Stadt immer enger zusammengehalten, um sich nicht mit den Moslems zu vermischen. Nicht einmal fremde Juden wurden in diese Kolonie aufgenommen. Das hat sich auch auf die Hamburger Gemeinde übertragen.

Ich habe einmal gelesen, daß es eine jüdisch-iranische Sprache gegeben hat. Wird sie noch gesprochen?

Adalia Mussawi: Ja, bei uns, den Mescheti-Leuten, zum Teil auch bei den anderen. Jede jüdische Kolonie hat, egal wo sie lebt, einen eigenen Dialekt. Der Unterschied zwischen Mescheti und Farsi ist allerdings geringer als etwa der zwischen Jiddisch und Deutsch.

Wie war es für Sie, als Sie nach Hamburg kamen?

Adalia Mussawi: Ich war damals sehr jung, ich kam mit sechzehn nach Hamburg, 1972. Ich hatte die Schule in Teheran noch nicht beendet, mußte also erst einmal einen Schulabschluß machen, zuvor mußte ich Deutsch lernen. Danach habe ich eine Ausbildung als Fotografin gemacht. Beruflich bin ich nicht tätig, aber ich habe sehr viele, auch künstlerische Hobbys, die irgendwann einmal, wenn unser Sohn größer ist, vielleicht zum Beruf werden.

Deborah Rachman: Ich bin seit fast neunundzwanzig Jahren hier. Als ich nach Hamburg kam, war auch ich noch ein junges Mädchen. Adalia und ich, wir kennen uns seit zwanzig Jahren. Ihre Schwiegermutter hat mir viel geholfen, bei der Geburt meiner Kinder, bei der Kindererziehung und so weiter. Wir waren die elfte jüdische Familie aus Teheran hier. Mein Mann kam 1957 hierher, und sechs Jahre später kam ich. Das waren schöne Zeiten damals. Wir waren eine kleine Kolonie, wir hielten alle zusammen, die Kinder haben wir zusammen erzogen. Auf einmal wurde unsere Gemeinde groß, und nun wird sie leider wieder kleiner.

Adalia Mussawi: Tatsache war immer, daß das hier Deutschland ist und wir als Juden nicht ewig hier bleiben wollen. Die Gründe, warum die meisten jüdisch-persischen Familien nach Hamburg gezogen sind, waren wirtschaftliche und geschäftliche. Nach dem Zweiten Weltkrieg waren die Voraussetzungen hier sehr gut. Die meisten Familien hatten aber die Einstellung, nicht für immer hier bleiben zu wollen. Doch solange die Geschäfte gut gehen, denkt man nicht daran, von heute auf morgen wegzuziehen, man wartet auf eine passende Gelegenheit.

Deborah Rachman: Ein wichtiger Punkt ist, daß wir sehr traditionell und religiös sind, und wir wollen, daß auch unsere Kinder mit Juden zusammen sind. Doch es gibt von Jahr zu Jahr weniger Juden in Hamburg. Deshalb habe ich mich entschlossen, nach Amerika zu gehen, damit meine Kinder mit Juden zusammensein können. Wir sind immer aktiv geblieben, weil wir sehr traditonell sind, koscher essen und die Kinder zur Synagoge bringen. Wir hatten früher auch einen Kindergarten; wir haben koscheres Fleisch für unsere Gemeinde bekommen, doch jetzt ist alles ein bißchen schwieriger geworden. Jeder muß es sich woandersher besorgen.

Hier in der Jüdischen Gemeinde macht es kaum einen Unterschied, ob man Perser, Deutsche oder Nichtdeutsche ist. Wir haben gute Beziehungen untereinander, und es gibt nur eine Synagoge. Aber ich würde doch sagen, daß die Perser mehr Kontakt untereinander haben. Durch Sitten, Tradition, Erziehung, Sprache besteht ein anderer Zusammenhalt. Die meisten Perser haben sich auch Wohnungen gesucht, die nicht so weit von der Synagoge entfernt sind, so daß man sie an den hohen Feiertagen zu Fuß erreichen kann.

Die Aschkenasim kommen außer an den Feiertagen selten in die Synagoge. Es gibt aber Möglichkeiten, mit den Aschkenasim zusammenzusein, es gibt ein paar Organisationen, zum Beispiel die WIZO, eine Frauenorganisation, in der auch viele persische Frauen aktiv sind, oder Magen-David-Adom, eine israelische Erste-Hilfe-Organisation. Obwohl die persische Kolonie in Relation zu der deutschen beziehungsweise der nichtpersischen sehr klein ist, sind die Perser im Gemeindeleben sehr aktiv. Den Namen unserer Kolonie hört man immer und überall, wo es um Wohltätigkeit geht.

Wie sieht es mit der jungen Generation aus, den Frauen um die zwanzig, die hier geboren und aufgewachsen sind?

Adalia Mussawi: Alle, die geheiratet haben, sind weggegangen. Sie haben ins Ausland geheiratet, nach Israel, Amerika, Italien und so weiter. Ich nehme an, es gab zu wenig junge Leute hier, die sich kennenlernen oder einander heiraten konnten. Es gibt aber auch sehr viele junge Perser, die zwar hier geboren und aufgewachsen sind, die aber in Frankreich, Amerika, Israel oder England studieren. Wenn es das Glück will, bleiben sie dort, wo sie studiert haben. Man sieht in Hamburg wenig Zukunft; die jüdische Gemeinde ist sehr klein geworden und passiver als früher. Für die junge Generation, die hier geboren und aufgewachsen ist, ist es weniger ein Problem, daß das hier Deutschland ist; für sie liegt die Nazizeit weit weg. Aber was sollen sie hier machen? Hamburg hat wenig zu bieten für junge jüdische Leute. Wenn man ein bißchen jüdisch leben möchte, sind die Möglichkeiten hier gering.

Frau Mussawi, wie sieht das für Sie aus, Sie wohnen ja hier?

Adalia Mussawi: Ich wohne noch hier, aber wir planen auch schon ganz konkret, nach New York wegzuziehen. Nur wann, das wissen wir noch nicht genau. In New York, wo wir hingehen wollen, sind sehr viele iranische Familien. In Queens Garden gibt es so viele Synagogen, Gemeinden aus aller Welt, polnische, persische, Aschkenasim... Wir haben dort eine Synagoge gebaut für über fünftausend Leute, nur Meschadim. Die Gemeinde hier wird immer kleiner, und irgendwann hat man doch das Gefühl, einen größeren Zusammenhang zu brauchen, Leute, die mich verstehen, oder ich muß mich total der Umgebung anpassen und ändern. Das kann man machen, wenn man siebzehn oder achtzehn Jahre alt ist, aber ab einem gewissen Alter möchte man das nicht mehr. Dann sucht man sich eine Gemeinde, die einem gefällt. Auch für die Kinder ist es natürlich schöner, wenn sie eine große Familie haben, als wenn sie hier alleine aufwachsen müssen.

Unser erzieherischer Einfluß zu Hause ist sehr stark. Was in der persischen Kolonie auffallend ist, ist die ›gesunde‹ Erziehung. Darunter verstehe ich, daß es wenig Diebe, wenig Rauschgift, aber gute Bildung und gute Schulen gibt. Wir versuchen, die Kinder wirklich traditionell jüdisch zu erziehen, wie wir das auch gelernt haben. Ich meine nicht nur religiös, denn das ist schon schwer genug in Hamburg. Da es hier wenig Möglichkeiten gibt, mit anderen jüdischen Kindern zusammenzukommen, müssen sich die Kinder auch unter Deutschen und Nichtjuden ihre engen Freunde suchen, und das ist genau das, was wir verhindern möchten. Die Sprachen sind dabei kein Problem, unsere Kinder können fließend zwei, drei Sprachen, Persisch von zu Hause, Deutsch natürlich von der Umgebung. Die meisten gehen in die Internationale Schule, wo die erste Fremdsprache Englisch ist, und dann lernen sie noch Latein und Französisch.

Welche Feiertage werden bei Ihnen gefeiert?

Adalia Mussawi: Pessach, Rosch Haschana, Jom Kippur, Tu B'Schwat, Chanukka, Purim, Sukkot, Schawuot, und Schabbat sowieso. Aber beispielsweise Ta'anit Purim, das Fasten Esthers, feiern viele nicht, nur die Strenggläubigen. An Tisch'a b'Aw fasten viele, ich ab und zu auch, wenn ich was für meine Gesundheit tun will. In unserer Kolonie wird traditionell und religiös gelebt.

Die meisten persischen Damen gehen eher in die Synagoge, um sich zu treffen und miteinander zu reden, als um zu beten. Dann geht man natürlich nicht an seinen Stammplatz irgendwo oben in der Ecke, wo man an Jom Kippur oder an Rosch Haschana sitzt, sondern man geht gleich zu den Freundinnen. So wird es dann manchmal etwas laut. Aber damit haben sich die orthodoxen Männer unten inzwischen abgefunden. Ich finde es besser, daß die Leute in der Synagoge sich auch mal unterhalten, als daß überhaupt niemand in der Synagoge zu sehen wäre. Die Kinder gehen gerne hin, spielen ein bißchen draußen, kommen auch mal rein, müssen aber auch nicht absolut ruhig sein.

Deborah Rachman: Ich bin an jedem Winkel Israels interessiert, und jedes Mal, wenn ich dort bin, gehe ich in verschiedene Synagogen. Einmal war ich am Pessach-Morgen in einer Synagoge, wo Leute aus aller Welt zusammenkommen; die meisten waren Amerikaner. Keiner durfte sprechen, und zwischen den Frauen und Männern war ein Vorhang. Als eine Freundin zu mir kam, fingen wir an zu flüstern. Da haben wir vielleicht Ärger bekommen! »Schluß«, sagte ich, »wir gehen, das ist nichts für uns hier.« In der tunesischen Synagoge dagegen ist es Tradition, daß alle zusammen – Männer, Frauen, Kinder – die ganze Zeit während des Gottesdienstes laut lesen.

Es gibt orthodoxe, Reform- und konservative Synagogen. Wir hier gehören nicht zu den orthodoxen, aber auch nicht zu den konservativen, sondern liegen dazwischen. Bei uns trägt man keinen Schirm, keine Tasche am Schabbat, wir haben keine Orgel wie in den konservativen Synagogen, und es gibt auch kein Mikrophon. So streng wie bei den Orthodoxen ist es nicht. Aber an Traditionen halten wir sehr stark fest – bis jetzt jedenfalls: an Kaschrut, Schma Israel, Schabbat und den Feiertagen. Unsere Generation hat es an die Kinder weitergegeben, aber was unsere Kinder ihren Kindern weitergeben werden, kann man nicht wissen. Die Zeiten ändern sich, aber wir versuchen immer, aktiv zu bleiben und das Judentum weiterzugeben, damit es nicht verloren geht.

Dieses Interview wurde 1992 geführt.

Cornelia Klein
Paneriai

Vor zwanzig Jahren habe ich Vilnius, die Stadt, in der ich geboren wurde und aufwuchs, verlassen. Ich dachte, ich werde sie für immer verlassen. Ich wollte nicht nur physisch, sondern auch geistig weit weg sein. Vergessen? Nein, meine Kindheit wollte ich nicht ganz vergessen. Ich wollte bloß weit weg sein von der Kindheit, in der man uns klar gemacht hat, wir gehörten nicht dazu, wir seien fremd. Meine Wurzeln seien nicht in Vilnius. Doch nach Jahren habe ich gespürt, sie sind dort. Auch dort. Und ich kam zurück. Für kurze Zeit, nur für einen Augenblick. Nur einen Blick wollte ich werfen. Als Zuschauerin, als Außenseiterin. Es ist mir nicht gelungen. Die Stadt hatte mich in ihrem Bann. Meine Kindheit und die Geschichte hatten mich in den engen Straßen der Altstadt und in meinem Hof eingeholt. Nicht die Geschichte, die ich in der Schule gelernt hatte, sondern die meiner Eltern, meiner Großmutter. Die Spuren führten mich in das außerhalb der Stadt gelegene Wäldchen Paneriai, wo die jüdische Bevölkerung von Vilnius erschossen worden ist.

Regen. Naße Erde. Herbst. Das kleine Museum geschlossen. Die Gedenkstätte: acht Gruben, markiert durch einen niedrigen Betonzaun, gepflegtes Gras. Ganz grün. Ganz frisch... Wer weiß, ob dies die richtigen Gruben sind. Vielleicht sind es gerade die ohne die Betonmarkierung, in denen das Gras wild wuchert? Ist es nicht egal? Legt sich nicht die Stille über alle Gruben, über den ganzen Wald? Stille, die ich kaum ertragen kann und durch künstlerische Gestaltung durchbrechen muß.

Charlotte Kohn-Ley
Die Neugierde
muß größer werden
als die Angst

Nun sitze ich hier in Venedig, an der Zattere, und vor mir liegt im zarten, goldenen Dunst die Giudecca. Seit zwanzig Jahren verbringe ich jede freie Zeit meines Lebens in dieser Stadt des Meeres. Hier fand ich auch die Frau, die ich zu meiner geistigen Mutter erwählte, die Malerin Manina.

Wir haben Wien als Geburtsort gemeinsam und kamen sogar in der gleichen Wiener Entbindungsanstalt zur Welt, aber davon abgesehen ist Manina vor dem Zweiten Weltkrieg und ich nach diesem geboren. Wir entstammen beide jüdisch-bürgerlichen Familien, und beide wählten wir die Malerei als Beruf und als Lebensform.

Bis zu einem gewissen Punkt erfanden wir unser Leben selbst. Darüber hinaus leben wir in einer Schicksalsgemeinschaft, über die wir in unserer kostbaren gemeinsamen Zeit nicht viele Worte verlieren. Die Wunden des Nationalsozialismus haben Narben auch in unseren Herzen hinterlassen.

Es ist so schön hier in Venedig, dieser weiblichen, anmutigen Stadt, in der ich mich so wohl fühle wie in einer mütterlichen Umarmung. Venedig ist für mich der Ort, der am weitesten von Auschwitz entfernt liegt. Venedig hat mit Gaskammern keine Verbindung. Es liegt auf der anderen Seite der Welt und der menschlichen Kreativität. Hier habe ich mein Zimmer in der Casa Manina. Dieser Raum ist wie ein Ort auf dem Grunde des Ozeans menschlichen Leidens. Hier fühle ich mich abgeschirmt von den Stürmen meines Lebens; hier sammle ich die nötige Kraft, um mich wieder der Unsicherheit meiner Existenz aussetzen zu können. Die Inspiration, die von dieser Stadt ausgeht, macht es mir möglich, meine Bilder zu malen, meine Texte zu schreiben und zu unterrichten. Immer, wenn ich fühle, daß meine Kräfte zur Neige gehen, weiß ich, daß mir eine Tür offen steht, wo ich ohne Selbstverleugnung und ohne Erklärungen zu dem stehen kann, was ich bin: eine Malerin, eine Jüdin.

Irgendwie erscheint mir all dieses intellektuelle Ringen um jüdische Identität zwar als etwas Wesentliches, aber gleichzeitig fühle ich, daß ich jetzt und hier – nur für mich – eine Lösung gefunden habe. Ich bin einfach eine Jüdin, weil ich es so empfinde. Dieses Bewußtsein setzt sich aus vielen Bausteinen zusammen. Mag die Religion ihren Anteil daran haben und die Verantwortung, die ich als Jüdin zu haben glaube, da ich immer fürchte, daß mein persönliches Verhalten der Maßstab ist, an dem die Gesamtheit der jüdischen Menschen gemessen wird. Wenn es multiple Persönlichkeiten gibt, warum nicht auch multiple Identifikation? In mir hat Israel seinen Platz und Anna Freud. Es scheint mir geradezu konsequent zu sein, sich auf mehrere Traditionen zu berufen. Als Malerin ist es ja auch notwendig, aus vielen Inspirationen zu schöpfen. Um ein Bild zu malen, benötige ich eine Geschichte, die ich gehört oder gelesen habe, Modelle, Skizzen, viel Farbe und Leinwand. Genauso wichtig sind Museumsbesuche und Kunstbücher, aus denen ich winzige Facetten auswähle, die dann in meinem Gehirn gefiltert und kombiniert werden zu einem neuen Ganzen, zu einem völlig eigenständigen, persönlichen Kunstwerk. Erlebtes und Geschehenes sind verdichtet in jedem einzelnen Bild von mir. Die Malerei ist weit mehr für mich als nur ein Beruf; sie ist eine Lebensform, wie das Judentum, in dem Erlebtes, Geschehenes, Gedachtes und Gelesenes zu einem eigenständigen Ganzen werden, welches von meiner Person nicht zu trennen ist. Dies ist meine jüdische Identität.

Die Schönheit Venedigs ist durch Blut und Tränen entstanden, denn gerade der mit Geheimnissen umkleidete Luxus verdankt seine Entfaltung dem Sklavenhandel. In Venedig ist aber auch das erste Ghetto der Welt entstanden. Den Juden, die – aus dem Veneto kommend – sich in Venedig niederließen, wurde nur erlaubt, auf dem Gelände der Eisengießereien zu siedeln, die im venezianischen Dialekt »ghetto« genannt wurden. Sie durften nur mit alten Kleidern handeln und in kleinen Holzständen, sogenannten »bancos«, den für Christen verbotenen Geldverleih durchführen. Aus den »bancos« von Venedig entstand der Begriff der Bank. Die Juden von Venedig mußten über Jahrhunderte jedes Jahr für ihr Aufenthaltsrecht und ihren persönlichen Schutz teuer bezahlen.

Das herrliche Venedig mit seinem wunderbaren Gold, Terrakotta und korallenrosafarbenem Licht, das sich in den blaugrünen und türkisen Gewässern spiegelt, wird von einigen Autoren als labyrinthisch bezeichnet. Für mich ist es ein organisches Gebilde, das unbeeinflußt von menschlichem Schicksal die Zeitströmungen in ihrer elegantesten und auch galantesten Form wiedergibt und konserviert und somit die Vergangenheit für uns sichtbar macht.

Als ich vor Jahren ein neues »Thema« für meine Arbeit suchte, habe ich mir den Luxus geleistet, drei Monate hier mit Manina zu leben. Es war die längste Ruhezeit meines Lebens. Danach war mir zwar immer noch nicht klar, welche Richtung in der Malerei ich einschlagen würde, aber ich kaufte mir ein Buch über die Anatomie des menschlichen Körpers. Langsam und eher unwillig begann ich, mich mit Gelenken und Muskeln auseinanderzusetzen. Ich schien nicht in der Lage zu sein, einen nackten, menschlichen Körper auf Papier zu bringen. Zu meinem großen Erstaunen bemerkte ich sogar, daß ich die größten Probleme mit meinem eigenen Körper hatte; dies war für mich fast ein Schock, denn ich kann mich nur über meinen Körper als Frau definieren. Geist und Denken sind nur sehr bedingt als weiblich oder männlich festzulegen. Ein weibliches Kind wird zwar in bezug auf seinen Körper meist rigoroser sozialisiert als ein Junge. Aber da ich ohne spezifisch religiöse Normen erzogen wurde, fand ich meine blockierende Schamhaftigkeit doch sehr verwunderlich. Ich sah mich gezwungen, darüber nachzudenken, aber irgendwie gelang es mir nicht so richtig. So suchte ich nach Resten von Orthodoxie in dem Erziehungsstil meines Vaters und wunderte mich sehr, als ich mir vergegenwärtigte, wie streng kurze Ärmel und Röcke, Dekolletés und Bikinis von ihm geahndet worden waren. Wirklich komisch daran war, daß ein Großteil dieser Kleiderordnung selbst in der subtropischen Dominikanischen Republik, wo mein Vater seit 1949 lebt, aufrecht erhalten wurde. In Europa konnte ich diesen Aufzug als »Englisches Fräulein« mit hochgeschlossenen Blusen und warmen Pullovern durch mein leichtes Frösteln legitimieren. Mir war somit klar, daß sich religiöse Verhaltensmuster nicht so leicht abschütteln lassen. Immerhin war der Urgroßvater meines Vaters ein Rabbiner gewesen.

Dabei ließ ich es bewenden, bis zu jenem Zeitpunkt, als ich bei meinem Vater saß und wir alte Fotos aus seiner Jugendzeit ansahen, die auf Umwegen doch noch bei ihm in Santo Domingo gelandet waren. Auf den Fotos war mein Vater zu sehen – ein sportiver junger Mann und kein »Kaffeehausjude«. Er verbrachte mit seinem Sportclub einen Schiurlaub in den Alpen, und dabei muß es sehr hoch hergegangen sein. Die Menschen schienen aufgeschlossen und fortschrittlich und gleichzeitig von beneidenswerter Sorglosigkeit – trotz der sich schon abzeichnenden politischen Entwicklung. Auf einem dieser Fotos – ich traute meinen Augen nicht – stand die ganze Gruppe vor sonnigem Alpenpanorama, splitternackt auf ihren Schiern, abfahrtbereit. Vorwurfsvoll und doch auch amüsiert bat ich meinen Vater um eine Erklärung. Er lachte und sagte völlig verklärt über diese schöne Zeit: »Was willst du, es war Frühling, schon sehr warm, und wir wollten ganz einfach überall braun werden. Wir gingen damals im Sommer auch alle nackt baden.« Er sah mich an, schüttelte den Kopf und fügte noch hinzu, daß ich aus unerklärlichen Gründen verklemmt sei. Das Konstrukt der Orthodoxie, das ich in meinem Kopf aufgebaut hatte, stürzte krachend in sich zusammen. Wieder einmal war es unumgänglich für mich, weiterzuforschen, weshalb ich solche Probleme mit der »Nacktheit« habe.

Nur ungern erinnerte ich mich eines Tages an eine Begebenheit aus meiner Schulzeit: Es war ein Erlebnis, das ich als tabu verdrängt hatte, und das plötzlich wieder ganz klar und deutlich wie eine Filmszene in meiner Erinnerung ablief. Es muß ungefähr Ende der fünfziger Jahre gewesen sein: Ich war Schülerin, und das Unterrichtsministerium ließ an allen Schulen eine Aufklärungsbroschüre über den Holocaust verteilen. Auf dem Umschlag der Broschüre stand: »Nie wieder.« Dahinter war ein Berg nackter, ausgemergelter Leichen zu sehen. Beim

Durchblättern konnte ich Fotos von nackten, auf Hinrichtungs-
kommandos wartenden Frauen, Männern und Kindern sehen, und
ich sah ängstlich aneinandergedrängte nackte Frauen. Ich saß auf
meiner Schulbank, und die Welt verlor ihr ganzes Licht. Ich wußte
damals bereits, daß meine Großmutter den Transport von Theresienstadt nach Auschwitz nicht überlebt hatte, während mein Großvater
dort vergast worden war. Theoretisch könnten sich ihre Leichen unter
den abgebildeten nackten Toten befinden. Ich wußte auch, daß mein
Vater sieben Jahre seines Lebens in verschiedenen Konzentrationslagern verbracht hatte. 1945 war er einer der Häftlinge in einem
Konzentrationslager, die sich selbst befreiten. Es gelang der Wider-
standsbewegung in Buchenwald, die Nazis gefangenzunehmen und
sie dann den amerikanischen Truppen zu übergeben. Dies war mir
damals bereits alles bekannt, aber irgendetwas in mir hat sich immer
geweigert, diese Tragik in ihrer ganzen Konsequenz zu erfassen, bis zu
diesem Moment in der Schule, als die Welt um mich dunkler und
feindlicher wurde. Zu Hause versteckte ich diese Broschüre auf dem
Dachboden. Meine einzige Sorge war, daß diese grauenhaften Fotos
niemand von meiner Familie zu sehen bekam. Ich löste einen
Ziegelstein aus der Wand und begrub dahinter das Grauen. Nie mehr
habe ich diesen Dachboden betreten.

Erst beim Betrachten dieser Fotos unbeschwerter, schifahrender
junger Juden erinnerte ich mich wieder an die Fotos auf dem Dachboden. Langsam wurde mir auch meine Verdrängung des eigenen
Körpers, der Sexualität und der Lebensfreude bewußt. Wie sollte ich
mit dieser Traumatisierung in der Lage sein, in meinem Werk die
Auseinandersetzung mit dem menschlichen Körper zu schaffen. In
die Abstraktion zu flüchten und weiter zu verdrängen war nun, nachdem ich den ersten Schritt hin zur Wahrheit getan hatte, auch nicht
mehr möglich. Ich entschloß mich, mein selbstauferlegtes Bilderver-
bot zu bekämpfen. Es war ein harter Kampf, den ich nicht nur mit
mir allein im Atelier, sondern mit weiblichen und männlichen
Modellen als Zeugen führen mußte. Die ersten fünf Jahre habe ich
nun hinter mir. Viele Hunderte von Zeichnungen sind entstanden,
und langsam – nach anfänglicher Starrheit und Unsicherheit – beka-

men die von mir dargestellten Menschen einen lebendigen Körper. In letzter Zeit entwickelte sich in meinen Zeichnungen und Ölbildern eine erotische Aura. Selbst die Darstellung von Sinnlichkeit beginnt mir Freude zu machen, und ich erkenne, daß dies der wichtigste Teil meiner weiblichen Identität ist.

Wie ich beschrieb, hatte dieses Problem für mich persönlich mit meiner Identifizierung als jüdische Frau zu tun. Ich habe dabei auch gelernt, daß für Frauen ihre Körperlichkeit im allgemeinen ein weitaus größeres Problem darstellt, als ihnen bewußt ist, und daß sie sich eine autonome Weiblichkeit und Eotik zurückerobern müssen. Nicht mehr der männliche Blick kann uns ein Selbstwertgefühl oder gar eine Identität geben. Auch eine Opferrolle macht uns nicht zu freien und glücklichen Menschen. Dies gilt besonders für jüdische Frauen, die Gefahr laufen, in einer zweifachen Opferrolle – als Jüdin und als Frau – ihre Identität zu suchen.

Ich wehre mich dagegen, daß ich von meiner Umwelt unter diesem Aspekt wahrgenommen und identifiziert werde. Mein historisches Bewußtsein, das ein Teil meines »jüdischen Erbes« ist, läßt ein Vergessen dieser mörderischen Ereignisse nicht zu. Alle nach dem Holocaust geborenen Jüdinnen und Juden sind aufgrund des Schicksals ihrer Eltern und Verwandten traumatisiert. Heute wächst mein Schmerz über die Ereignisse der Vegangenheit, und ich entwickle langsam die Fähigkeit zu wirklicher Trauer. Gleichzeitig wächst aber auch mein Wunsch, mich mit meiner Umwelt auseinanderzusetzen und mich meinen Mitmenschen zu nähern. Ich will nicht, daß die Menschenverachtung und der Haß gewinnen. Schuldzuweisungen und ein Aufteilen in Opfer- und Täternachkommen schaffen eine neue Form des Ghettos. Für uns alle ist es wichtig, eine positive Beziehung zueinander aufzubauen. Es ist an der Zeit, daß jüdische und nichtjüdische Menschen erkennen, wie wichtig es ist, miteinander zu sprechen, zu arbeiten und zu leben. Um Vorurteile abzubauen, weiß ich nur ein Mittel: Die Neugierde muß größer werden als die Angst.

Ich habe viele nichtjüdische Freundinnen und Freunde in Deutschland und Österreich. Wir haben einander nichts zu verzeihen. Wir wissen, daß wir mit unserer Freundschaft weder die Vergangenheit ungeschehen machen noch die Welt verändern können, aber es ist ein Anfang, ein kleines Licht der Hoffnung.

Ich sitze immer noch an meinem kleinen Kaffeehaustisch in Venedig. Es ist schon etwas kühl geworden. Das Licht des späten Nachmittags hat die Farben Venedigs wieder verändert. In manchen Fenstern ist schon Licht zu sehen. Ich bezahle und gehe zurück zu Manina. Wir werden einen schönen Abend gemeinsam verbringen, denke ich, während ich über die Brücke der Accademia gehe. Die tiefstehende Sonne hat das Wasser des Canale Grande in flüssiges Gold verwandelt. Die Palazzi erscheinen mir durch dieses Licht, als hätten sie sich in festliche Abendkleider gehüllt. Die Welt ist so schön. Dies zu erkennen ist das einzige, was wir Menschen tun können: die Schönheit in uns bewahren und sie den Menschen weitergeben, die wir lieben.

Glossar

Alija hebräisch für »hinaufgehen«; bezeichnet sowohl die jüdische Einwanderung nach Israel als auch den Aufruf zur Tora während des Gottesdienstes.

Aschkenasim bezeichnet Juden und Jüdinnen mittel- und osteuropäischer Herkunft. »Aschkenas« war im Mittelalter die hebräische Bezeichnung für Deutschland.

Bar Mizwa wörtlich »Sohn der Pflicht/des Gebotes«; bezeichnet sowohl einen religionsgesetzlich Volljährigen als auch die Zeremonie anläßlich des 13. Geburtstages eines Jungen, der in der Synagoge erstmalig zur Toravorlesung aufgerufen wird und der damit die religiöse Verantwortung eines Erwachsenen übernimmt. Von diesem Zeitpunkt an wird er zum Minjan gezählt.

Baruch Haschem hebräisch für »Gelobt sei der Name« (Gottes).

Bat Mizwa wörtlich »Tochter der Pflicht/des Gebotes«. Zeremonie nach dem 12. Geburtstag eines Mädchens, das damit religiös mündig wird.

Challa, Plural *Challot* Weißbrot ohne Milchzusatz, das am Schabbat und an Feiertagen gegessen wird.

Chanukka, Chanukkia achttägiges Lichterfest im Dezember, das an die Befreiung und erneute Weihe des Tempels in Jerusalem nach dem Sieg der jüdischen Makkabäer über die Syrer erinnert (165 v. u. Z.). Ferner an das Wunder, daß der eintägige Ölvorrat, den man nach der Rückkehr im Tempel vorfand, für acht Tage reichte. Nach Sonnenuntergang wird täglich ein neues Licht des Chanukkaleuchters – der Chanukkia – angezündet.

Cheder Schule, in der Jungen – und manchmal auch Mädchen –
die Grundlagen der jüdischen Religion vermittelt werden.

Dybbuk eigentlich der ruhelose Geist eines oder einer Toten,
der in den Körper von Lebenden fährt und von ihm Besitz ergreift.
Der Dybbuk muß von einem Bet Din, einem rabbinischen Gericht
exorziert werden.

Erez Israel hebräisch für »Land Israel«, bezeichnete zunächst
das biblische Kanaan und heute den Staat Israel. Vor der Staats-
gründung Synonym für Palästina.

Gemara wörtlich »Ergänzung« zur Mischna, auf der sie aufbaut,
die sie diskutiert und kommentiert und mit der zusammen sie den
Talmud bildet.

Goj, Gojim hebräischer Ausdruck für Nichtjude(n).

Haman siehe Purim.

Ibn Esra Philosoph, Dichter, Astrologe und angesehener
Bibelexeget in Spanien und Italien (1092 – 1167).

Jiddisch Sprache des osteuropäischen Judentums, die in
hebräischer Schrift geschrieben wird. Jiddisch basiert auf dem
Mittelhochdeutschen und enthält neben zahlreichen hebräischen
auch slawische Ausdrücke. Entwickelte sich zu einer eigenständigen
Sprache, nachdem die jüdische Bevölkerung im Mittelalter vor
Pogromen aus dem deutschsprachigen Raum nach Osteuropa
geflüchtet war.

Jom Kippur Versöhnungstag; heiligster Tag des religiösen Jahres
(im September/Oktober).
Ein Tag des Fastens und Betens um Vergebung der Sünden gegenüber Gott und den Mitmenschen.

Letzter der zehn Bußtage, die mit dem ersten Neujahrstag beginnen.

Kiddusch Der Segen, der an Schabbat und an anderen Feiertagen vor der Mahlzeit über einem Becher Wein gesprochen wird.

Kimchi jüdische Gelehrtenfamilie aus Südfrankreich und Spanien (12./13. Jahrhundert). Sie waren Sprachforscher der hebräischen Sprache und Grammatik.

Koscher, Kaschrut Rituell rein, erlaubt; jüdische Speise- und Reinheitsgesetze.

L'Chajim hebräisch »Auf das Leben«. Wird als Trinkspruch benutzt.

Ladino entwickelte sich im Mittelalter aus Spanisch, Portugiesisch und Hebräisch und wurde in hebräischen Buchstaben geschrieben.

Magen David hebräisch für »Schild Davids«; sechszackiger Davidstern.

Maimonides Moses ben Maimon (Kurzform: RaMBaM), jüdischer Philosoph und Arzt (1135–1204). Verfasser grundlegender Werke wie *Mischne Tora* (Wiederholung des Gesetzes) und *Jad ha-Chasaka* (Starke Hand).
Moreh Nebhuchim (Führer der Verirrten) war sein philosophisches Hauptwerk.

Midrasch hebräisch für »Auslegung, Deutung«; Sammlung rabbinischer Literatur, die den Bibeltext erläutert und auch Gleichnisse und moralische Erzählungen enthält.

Mikwe rituelles Tauchbad zur spirituellen Reinigung und Erneuerung. Orthodoxe Frauen gehen nach jeder Menstruation, vor der Hochzeit und nach der Geburt eines Kindes in die Mikwe. Das

Untertauchen in der Mikwe ist auch ein Bestandteil der Aufnahme ins Judentum.

Minjan Mindestzahl von zehn jüdischen Personen, die erforderlich ist, um bestimmte Gebete, wie z. B. den Kaddisch, das Gebet für Verstorbene, laut zu beten. Zehn gilt als Zahl für Gemeinde. Auch heute noch werden aufgrund der dazu zitierten Bibelstellen im orthodoxen Judentum nur Männer zum Minjan gezählt.

Mischna wörtlich »Lehren durch Wiederholen«. Rechtskodex (systematische Sammlung der mündlichen Lehre des Judentums), im 2. Jahrhundert n. u. Z. durch Rabbi Juda Hanasi kompiliert.

Olim hebräisch für »Einwanderer«.

Pessach (deutsch: *Passah*) Fest der Befreiung (und der ersten Früchte) im März/April. Wörtlich »Überschreitung«, d. h. Verschonung der Häuser des Volkes Israel. Der Vorabend des Festes heißt Seder, weil an ihm nach einer genau vorgeschriebenen Ordnung (»Seder«) die Haggada gelesen wird, die von der Befreiung aus der ägyptischen Sklaverei berichtet. An Pessach wird nur ungesäuertes Brot, Matze genannt, gegessen; es erinnert an die Hast, mit der das Volk Israel aus Ägypten aufgebrochen ist.

Purim wörtlich »Losfest« (Februar/März). Erinnert an die Rettung des jüdischen Volkes in Persien um 400 v. u. Z. In der Bibel wird im Buch Esther berichtet, daß Haman, ein Feind der Juden und Großwesir des persischen Hofs, ein Los (hebräisch »pur«) befragte, um den Zeitpunkt für die Vernichtung der jüdischen Bevölkerung zu bestimmen. In der Stunde der Not bekannte sich Esther, die Frau des Königs Ahasweros, zu ihrer jüdischen Herkunft und konnte die drohende physische Vernichtung abwenden. Esther wurde zum Symbol für das Vertrauen auf die Unzerstörbarkeit des jüdischen Volkes, beispielhaft für das Schicksal der Juden in der Diaspora.

Rabbi hebräisch »mein Lehrer«. Heute ist Rabbi/Rabbiner die Bezeichnung für einen Beruf, der alle sozialen und religiösen Belange einer Gemeinde beinhaltet. Ursprünglich ein »Ehrentitel« für gelehrte Männer. Die erste Rabbinerin wurde 1928 ordiniert.

Raschi Namenskürzel von Rabbi Schlomo ben Isaak (1040–1105), einem wichtigen Bibel- und Talmudkommentator.

Responsa rabbinische Rechtsgutachten, bedeutsam für die Weiterentwicklung der Halacha, des jüdischen Religionsgesetzes, das Normen, Regeln, Ge- und Verbote zu Fragen der Ethik, Recht und Ritual enthält.

Rosch Haschana wörtlich »Kopf des Jahres«; Neujahrsfest, einer der höchsten jüdischen Feiertage. Beginn des Kalenderjahres (September/Oktober) und Eröffnung der im Mittelpunkt des religiösen Lebens stehenden zehn Bußtage, an denen zu Buße und Besserung aufgerufen wird. Rosch Haschana gilt auch als Schöpfungstag; an ihm bestimmt Gott das Geschick der Menschen und hält Gericht. Die Jahreszählung beginnt mit dem angenommenen Termin der Weltschöpfung vor 5754 Jahren (bezogen auf 1993/94).

Schabbat (deutsch: *Sabbat*, jiddisch: *Schabbes*) der siebente Wochentag, an dem alle Arbeit ruhen soll. Traditionell beginnt der Schabbat mit dem Anzünden der Schabbatkerzen durch Frauen und einem festlichen Abendessen am Freitagabend, da nach jüdischem Brauch der »Tag« mit dem Abend beginnt, und endet am Samstag nach Einbruch der Dunkelheit.

Schammasch wörtlich »Diener«; die neunte Kerze oder das Licht, mit dem an Chanukka die anderen acht angezündet werden.

Schawuot Wochenfest, das an die Gottesoffenbarung, d. h. den Empfang der Tora am Berg Sinai, erinnert und 49 Tage nach

Pessach gefeiert wird. Schawuot ist auch das Fest der zweiten Ernte, besonders der Weizenernte.

Schma Israel hebräisch »Höre Israel«. Anfangsworte des jüdischen Hauptgebetes, »Höre Israel, der Ewige ist unser Gott, der Ewige ist einzig« (Deuteronomium 6:4-9).

Seder siehe Pessach.

Sephardim von hebräisch »Sepharad«, Spanien. Bezeichnung der spanisch-portugiesischen Juden, die nach ihrer Vertreibung aus Spanien (1492) und Portugal (1497) über Südeuropa, Lateinamerika und den Orient verstreut wurden.

Sukkot Laubhüttenfest, das am fünften Tag nach Jom Kippur beginnt und an den Auszug aus Ägypten und an die Hütten erinnert, in denen das Volk Israel auf der Wanderung durch die Wüste Sinai lebte. Gleichzeitig Erntedankfest. Sukkot endet mit Simchat Tora, dem Fest der Gesetzesfreude, an dem die jährliche Toravorlesung beendet und ein neuer Zyklus begonnen wird.

Ta'anit Esther wörtlich »Fasten Esther«; Tag vor dem Purimfest.

Talmud hebräisch für »Lehre«, »Studium«; nachbiblisches Hauptwerk des Judentums, das sich aus Mischna und Gemara zusammensetzt; Sammelwerk der Gesetzesüberlieferung und -auslegung. Es wird zwischen dem Jerusalemer (palästinensischen) Talmud und dem viel umfangreicheren und wesentlich bedeutenderen babylonischen Talmud unterschieden.

Tischa'a b'Aw Trauer- und Fasttag (Juli/August), der an die beiden Zerstörungen des Tempels in Jerusalem erinnert (die babylonische 586 v.u.Z. und die römische 70 n.u.Z.), die beide auf dasselbe Datum fielen, den 9. Aw.

Tora hebräisch »Lehre«; die fünf Bücher Mose (Pentateuch). Bezeichnung für die jüdische Gesetzessammlung.

Torarolle Gesetzesrolle, die die fünf Bücher Mose enthält.

Tu B'Schwat Neujahrsfest der Bäume, eine erste Frühlingsfeier (Januar/Februar).

Die Herausgeberinnen

Jessica Jacoby, geboren 1954 in Frankfurt a. M., aufgewachsen in
Berlin, wo sie an der Freien Universität Germanistik und
Theaterwissenschaften studierte. Magisterarbeit über jiddische
Lieder in osteuropäischen Ghettos 1939–44. 1989 Mitarbeit an
der Ausstellung »Zerstörte Fortschritte – zur Geschichte des
Jüdischen Krankenhauses«. 1990–1992 Referentin im
multikulturellen feministischen Bildungsprojekt NOZIZWE.
Gründete 1985 den Lesbisch-feministischen Schabbeskreis.

Claudia Schoppmann, 1958 geboren, studierte Germanistik und
Geschichte. Promotion. Publikationen u.a.: *Nationalsozialistische
Sexualpolitik und weibliche Homosexualität*, Pfaffenweiler 1991, *Im
Fluchtgepäck die Sprache. Deutschsprachige Schriftstellerinnen im Exil*,
Berlin 1991, und *Zeit der Maskierung. Lebensgeschichten lesbischer
Frauen im »Dritten Reich«*, Berlin 1993.
Zur Zeit in der Berliner Geschichtswerkstatt tätig.

Wendy Zena-Henry, geboren 1962 in Brooklyn, New York. 1985
Abschluß am Friends World College. Kam 1988 nach Berlin, wo sie
neben der Arbeit an vorliegender Anthologie auch als Clown tätig
war. Lebt inzwischen wieder in New York und arbeitet am Leo
Baeck Institut.

*Die Autorinnen und
Interviewpartnerinnen*

Vivet Alevi, geboren 1952 in Istanbul. Studierte Grafik-Design
an der Hochschule der Künste Berlin. Arbeit im sozialen Bereich,
zuletzt in der Werkstatt für interkulturelle Medien. Videofilm über
Frauen aus der Türkei, *Auf den zweiten Blick*. Hat einen dreijähri-
gen Sohn und lebt zur Zeit in der Südtürkei.

Jocelyn K. Anker, 1969 in New York geboren, lebte und studierte
mehrere Jahre in Berlin. Abschlußarbeit über jüdische Lesben in
Berlin.

Maria T. Baader, geboren 1959, arbeitete zehn Jahre als Tischlerin
in Berlin und studierte dann Geschichte und Judaistik.
Zur Zeit ist sie Studentin im Doktorandenprogramm für jüdische
Geschichte an der Columbia University in New York.

Edna Bejarano, geboren 1951 in Tel Aviv, kam mit neun Jahren in
die BRD. 1966–69 Schauspielschule, ab 1969 Leadsängerin bei
der Rockband »Rattles«. 1988 Gründung der Band »Coincidence«.
Arbeitet in einem Asylbewerberdorf in Hamburg.

Esther Bejarano, geboren 1924 in Saarlouis, Saarland, und aufgewachsen in Saarbrücken und Ulm. 1940 Vorbereitung auf die
Auswanderung nach Palästina auf den landwirtschaftlichen Gütern
Winkel und Ahrensdorf bei Berlin. 1941–43 Zwangsarbeit in
Neuendorf/Fürstenwalde. 1943–45 KZ Auschwitz und
Ravensbrück; im April 1945 auf dem Evakuierungsmarsch
entkommen. Im August 1945 nach Palästina ausgewandert,
wo sie eine fünfjährige Gesangsausbildung absolvierte. Lebt seit
1960 wieder in Hamburg.

Talia Bloch, geboren 1966 in New York, kam 1988 zum ersten Mal nach Berlin. Studiert zur Zeit Vergleichende Literaturwissenschaften in den USA und schreibt Lyrik.

Claudia Cervio, 1946 in Argentinien geboren. Verheiratet, ein Sohn. Seit 1981 in der Pro Familia Berlin als Psychologin tätig.

Belinda Cooper, 1961 in den USA geboren und in New York aufgewachsen. Studierte Jura und kam 1987 mit einem Stipendium nach Berlin, wo sie jetzt als freie Journalistin und Übersetzerin arbeitet. Hat nicht vor, in Deutschland alt zu werden.

Andrea Dunai, geboren 1964 in Budapest, besuchte die Hochschule für Außenhandel und war danach als Journalistin und Übersetzerin tätig. Übersiedlung 1988 nach Ost-Berlin. Verheiratet, ein Kind. Zur Zeit Mitarbeiterin im International Media Clubhouse.

Erica Fischer, geboren am 1.1.1943 in St. Albans, England. 1948 Rückkehr der Eltern nach Wien. Studium am Dolmetscherinstitut der Universität Wien. Ab 1972 Aktivistin in der österreichischen Frauenbewegung. Seit 1975 publizistisch tätig. Seit 1988 Exil in der BRD. Lebt mit ihrem Mann als freie Journalistin, Autorin und Übersetzerin in Köln.

Cathy S. Gelbin, geboren 1963, wuchs in Ost-Berlin in einer deutsch-amerikanischen Familie auf und übersiedelte 1986 nach West-Berlin. Sie lebt zur Zeit in Ithaka, USA, wo sie über deutsch-jüdische Schriftstellerinnen des 20. Jahrhunderts promoviert.

Julia Hausen (Pseudonym), wohnt in Hamburg, arbeitet zusammen mit Migranten in einem Stadtteilzentrum und freiberuflich als Theaterpädagogin im Bereich antirassistischer Bildungsarbeit.

Barbara Honigmann, geboren 1949 in Ost-Berlin, arbeitete nach dem Studium der Theaterwissenschaften als Dramaturgin und Regisseurin in Ost-Berlin und Brandenburg. Seit 1976 als freie Bühnenautorin und Malerin tätig. Übersiedelte 1984 mit ihrer Familie nach Straßburg, Frankreich. 1986 erschien ihr erster preisgekrönter Prosaband, *Roman von einem Kinde.*

Judith Kessler, geboren 1959, zwischen Jobs als Regieassistentin, Buchbinderin, Cutterin, Polnisch-Jiddisch-Übersetzerin und Puppenbauerin pendelnd. Zur Zeit Sozialabeiterin und Studentin der Sozialwissenschaften in Berlin.

Cornelia Klein, geboren 1957 in Vilnius, Litauen. 1972 mit den Eltern nach Israel ausgewandert, wo sie Kunsterziehung studierte. Übersiedlung 1980 nach Berlin, wo sie im Haus der Kulturen der Welt Ausstellungen oganisierte. Lebt seit 1992 in Bern, Schweiz.

Charlotte Kohn-Ley, geboren 1948 in Wien, verheiratet, ein Sohn. Studium an der Berufspädagogischen Bundeslehranstalt für Modeentwurf. Praxisbezogene Ausbildung für Architekturdesign. Arbeitet seit 1972 als Malerin. Zahlreiche Einzelausstellungen und Beteiligungen. Lehrtätigkeit seit 1989. Beschäftigung mit Kunsttherapie. Publikationen in Anthologien und Zeitschriften. Seit 1991 auch für Fernsehdokumentationen als Gestalterin tätig.

Annette Leo, geboren 1948 in Düsseldorf, verheiratet, zwei Söhne. Studium der Geschichte und Romanistik. Arbeiten zum Thema »Geschichte und Erinnerung«. Publikationen: *Briefe zwischen Kommen und Gehen,* Berlin 1991, sowie Mitarbeit an *Die wiedergefundene Erinnerung,* Berlin 1992 und *Mythos Antifaschismus,* Berlin 1992.

Florence Levy (Pseudonym), geboren 1963 in Toulouse, Frankreich. Studium der Germanistik und Romanistik in Paris, später Tübingen und Berlin.

Karen Margolis, geboren 1952 in Harare, Zimbabwe. Lebte als Kind in Südafrika und kam 1961 nach London. Studierte Mathematik, arbeitete u.a. als Journalistin und Lektorin. Lebt seit 1983 in Berlin als freie Schriftstellerin und Übersetzerin. Veröffentlichungen u.a. *Die Knochen zeigen*, Berlin 1985, und *Der springende Spiegel*, Darmstadt 1991.

Adalia Mussawi (Pseudonym), geboren 1954 in Teheran. Übersiedlung nach Hamburg 1971. Machte eine Ausbildung als Fotografin und Bildhauerin. Zwei Kinder.

Jutta Oesterle-Schwerin, 1941 in Jerusalem geboren, lebt seit 1962 in der BRD. Innenarchitektin. Von Anfang 1987 bis Ende 1990 Bundestagsabgordnete der Grünen. Seit 1990 Sprecherin des Lesbenring e.V.

Miccaela Potter-Dulva, geboren 1957 in Messina, Italien, und aufgewachsen zwischen Italien, Deutschland und Israel. Lebt in Berlin – zum ersten Mal für länger an einem Ort... Studium an der Deutschen Film- und Fernsehakademie Berlin.

Deborah Rachman (Pseudonym), geboren 1947 in Teheran. Übersiedlung 1965 nach Hamburg wegen Heirat. Pendelt mit ihrer Familie zwischen Hamburg und New York.

Angela Schoschana Reinhard, geboren 1948 in Hamburg, Studium der Psychologie in Heidelberg, aktives Mitglied der Jüdischen Studentengemeinde. Seit 1979 in Berlin, tätig in einer Kinder- und Jugendpsychiatrischen Beratungsstelle und als freiberufliche Psychotherapeutin. Lehrbeauftragte für Lehranalysen am Fritz Perls Institut, Düsseldorf. Mitglied der Jüdischen Gemeinde zu Berlin.

Sabine Spier, geboren 1949 in Wiesbaden, aufgewachsen in West-Berlin. Studium der Pädagogik. 1975 Übersiedlung nach

London, wo sie von der Sozialarbeit lebt (materiell) und vom Schreiben (geistig).

Olga Taranczewski, geboren 1972 in Swidnica, Polen. Seit fünfzehn Jahren in der BRD, lebt in Berlin.

Daniela Thau, 1952 in Johannesburg, Südafrika geboren. Von 1952 bis 1960 zwischen Südafrika, Israel und später auch Deutschland gependelt. Kam 1958 nach Deutschland, wo sie in Koblenz, Hannover und Berlin wohnte. Schulausbildung und Universitätsstudium bis 1976 in Deutschland. Ging 1976 nach Israel, wo sie ein Rabbinatsstudium begann. Ab 1978 Weiterstudium am Leo Baeck College in London. 1981 als Berufstraining in Brisbane, Australien, als Rabbinerin gearbeitet. Bekam im Juli 1983 S'micha (Ordination). Heirat mit Dr. Laurie Bender im Oktober 1983 und Umzug nach Bedford, Mittelengland, wo sie als Rabbinerin wirkte. Gemeinsam mit Laurie 1987 nach Thun in die Schweiz, 1990 wieder zurück nach Bedford und im März 1993 nach Bangalore, Südindien gezogen.

Anna Vinogradova, geboren 1964 in Moskau. Zwischen 1980 und 1987 Studium der Anglistik und Romanistik, später als Sprachlehrerin tätig. 1989 Übersiedlung in die BRD. Zur Zeit Studium der Beriebswirtschaft an der Fachhochschule für Wirtschaft in Berlin.

Gila Wendt, geboren 1958 in Israel, kam 1980 in die BRD. Nach einem Philosophiestudium studiert sie jetzt Industrial Design an der Hochschule der Künste Berlin.

Mona Yahia, geboren 1954 in Bagdad. 1970 Flucht in den Iran, 1971 nach Israel eingewandert. Lebt seit 1985 in Deutschland und schreibt zur Zeit an ihrem ersten Roman über jüdisches Leben im Bagdad der sechziger Jahre.

Auswahlbibliographie

I. Jüdisches Leben in Nachkriegsdeutschland

Benz, Wolfgang (Hrsg.)
Zwischen Antisemitismus und Philosemitismus. Juden in der
Bundesrepublik. Berlin: Metropol Verlag 1991

Brumlik, Micha, Doron *Kiesel*, Cilly *Kugelmann* u. a.
Jüdisches Leben in Deutschland seit 1945. Frankfurt a. M.:
Jüdischer Verlag bei Athenäum 1986

Broder, Henryk M. und Michel R. *Lang*
Fremd im eigenen Land. Juden in der Bundesrepublik. Frankfurt
a. M.: Fischer Taschenbuch Verlag 1979

Burgauer, Erica
Zwischen Erinnerung und Verdrängung. Juden in Deutschland
nach 1945. Reinbek bei Hamburg: Rowohlt Taschenbuch Verlag
1993

Heene-Wolf, Susann
Im Hause des Henkers. Gespräche in Deutschland. Frankfurt a. M.:
Dvorah Verlag im Alibaba Verlag 1992

Ostow, Robin
Jüdisches Leben in der DDR. Frankfurt a. M.: Jüdischer Verlag bei
Athenäum 1988

Sichrovsky, Peter
Wir wissen nicht was morgen wird, wir wissen wohl was gestern
war. Junge Juden in Deutschland und Österreich. Köln: Verlag
Kiepenheuer und Witsch 1985

Weissberg-Bob, Nea (Hrsg.)
Jetzt Wohin? Von außen nach innen schauen. Berlin: Lichtig-Verlag
1994

Wroblewsky, Vincent von (Hrsg.)
Zwischen Thora und Trabant. Juden in der DDR. Berlin: Aufbau
1993

*II. Interviews und biographische Texte jüdischer Frauen
(in Deutschland und anderswo)*

Baader, Maria
»Zum Abschied. Über den Versuch, als jüdische Feministin in
der Berliner Frauenszene einen Platz zu finden«. In: Ika Hügel
u. a. (Hrsg.): Entfernte Verbindungen: Rassismus, Antisemitismus.
Klassenunterdrückung. Berlin: Orlanda Frauenverlag 1993,
S. 82–94

Epstein, Helen
Die Kinder des Holocaust. Gespräche mit Söhnen und Töchtern
von Überlebenden. München: dtv 1990

Goldschmidt, Miriam
»Spiegle das Unsichtbare, spiel das Vergessene«. In: Katharina
Oguntoye, May Opitz, Dagmar Schulz (Hrsg.): Farbe bekennen.
Afro-deutsche Frauen auf den Spuren ihrer Geschichte. Berlin:
Orlanda Frauenverlag 1986, S. 121–125

Heschel, Susannah (Hrsg.)
On Being a Jewish Feminist. New York: Schocken books 1983

Jewish Women in London Group (Hrsg.)
Generations of Memories. Voices of Jewish Women. London: The
Women's Press Ltd. 1989

Kaye-Kantrowiz, Melanie und Irena *Klepfisz* (Hrsg.)
Tribe of Dinah. A Jewish Womens' Anthology. Boston: Beacon Press 1989

Lixl-Purcell, Andreas (Hrsg.)
Erinnerungen deutsch-jüdischer Frauen 1900–1990. Leipzig: Reclam 1992

Mertins, Silke
Zwischentöne. Jüdische Frauenstimmen aus Israel. Berlin: Orlanda Frauenverlag 1992

Torton-Beck, Evelyn (Hrsg.)
Nice Jewish Girls. A Lesbian Anthology. Watertown, Massachusetts: Persephone Press 1982

Zaler, Silvia
»Als Jüdin in D. Nur die Opfer hören den Opfern zu«. In: Flugasche Literaturzeitschrift 1986, 6. Jg., Nr. 19

III. Literarische Monographien jüdischer Frauen der Nachkriegsgeneration in Deutschland

Dischereit, Esther
Joemis Tisch. Eine jüdische Geschichte. Frankfurt a. M.: edition Suhrkamp 1988
Merryn. Frankfurt a.M.: edition Suhrkamp 1992

Fleischmann, Lea
Dies ist nicht mein Land. Eine Jüdin verläßt die Bundesrepublik. Hamburg: Hoffmann und Campe 1980
Ich bin Israelin. Erfahrungen in einem orientalischen Land. Hamburg: Hoffmann und Campe 1982

Gas. Tagebuch einer Bedrohung. Israel während des Golfkrieges. Göttingen: Steidl Verlag 1991

Gilbert, Jane
Ich mußte mich vom Haß befreien. Eine Jüdin emigriert nach Deutschland. München: dtv 1989

Honigmann, Barbara
Roman von einem Kinde. Darmstadt: Luchterhand Verlag 1986
Eine Liebe aus Nichts. Berlin: Rowohlt Verlag 1991

Leo, Annette
Briefe zwischen Kommen und Gehen. Berlin: Basisdruck 1991

Margolis, Karen
Die Knochen zeigen. Über die Sucht zu hungern. Berlin: Rotbuch Verlag 1985
Der springende Spiegel. Darmstadt: Sammlung Luchterhand 1990

Neumann, Ronit
Heimkehr in die Fremde. Zu Hause in Israel oder zu Hause in Deutschland? Göttingen: Verlag Bert Schlender 1985

Pohle, Barbara
Wenn der Schlaf flieht. Berlin: Selbstverlag 1981

Walther, Miriam
An deinen Ufern Babylon. Gedichte. Berlin: Hitit Verlag 1987

IV. Forschung zur Geschichte jüdischer Frauen (bes. Deutschland)

Carlebach, Julius (Hrsg.)
Zur Geschichte der jüdischen Frau in Deutschland. Berlin: Metropol Verlag 1993

Dick, Jutta und Barbara *Hahn* (Hrsg.)
Von einer Welt in die andere. Jüdinnen im 19. und 20.
Jahrhundert. Wien: Verlag Christian Brandstätter 1993

Dick, Jutta und Marina *Sassenberg* (Hrsg.)
Jüdische Frauen im 19. und 20. Jahrhundert. Lexikon zu Leben
und Werk. Reinbek bei Hamburg: Rowohlt Taschenbuch Verlag
1993

Hertz, Deborah
Die jüdischen Salons im alten Berlin. Frankfurt a. M.: Athenäum
1991

Kaplan, Marion
Die jüdische Frauenbewegung in Deutschland. Organisation und
Ziele des jüdischen Frauenbundes. Hamburg: Hans Christians
Verlag 1981

Navé Levinson, Pnina
Was wurde aus Saras Töchtern. Frauen im Judentum. Gütersloh:
Gütersloher Taschenbücher Siebenstern 1989
Eva und ihre Schwestern. Perspektiven einer jüdisch-feministischen
Theologie. Gütersloh: Gütersloher Taschenbücher Siebenstern
1992
Esther erhebt ihre Stimme. Jüdische Frauen beten. Gütersloh:
Gütersloher Taschenbücher Siebenstern 1993

Reschke, Renate
»Durch Schreiben Identität gewinnen«. In: Feministische Studien,
8. Jg., Mai 1990

Stephan, Inge, Sabine *Schilling*, Sigrid *Weigel* (Hrsg.)
Jüdische Kultur und Weiblichkeit in der Moderne. Köln u. a.:
Böhlau 1994

Danksagung

Unser besonderer Dank gilt allen Frauen, die als Autorinnen und Interviewpartnerinnen zu diesem Buch beigetragen haben und ohne die es nie hätte entstehen können.

Unser Dank gilt auch all denjenigen, deren Beiträge wir aus Platz- oder anderen Gründen schließlich doch nicht mehr aufnehmen konnten.

Mit Rat und Tat zum Entstehen dieses Buches beigetragen haben außerdem Larissa Dämmig, Astrid Schuhl, Rivka Jaussi, Miriam Walther, Iris Wachsmuth, Madelon Fleminger, Ute Dümpelfeld, sowie insbesondere Prof. Birgit Rommelspacher und Gotlinde Magriba Lwanga. Das Förderprogramm Frauenforschung bei der Berliner Senatsverwaltung für Arbeit und Frauen unterstützte uns mit Stipendien. Ihnen allen gilt unser Dank.

Die Herausgeberinnen